L'ENFANT
PAPILLON

GABRIELLE MASSAT

L'ENFANT
PAPILLON

hachette

© Hachette Livre, 2015, pour la présente édition.
Hachette Livre, 43 quai de Grenelle, 75015 Paris.

À Emma et Adrien,
Parce que je suis fière de vous.

À mon empereur.

PROLOGUE

Il est parti chrysalide, dans le silence léger d'une nuit de printemps.

Sa révolte créait un halo autour de ses frêles épaules ; je l'ai regardé s'éloigner en songeant que je ne le reverrais plus. Le désert l'avait englouti, et il ne recrache jamais ses proies...

Mais cet enfant était touché par la grâce. J'aurais dû m'en douter.

Au lieu de le dévorer, le désert l'a porté jusqu'aux Murs. Quand il est revenu, il n'était plus le même.

Il s'était transformé en papillon.

J'ai pleuré toutes les larmes de mon corps, bouleversé par la beauté de ses ailes iridescentes.

Extrait des *Confessions* de Randall Fox,
an 72 après la Grande Épidémie.

PREMIÈRE
PARTIE

CHAPITRE 1
J-34

Réfectoire de Tucumcari Center,
quartier général des armées.
An 97 après la Grande Épidémie

— Arrête de maltraiter ta tisane, je vais finir par croire que tu es stressée.

Maïa retira sa cuillère de l'infusion de pissenlit qu'elle touillait depuis cinq minutes sans s'en rendre compte. Dimitri Bielinski, son mentor, la contemplait avec des yeux rieurs.

— Toi, tu ferais bien de l'être un peu plus, répliqua-t-elle.

— Je ne peux pas être stressé en ta présence. Tu es si mignonne dans ton uniforme réglementaire…

— Lieutenant-colonel Bielinski, vous êtes un vieux pervers, soupira Maïa en pointant le bout de sa cuillère vers lui.

Dimitri se renversa contre le dossier de sa chaise et passa une main sur le chaume grisonnant qui couvrait ses joues. Ses cheveux d'un blond presque blanc tombaient sur ses épaules et cachaient les galons de son uniforme ; il ne s'était jamais soucié du protocole et refusait net de porter la coupe en brosse des soldats. Sa hiérarchie ne bronchait pas trop, soucieuse de caresser dans le sens du poil celui qui, à quarante ans à peine, comptait parmi les plus brillants représentants de l'armée.

— Mais c'est parce que tu es une ravissante recrue, roucoula Dimitri sans cesser de la dévisager par-dessus ses lunettes. Et puis... dix-sept ans et déjà sous-lieutenant affectée aux Renseignements, ça fait rêver, non ?

— C'est un peu grâce à toi.

— Un expert peut avoir l'œil pour choisir une pierre précieuse, mais il ne peut briller à sa place.

Maïa leva les yeux au plafond et se concentra de nouveau sur son infusion. Dimitri, lui-même membre actif du service des Renseignements, connaissait sa famille depuis longtemps et l'avait épaulée dès l'instant où elle avait choisi d'intégrer le gouvernement militaire de la Cité. Et, depuis qu'elle avait passé le concours d'entrée deux ans plus tôt, Dimitri était son plus proche confident.

— Au fait, reprit l'homme, soudain plus grave, tu as lu le *Citizen* dernièrement ?

Maïa secoua négativement la tête. Le *Citizen Voice*, journal publié par l'armée, était le seul moyen d'information autorisé dans la Cité. Et la jeune fille n'était pas assez cynique pour s'imposer la propagande qu'elle contribuait à diffuser.

— La sécheresse est précoce, cette année. Les pontes prévoient de taxer les céréaliers et la métallurgie pour financer la construction d'un nouveau puits au nord.

Maïa haussa les épaules.

— Si c'est nécessaire...

Dimitri, sceptique devant son apparente docilité, lui renvoya un sourire espiègle. Maïa soutint son regard, puis se détourna pour contempler le réfectoire de Tucumcari Center. Ses tables métalliques s'alignaient sans fin sous la lumière chiche des ampoules à filament pendues au plafond. L'odeur de poussière qui imprégnait toute la Cité disparaissait ici sous les effluves de graisse rancie, et les restes de la purée du midi figeaient dans des bacs en verre derrière le comptoir du cantinier.

Il n'y avait personne dans le réfectoire, à part eux ; l'heure tardive en avait chassé tous les soldats. Seule la poignée de troufions qui travaillaient de nuit se trouvait encore dans le quartier général, mais chacun avait rejoint son poste.

— Maïa...

Dimitri se pencha vers elle, sa voix réduite à un murmure. La jeune fille sentit son pouls s'accélérer.

Pour ce que tu m'as demandé, je passerai chez toi ce s...

La porte du réfectoire s'ouvrit à la volée, interrompant sa phrase. Quatre soldats fondirent sur eux. En tête, Maïa reconnut le redouté colonel Johnson ; vigoureux et mat de peau, il se distinguait autant par sa moustache que par ses tendances tyranniques.

Un jeune soldat boudiné dans son uniforme saisit violemment Dimitri par le bras.

— Plus un geste !

Celui-ci se leva et tenta de se dégager, mais des menottes lui furent passées sans sommation. Son regard bleu acier passa de Johnson à ses ouailles, puis revint se poser sur le colonel.

— Qu'est-ce qui se passe ?

Restée en retrait, Maïa ouvrit la bouche pour protester à son tour, mais ne réussit à produire aucun son. Le colonel

Johnson s'approcha de Dimitri et l'observa avec la froideur d'un crotale jaugeant la proie qu'il s'apprête à gober.

— Lieutenant-colonel Bielinski, vous êtes en état d'arrestation pour haute trahison.

Dimitri se défendit sans conviction et se laissa finalement emmener, conscient que toute résistance ne ferait qu'aggraver la situation. Encadré par deux soldats, il s'éloigna sans un regard pour Maïa. Johnson, lui, ne se priva pas de la dévisager : ses yeux de reptile la poignardèrent avant de se concentrer de nouveau sur le prisonnier.

Tétanisée, la jeune fille accompagna Dimitri du regard jusqu'à ce qu'il disparaisse, englouti par Tucumcari Center.

*

Le colonel Johnson avait convoqué Maïa quelques minutes après l'arrestation de Dimitri. Leur amitié faisait d'elle une complice toute désignée, mais elle n'avait pas cédé face à ses accusations. Ses supérieurs ne pouvaient rien contre elle, elle ne l'ignorait pas ; s'ils avaient disposé de la moindre preuve, elle croupirait déjà en prison avec son mentor.

Minuit venait de sonner quand les gardes l'avaient enfin laissée partir. Lessivée, elle sortit de Tucumcari Center en titubant. Un coquard de la couleur d'une cerise trop mûre, aimable cadeau du colonel, lui fermait l'œil droit. Pour autant, elle estimait s'en être bien sortie : les interrogatoires de l'armée pouvaient être bien plus musclés. Et elle savait qu'elle n'était pas à l'abri d'une deuxième convocation.

Hagarde, elle traîna dans les rues poussiéreuses du quartier est. Elle rechignait à rentrer dans le minuscule studio qu'elle habitait, un logement de fonction loué par l'armée et dans lequel elle se sentait aussi surveillée qu'au QG. Dehors, la température tombait à peine, mais il n'y avait pas la moindre trace des nuages apportant les pluies attendues depuis des semaines. La mousson se faisait désirer ; mauvaise nouvelle pour la Cité, bâtie au nord-est d'un État qui, près d'un siècle plus tôt, s'appelait encore le Nouveau-Mexique. Posée au milieu du désert, la Cité comptait ses précipitations annuelles en dizaines de centimètres et le mercure y flirtait régulièrement avec les quarante degrés.

Maïa se sentait nauséeuse. Le visage de Dimitri la hantait. Elle ne comprenait pas comment la hiérarchie avait pu le démasquer. Le surveillait-elle depuis longtemps ? Que savait-elle sur lui et... sur elle, Maïa Freeman ?

L'adrénaline redescendue, elle tremblait comme une feuille. Angoisse, désespoir. Elle craignait pour son mentor et se sentait sale, lâche. Elle aurait pu s'interposer entre Dimitri et la garde. Elle aurait dû. Mais elle ne l'avait pas fait, assaillie par la peur des sanctions.

Elle s'appuya à un panneau en bois rugueux sur lequel était placardée une carte de la Cité. Il y en avait une dans chaque quartier, comme si la ville était assez grande pour qu'on s'y perde. Maïa fixa le plan grossier qu'elle connaissait par cœur.

Au centre de la carte, le lac Tucumcari avait la rondeur imparfaite d'une pomme. Sésame le plus précieux de la Cité, il approvisionnait en eau ses cent mille habitants, répartis sur cent cinquante kilomètres carrés. Il survivait, comme les deux seuls puits de la Cité, grâce à une maigre nappe souterraine qui n'avait jamais assez de la mousson estivale pour se refaire une santé.

On avait bâti le cœur de la Cité sur la rive est du lac. Il abritait Tucumcari Center, le siège du gouvernement

– mené à la baguette par l'intraitable général Solomon White – ainsi que la plupart des habitations et des commerces. Maïa posa un doigt tremblant sur le gros carré qui symbolisait le Centre de Soins, l'un des rares vestiges du temps ayant précédé la Grande Épidémie, et remonta lentement vers le haut de la carte.

En allant vers le nord du lac Tucumcari, on trouvait la plateforme d'extraction de pétrole, les carrières de fer et de cuivre et la zone industrielle, dont les usines tournaient en permanence pour subvenir aux besoins de la population. Ce n'était qu'en redescendant à l'ouest qu'on tombait sur les berges les plus fertiles du lac, où poussaient le maïs, le blé, le coton et les légumes, à côté des élevages de porcs et de moutons. Une organisation réglée comme du papier à musique, qui n'admettait ni lenteur ni contretemps.

Seule exception à la règle : le quartier sud. Zone de non-droit où pullulaient misère et criminalité, le ghetto tenait l'autorité à distance. Personne ne savait exactement ce qui s'y tramait, et c'était mieux ainsi. Maïa esquissa un sourire sans joie.

Pensive, elle passa la main sur la bande circulaire de désert, large de plusieurs kilomètres, qui ceignait la Cité. Il n'y avait rien à tirer de cette lande dépouillée, où seuls les cactus et les yuccas arrivaient à survivre. Parfois, quelqu'un en ramenait un serpent à sonnette ou un coyote – de la viande à monnayer sous le manteau – mais, depuis le temps qu'ils étaient enfermés là, les animaux sauvages se faisaient rares. Si, malgré tout, il prenait l'envie à un citoyen de traverser le désert, il finissait toujours par tomber sur l'immense muraille qui clôturait la Cité.

Maïa ne l'avait vue qu'une fois : comme la plupart des habitants de la Cité, elle se déplaçait à pied, et les traversées du désert sous un soleil de plomb ne présentaient pas grand intérêt. Mais, à l'âge de dix ans, elle avait accompagné son père, le major Tobias Freeman, en mission.

Sept ans plus tard, elle se souvenait des murs de béton et d'acier comme si elle les avait vus la veille. Haute de plus de dix mètres, la muraille était recouverte sur toute sa surface d'un grillage parcouru nuit et jour par un courant de cinq mille volts, prêt à carboniser quiconque s'approcherait un peu trop.

Maïa frappa le plan du plat de la main, furieuse. Elle détestait cette Cité. Elle la haïssait depuis des années et, ce soir, celle-ci lui avait pris Dimitri en représailles. Ces murs sans aucune brèche symbolisaient l'essence de ses cauchemars. Ils n'avaient jamais comporté d'ouverture. Et ils n'en comporteraient jamais.

Quatre-vingt-dix-sept ans plus tôt, lors de la Grande Épidémie, les habitants avaient été emmurés vivants.

Et personne n'était sorti depuis.

CHAPITRE 2
J-34

Maïa poussa la porte de son studio avec une unique envie : se retrouver seule pour digérer les événements de la soirée.

— Ma chérie, je m'inquiétais !

La voix de sa mère la fit bondir de surprise. Marthe Freeman, une bouille d'Afro malicieuse et quatre-vingts kilos d'amour pur, traversa la pièce principale pour embrasser sa fille.

— Il est si tard... Nom de Dieu ! s'exclama-t-elle en découvrant l'œil au beurre noir de Maïa. Que t'est-il arrivé ?

La jeune fille hésita un instant, puis renonça. Elle n'avait pas le courage de parler de Dimitri à sa mère ce soir. Les larmes lui montaient aux yeux à l'évocation de son protecteur.

— Une broutille au QG, ce n'est rien. Dis-moi, quel bon vent t'amène ?

Marthe vivait avec Andy, le jeune frère de Maïa, de l'autre côté du lac Tucumcari. Elle y cultivait le blé depuis la mort de son mari. L'armée, consciente de ses obligations envers la veuve d'un de ses majors, lui avait fourni ce travail. Marthe désigna un pot en terre posé sur la table de la cuisine.

— Visite de courtoisie. J'ai fait un ragoût, j'ai pensé que tu serais contente d'y goûter. Mais tu n'étais pas là quand je suis arrivée, à huit heures. Je me suis inquiétée, donc j'ai attendu ton retour.

— Tu sais bien que je fais souvent des heures sup, la rabroua Maïa.

Devant la moue dubitative de sa mère, qui scrutait son visage meurtri, elle ajouta :

— Il y a eu un petit incident avec les nouvelles recrues. Tu ne devrais pas t'inquiéter pour si peu. En plus, tu as laissé Andy tout seul…

Marthe roula des yeux.

— Il a treize ans. Sa seule envie, c'est que je le laisse tranquille plus souvent. Tu veux manger ?

— Oui, merci. Mais avant je vais me débarbouiller.

Maïa se glissa dans le réduit qui servait de salle d'eau. Sous ses pieds, un tapis en coton rêche recouvrait les fissures du sol en terre battue. Elle trempa un linge dans la bassine d'eau déjà utilisée pour sa toilette du matin – en temps de sécheresse, l'eau était littéralement délivrée au compte-gouttes et il convenait de l'économiser. Elle passa le tissu humide sur son visage tuméfié tout en observant son reflet dans le miroir dépoli fixé au-dessus du lavabo.

À dix-sept ans, ses traits possédaient encore la rondeur de l'enfance, mais ses lèvres bien ourlées et l'intensité de son regard sombre se chargeaient de rappeler qu'elle était déjà un peu femme. Elle essuya sa peau brune en prenant garde à ne pas toucher son coquard et tenta de discipliner sa tignasse frisée, coupée au ras de la nuque.

— Au fait, lança-t-elle, tu as entendu parler de la nouvelle taxe sur les céréales ?

— Oui, nous avons reçu la circulaire hier. Le niveau du lac est trop bas, ils veulent creuser un troisième puits…

— Ça n'a pas de sens, maugréa Maïa en sortant de la salle d'eau.

Marthe disposa deux assiettes sur la petite table en bois qui occupait un coin de la pièce.

— Qu'est-ce que tu racontes ?

Maïa planta son regard noir dans celui de sa mère.

— S'ils nous laissaient sortir, on trouverait de l'eau, et on n'aurait plus besoin d'économiser le moindre litre.

— Ma chérie, ne dis pas n'importe quoi… Tu sais très bien qu'on ne peut pas sortir.

Cent ans plus tôt, à l'aube du XXIIe siècle, le Nouveau-Mexique était ravagé par des décennies de guerre contre un ennemi oublié. L'arme nucléaire et le terrorisme avaient laissé derrière eux un pays exsangue, forcé de se contenter des ressources locales.

La régression technologique, inévitable, avait ramené les transports ferroviaires, le téléphone filaire et la radio sur le devant de la scène. Seules l'industrie de l'armement et la médecine avaient survécu, portées par l'économie de guerre. Le Centre de Soins de Tucumcari constituait d'ailleurs l'un des fleurons de la recherche médicale. C'était de ses laboratoires, situés sous l'actuel Centre, qu'avait émergé le virus.

— Je suis sûre qu'il existe un moyen de sortir ! s'entêta Maïa, relançant sur le tapis un sujet déjà abordé des milliers de fois.

On avait parlé d'arme chimique malencontreusement échappée des éprouvettes, mais le gouvernement avait coupé court aux rumeurs. Le rétrovirus s'insérait dans le génome des malades et s'y multipliait, envoyant des germes par escouades entières dans le système nerveux. Mort assurée dans quatre-vingt-dix pour cent des cas.

Le gouvernement fédéral avait bataillé pour enrayer l'épidémie, mais la virulence de celle-ci avait triomphé. L'unique parade trouvée par les services sanitaires avait été la mise en quarantaine du foyer d'émergence du virus, une petite ville bâtie autour du lac Tucumcari.

— N'importe quoi, rétorqua Marthe en posant le pot de ragoût sur la table. Viens t'asseoir.

— Maman…

Les habitants n'avaient pas eu le choix : en un temps record, des murs électrifiés avaient été érigés dans un rayon de quarante kilomètres autour du lac. Avec les hommes avaient été abandonnés bétail et infrastructures – ce qu'il fallait pour permettre aux éventuels survivants de durer jusqu'à leur libération. Les mois s'étaient écoulés et la Grande Épidémie avait fini par battre en retraite, après avoir emporté l'immense majorité des emmurés. Péniblement, la vie avait repris pour les rescapés, mais la muraille n'était jamais tombée. On avait attendu. Longtemps. Le monde extérieur semblait s'être évanoui.

Il avait fallu parer au plus pressé, et survivre. Peu à peu, les habitants s'étaient organisés. Culture, élevage, industrie, les activités de la ville avaient ressuscité. Faute de matières premières, les moyens de communication et de déplacement avaient été réduits au minimum ; les lignes téléphoniques et la radio étaient réservées à l'usage de l'armée, de même que les véhicules à moteur. Et, si l'électricité et l'eau courante avaient été préservées dans la plupart des foyers, les habitants se déplaçaient à pied et communiquaient par lettres.

— On ne peut pas sortir, répéta la mère de Maïa. Tu le sais aussi bien que moi. C'est l'Extérieur qui contrôle l'électricité des Murs.

— Ça fait cent ans que la Grande Épidémie est finie ! Même toi, tu ne connais personne qui l'ait vécue ! Pourquoi ceux de l'Extérieur ne nous ont pas libérés depuis, hein ?

— Tu le sais très bien. L'armée est au fait de la situation.

Maïa soupira. Le général des armées était le seul membre de la Cité à être en contact direct avec l'Extérieur *via* une ligne téléphonique privée. Les habitants ne savaient que ce que Solomon White voulait bien transmettre. On enseignait les raisons de l'enfermement aux jeunes dès les classes primaires. Les tracts en provenance de l'Extérieur, distribués régulièrement par l'armée, se chargeaient d'en remettre une couche. Et puis il y avait les Lazuli, ces preuves vivantes de l'horreur du virus, qu'on stigmatisait dès l'enfance. Ces hommes et ces femmes aux cheveux bleus rappelaient au reste des habitants la raison d'être des Murs.

Le problème était le suivant : à la fin de la Grande Épidémie, l'Extérieur avait ménagé une ouverture dans les Murs de la Cité. Un bataillon en était sorti, déclenchant une indescriptible panique. Tous les hommes croisés par les soldats étaient tombés comme des mouches à leur contact, tués par un virus qu'on croyait éteint depuis des années.

Des recherches hâtives avaient alors révélé l'impensable : le virus n'avait pas été éradiqué. Les survivants avaient appris à vivre avec. Un subtil équilibre s'était établi entre les virus persistant dans le génome des hôtes et leurs anticorps, faisant des habitants de la Cité des porteurs sains. Une arme de destruction massive pour ceux de l'Extérieur, dont le système immunitaire ne savait pas lutter contre les germes lancés à toute volée par les soldats de la Cité. Le bataillon avait été renvoyé chez lui, l'ouverture dans les Murs rebouchée. Fin de l'histoire. Les habitants ne seraient libérés que lorsqu'on aurait trouvé un vaccin contre le virus. En attendant, le gouvernement envoyait de temps en temps des volontaires à l'Extérieur pour faire office de cobayes.

— Ça fait trop longtemps qu'ils cherchent un vaccin, bougonna Maïa. Si tu veux mon avis, l'armée se fout de nous.

— Maïa !

La voix de sa mère était brusquement montée dans les aigus.

— Si tes supérieurs t'entendaient, tu serais bonne pour la cour martiale.

Maïa détacha son regard de celui de sa mère et le laissa errer sur les murs en terre crue de son habitat. Il n'y avait rien, dans la Cité. Un système répressif, des citoyens décérébrés, des ressources toujours plus rares ; un sentiment d'étouffement constant, une claustrophobie inscrite en elle comme une seconde nature. Le néant dedans et le reste à l'Extérieur. Elle voulait sortir, plus que tout au monde.

— D'ailleurs, tu as lu le dernier message ?

— Non. Pas eu le temps.

Marthe sortit un papier soigneusement plié de la poche de sa tunique et le tendit à Maïa. Celle-ci reconnut instantanément le logo rouge de Tucumcari Center et leva les yeux au ciel. Encore un tract du gouvernement relayant les avancées à propos du vaccin ! Celui-ci s'intitulait « Découverte de l'antigène glycoprotéique I-682 sur les cellules astrocytaires d'un porteur sain ».

— Super, grogna-t-elle. Vu que personne ne comprend un traître mot de ces tracts, ils peuvent raconter ce qu'ils veulent.

— Tu es insupportable ! Allez, mange.

La jeune fille porta sa cuillère à ses lèvres sans grande conviction.

Sa soif de liberté était aussi vieille qu'elle, ou presque. C'était son père, Tobias, qui l'avait semée en elle. En intégrant l'armée, elle voulait trouver le moyen de franchir les Murs.

— Au fait, ma chérie... commença sa mère d'une voix douce.

Depuis près de deux ans, la jeune fille fouinait en secret, usant des prérogatives conférées par l'uniforme pour trouver une réponse à ses interrogations. Son mentor le savait.

— ... comment va ce cher Dimitri ?

C'était en lui apportant des documents sur l'Extérieur qu'il avait été arrêté. Dimitri allait subir le châtiment réservé aux traîtres par sa faute.

— Maïa... Que se passe-t-il ? Tu pleures ?

CHAPITRE 3
TROIS ANS PLUS TÔT

La stèle avait été taillée dans le bois mais les finitions étaient de qualité, comme il convenait pour un militaire. Un général de brigade bedonnant avait mené la cérémonie funèbre, déblatérant avec emphase sur les nombreuses qualités de feu le major Tobias Freeman.

Marthe se trouvait au premier rang de l'assemblée, vêtue de la tunique pourpre qu'elle ne mettait que pour les grandes occasions. Cramponné à son bras, Andy, dix ans, ne savait plus quoi faire de son chagrin ; il pleurait tellement qu'il aurait pu remplir le lac à lui seul. Maïa avait choisi de rester un peu en retrait, parce qu'elle n'avait aucune larme à offrir au mort. Son visage rond d'adolescente n'exprimait qu'une révolte farouche.

Elle écouta sans vraiment l'entendre le général de brigade retracer la vie de Tobias, celle d'un homme simple catapulté au sommet de la Cité, où il avait éclairé ses collègues de son humanité et de sa bienveillance.

— Foutaises, murmura Maïa, la voix nouée par la souffrance.

Marthe, qui n'était pas sûre d'avoir bien entendu, lui jeta un regard par-dessus son épaule. Les dents serrées à s'en briser les mâchoires, Maïa baissa les yeux, incapable de regarder plus longtemps la tombe dans laquelle reposait son père.

Elle se sentait étouffée par une colère grondante, née pour endiguer une douleur trop lourde pour elle. Oui, le major Freeman était mort. En service. C'était d'ailleurs pour cela qu'on célébrait ses funérailles en grande pompe, au son des canons de l'armée, comme au temps d'avant la Grande Épidémie. Et peu importait que Tobias n'ait pas péri au combat (l'armée de la Cité n'avait jamais connu la guerre) : il restait un héros du gouvernement. Puisque le ridicule ne tuait pas, les pontes de la Cité en abusaient allègrement.

Son père était mort lors de l'une de ses gardes de nuit à Tucumcari Center. En poste aux Renseignements la journée, il était resté pour remplir des dossiers sur lesquels il avait pris du retard. Vers minuit, alors qu'il s'apprêtait à partir, un jeune soldat affecté à la maintenance l'avait appelé pour venir à bout d'une conduite de gaz récalcitrante. Tobias avait accepté de l'aider.

La conduite avait explosé, pulvérisant le major Freeman ; le troufion s'en était tiré avec des blessures superficielles.

Et l'armée avait jugé bon de sortir le grand jeu pour porter en terre le père de Maïa, abreuvant de discours risibles les endeuillés rassemblés autour du cercueil. Non, Tobias n'était pas mort en héros ; en faisant comme si, l'armée ne réussissait qu'à occulter l'homme qu'il avait été. Le mari, le père. Maïa était furieuse. Elle aurait donné n'importe quoi pour se recueillir seule devant le corps de Tobias, lui dire à quel point elle lui en voulait d'être mort aussi tôt, aussi bêtement.

À la fin de la cérémonie, l'assemblée se dispersa comme une nuée de moineaux. Sonnée, Maïa resta devant la tombe avec sa mère et son frère, grappillant d'ultimes instants auprès de Tobias. Au bout de quelques minutes, un homme à la tignasse scandinave trop longue vint se poster à côté de Marthe.

— Dimitri, murmura celle-ci avec un sourire baigné de larmes.

Dimitri laissa tomber son regard bleu acier sur la stèle comme s'il avait pu voir au travers, contempler une ultime fois le visage de son meilleur ami. Inséparables depuis leur entrée dans l'armée, Tobias et Dimitri étaient comme le jour et la nuit. D'un côté, Tobias Freeman, le père de famille posé et bienveillant. De l'autre, Dimitri Bielinski, éternel coureur de jupons brillant et sans attaches. Une alchimie improbable, un petit miracle – comme une oasis dans le désert.

— Bon voyage, Toby, lâcha Dimitri. On se reverra de l'autre côté.

Il y eut un silence. Marthe essuyait ses larmes, Andy toujours pendu à son bras. Maïa continuait de regarder ses pieds. Dimitri se tourna vers sa mère.

— Mes condoléances, Marthe. Tobias était un héros.

— Tais-toi, Dimitri !

D'un même mouvement, Dimitri et Marthe se tournèrent vers Maïa.

— Ce n'était pas un héros, articula l'adolescente, la voix hachée par la colère. Il… il est mort comme un imbécile. Il nous a laissés.

Et elle s'éloigna à grands pas. Dimitri échangea un regard désolé avec Marthe et s'élança à sa suite dans les allées du cimetière. Il la trouva près de la fosse commune, où s'entassaient les corps de ceux qui n'avaient pas les moyens de s'offrir une tombe personnelle.

— Maïa…

L'adolescente, recroquevillée au pied d'un mesquite rabougri, sanglotait comme une enfant perdue. Ce qu'elle était, assurément. Dimitri s'assit à côté d'elle, couvrant son uniforme de cérémonie de poussière ocre.

— Il y a plus sympa, comme endroit pour se recueillir, lança-t-il en regardant le ciel d'un bleu écœurant.

— Pas la peine de venir me consoler.

— Je crois que si.

Maïa ne répondit pas. Elle connaissait Dimitri depuis des années, et il lui était aussi cher qu'un proche parent. Pour autant, elle n'avait aucune envie de discuter avec lui. Tout ce qu'elle voulait, c'était qu'on lui enlève le tison planté entre ses côtes depuis la mort de Tobias.

— Il me parlait de la mer…

— Quoi ?

— Papa, bredouilla Maïa. Il me parlait de la mer.

Dimitri esquissa un sourire triste.

— Il disait que, quand l'Extérieur nous libérerait, on voyagerait. Et qu'on verrait la mer. C'est… (Elle renifla bruyamment.) C'est comme le lac, mais en infiniment plus grand.

D'une main tremblante, elle s'essuya les yeux.

— Je voulais voir la mer avec lui…

Dimitri baissa les yeux sur la chevelure frisée de Maïa, posa une main tendre sur son épaule.

— Ton père était un imbécile, Maïa. Un magnifique imbécile…

DEUX MOIS
APRÈS LA MORT
DE TOBIAS FREEMAN

— Maïa, qu'est-ce que tu fais ?

L'adolescente releva la tête, comme prise en flagrant délit. Elle se détendit en reconnaissant Dimitri, qui semblait avoir vieilli de plusieurs années en quelques mois. Les stigmates du deuil, sans doute. Elle sourit.

— Dimitri… Je ne savais pas que tu venais manger.

En hâte, elle replia les plans de la Cité étalés devant elle – pas assez vite, toutefois. Dimitri fronça les sourcils, mais ne fit aucun commentaire.

— J'ai apporté de la viande.

Il brandit un sachet sanguinolent sous le nez de Maïa, qui poussa un petit sifflement admiratif. Cela faisait plus d'une semaine qu'elle n'avait pas mangé de viande, et certainement pas d'une telle qualité. Avec son salaire, Dimitri pouvait s'en payer autant qu'il voulait et il se faisait un devoir d'en fournir à la famille Freeman quand il le pouvait. Depuis l'enterrement, sa loyauté à l'égard de Tobias s'exprimait par des attentions constantes envers Marthe et ses enfants. Un moyen comme un autre de combler le vide, supposait Maïa.

— Maman rentre bientôt du boulot, expliqua-t-elle. Et Andy joue chez le voisin.

Dimitri s'assit à la table en fer forgé, face à l'adolescente. Le salon des Freeman témoignait du dénuement qui s'était abattu sur la famille ; aucune décoration ne venait égayer les murs d'un blanc sale, et l'essentiel des victuailles (de la farine et du maïs dans des sacs de dix kilos) tenait dans un mètre cube sous l'évier. Par la fenêtre de la petite maison en terre crue, on voyait les hectares verdoyants de blé et de coton des plantations. Dans cette partie de la Cité, l'odeur acide de la terre retournée imprégnait tout, jusqu'aux vêtements des agriculteurs et de leur famille, et les oiseaux étaient plus nombreux qu'ailleurs.

— Qu'est-ce que tu faisais ? demanda Dimitri avec un sourire qui se voulait dégagé.

— Rien.

— Tu étudiais les plans de la Cité. Qu'est-ce que tu fais ?

L'adolescente hésita, puis opta pour l'honnêteté :

— Je cherche une faille. Dans les Murs.

Dimitri la regarda sans comprendre. Il esquissa un sourire qui se figea quand il réalisa qu'elle ne plaisantait pas. Il se pencha alors vers elle et chuchota :

— Quoi ?

— Tu as très bien entendu, répliqua-t-elle avec aplomb. Je cherche comment sortir...

Dimitri la fit taire en lui plaquant une main sur la bouche.

— Moins fort ! Tu es complètement inconsciente, ma parole ! Qui est au courant ?

Maïa grogna derrière les doigts de l'homme, qui les ôta avec précaution.

— Personne. Je te le dis parce que je sais très bien que tu ne me dénonceras pas...

— Ah oui ?

— Oui. Toi, tu es comme moi.

Dimitri ne réagit pas. Pendant quelques secondes, Maïa se demanda s'il allait éclater de rire ou la rabrouer, mais il se contenta d'incliner la tête, une lueur indéchiffrable au fond des yeux.

— Alors ? tenta-t-elle.

Elle se sentit vaciller, passée au crible par ses iris d'un bleu froid.

— Nous n'avons rien en commun. Si tu veux tenir la comparaison, il va falloir apprendre la discrétion.

Maïa vira au cramoisi alors que Dimitri se postait devant la fenêtre. Une brise légère, presque une caresse, agitait le blé vert.

— Qu'est-ce qui te prend, Maïa ?

— Je veux voir la mer.

Dimitri se retourna et la gratifia d'un regard à la fois triste et agacé.

— Encore cette histoire... Tu sais, ton père racontait ça pour...

— Ça n'a rien à voir avec papa.

— Alors, c'est encore plus puéril.

Maïa haussa les épaules et glissa les plans sous sa paillasse, dans la chambre qu'elle partageait avec Marthe et Andy.

— En fait, ça n'a rien à voir avec la mer.

Dimitri la suivit dans la chambre. Les trois lits, recouverts chacun d'un drap, tenaient à grand-peine dans la pièce borgne.

— Quoi, alors ?

— Je pense qu'il existe un moyen de sortir, expliqua-t-elle à voix basse. Et, si c'est le cas, on n'a aucune raison de rester enfermés.

— Et le virus en nous, c'est quoi ? Nous sommes trop dangereux pour l'Extérieur et tu le sais. Vouloir sortir dans de telles conditions, c'est de l'égoïsme pur.

Il avait tenté de mettre de la conviction dans ses mots, sans grand succès.

— Je n'y crois pas.

— Ah oui ? rétorqua Dimitri avec une pointe de mépris. Que sais-tu, du haut de tes quatorze ans ?

— Tu sais, les « cobayes » qu'on envoie dehors pour participer à la création d'un vaccin…

— Eh bien ?

— Quelques mois avant de mourir, papa en a vu un à Tucumcari Center. Il était mort. Et, selon les listes, il aurait dû être parti pour l'Extérieur trois jours plus tôt…

Dimitri jeta un regard circulaire autour de lui et s'approcha encore.

— Je crois qu'ils n'envoient pas de cobayes à l'Extérieur, conclut Maïa. Ce qui veut dire…

— Ça ne veut rien dire.

— … ce qui veut dire que, dehors, ils ne cherchent pas un vaccin contre le virus. (Maïa leva un doigt.) Option un : l'Extérieur nous ignore complètement, auquel cas je compte bien faire pareil. Option deux…

— Stop. Tais-toi.

Dimitri recula d'un pas, ébranlé. Ce n'étaient pas les soupçons de Maïa qui lui faisaient un tel effet, c'était la révolte qu'il percevait en elle ; un volcan en éruption au fond de ses prunelles, et gare à ceux qui s'exposeraient aux coulées de lave ! L'adolescente s'en rendit compte et secoua la tête. Elle semblait tout à coup bien plus âgée que ses quatorze ans.

— Papa et toi, vous saviez déjà tout ça, hein ?

Dimitri hocha la tête de mauvaise grâce. Il évalua ses options, hésita à sermonner l'adolescente. Maïa les avait percés à jour, Tobias et lui. Il ne savait pas comment, mais peu importait : rien ne la détournerait de son but.

— Qu'est-ce que tu vas faire, l'an prochain ?

— Mmmm ?

— L'an prochain, répéta-t-il.

— Ah. Euh…

Maïa hésita. Ses études obligatoires s'achevaient à la fin de l'année. Dès la rentrée, elle devrait choisir une formation professionnelle. Et tout portait à croire qu'elle rejoindrait sa mère aux plantations, même si…

— Entre dans l'armée, lui conseilla Dimitri. Tu n'as que trois mois pour préparer le concours, mais…

Maïa fronça les sourcils. À la mort de son père, elle avait laissé cette possibilité de côté. L'idée de marcher sur ses traces l'effrayait, car c'était accepter de s'enchaîner à son fantôme. Elle voulait se libérer du poids du deuil et priait pour que le temps l'en délivre. Mais elle souffrait toujours à la simple évocation de Tobias, et quelque chose lui soufflait que l'acceptation viendrait le jour où elle verrait la mer.

Elle expira profondément pour chasser la boule coincée dans sa gorge.

— En plus, ton père est mort en service. Tu seras bien accueillie. Et probablement gradée d'office.

— J'aurai accès à des informations intéressantes. Mais c'est risqué.

— Oui, mais au moins je t'aurai à l'œil...

Maïa sourit au moment où Marthe poussait la porte d'entrée.

— Je suis rentrée... Oh, Dimitri, quelle bonne surprise !

Son regard passa de Maïa à Dimitri, revint sur sa fille.

— J'ai raté quelque chose ? demanda-t-elle.

CHAPITRE 4
J-33

L'armature métallique du quartier général des armées constituait une exception au sein de la Cité. Hormis les rares maisons datant d'avant la Grande Épidémie, la plupart des habitations étaient bâties en terre crue : un savoir-faire ancestral hérité des premiers colons espagnols. Le fer et le cuivre étaient réservés à l'industrie et à la mécanique ; les cinquante automobiles de l'armée, dotées d'un moteur à explosion presque identique à ceux d'avant la Grande Épidémie, en monopolisaient une partie. Le siècle passé en autarcie, peu propice au progrès, n'avait pas changé leur fonctionnement, à un ou deux détails près. Bien moins gourmandes en pétrole que leurs ancêtres, elles possédaient des roues qui, faute de caoutchouc, étaient revêtues d'un agrégat plastique et dépourvues de système d'amortissement. On avait aussi abandonné l'informatique, réservant le cuivre à l'entretien du réseau électrique sommaire qui distribuait lumière et chaleur.

Maïa s'arrêta un moment pour contempler le parvis de Tucumcari Center, gueule béante ouverte sur une fourmilière de soldats qui, engoncés dans leurs uniformes beiges, ressemblaient à de petites dents pointues. Celui qui gardait les portes la tira de ses pensées en lui adressant le salut réglementaire, doigts joints pointés vers la tempe et paume visible.

Maïa lui répondit d'un geste vague et s'engagea dans les couloirs de Tucumcari Center. Les hommes qui la croisaient lui adressaient des regards fuyants, des saluts brefs, nerveux. Les nouvelles avaient vite circulé. L'arrestation de Dimitri, la veille au soir, n'était plus un secret pour personne – et son lien fusionnel avec Maïa Freeman n'en avait jamais été un.

La jeune fille emprunta les escaliers qui menaient au sous-sol, là où on entassait les criminels en détention provisoire. Les couloirs étroits, creusés à même la pierre et parcourus de tuyaux de cuivre, lui avaient toujours flanqué la chair de poule. L'écho de ses pas lui donnait l'impression d'être suivie, mais il n'y avait personne derrière elle, excepté son ombre qui s'allongeait dans la lumière chiche des ampoules fixées aux murs.

Le garde posté devant les cellules lui adressa un sourire timide.

— Sous-lieutenant Freeman, gargouilla-t-il en la saluant.

Maïa lui rendit son sourire.

— Bonjour, soldat Taylor. Comment allez-vous ?

L'intéressé rougit jusqu'aux oreilles et se gratta le crâne, recouvert d'une crinière rousse. Son visage allongé, dont le nez pointu évoquait celui d'une gerboise, contenait à grand-peine une paire d'yeux immenses et humides. Maïa et lui avaient fait leurs classes ensemble et entretenaient de bonnes relations depuis que la jeune fille, quelques mois après la remise des uniformes, l'avait sorti d'un mauvais pas. À peine affecté aux Affaires Administratives, Taylor avait égaré des documents de catégorie 2, ceux qu'il était strictement interdit de faire sortir de Tucumcari Center. L'incident aurait pu se terminer par une simple réprimande si le rouquin, un poil trop zélé, n'avait perdu lesdits documents à l'extérieur du QG ; retardé dans sa tâche, il avait choisi de rapporter du travail chez lui pour terminer son classement dans les délais.

Lorsque l'affaire avait éclaté, Maïa avait intercédé en sa faveur auprès de Dimitri, qui s'était porté garant de la bonne foi de Taylor. Le jeune homme s'en était tiré avec un blâme et une affectation aux geôles – et il savait à qui il devait une fière chandelle.

— Moi, ça va, répondit-il en passant une main nerveuse sur sa joue couverte de taches de rousseur, sans oser renvoyer la question à sa supérieure.

— Je viens voir le lieutenant-colonel Bielinski.

Taylor roula des yeux, gêné.

— J'ai une autorisation de la hiérarchie, précisa Maïa, qui avait dû user de toute sa diplomatie pour l'obtenir.

En effet, les pontes n'appréciaient pas que le traître puisse avoir des contacts avec son ancienne alliée, même si celle-ci avait feint d'être profondément révoltée par la conduite de Dimitri. Cependant, après son interrogatoire et la fouille de son studio, Maïa avait été blanchie par ses supérieurs. Temporairement, supposait-elle, mais c'était déjà ça.

— Suivez-moi…

Les cellules étaient en fait des alcôves creusées à même la pierre, fermées par une simple grille métallique. Un garde surveillait les geôles en permanence, et les criminels n'y restaient pas assez longtemps pour qu'une sécurité supplémentaire s'impose. Maïa toussa, la gorge irritée par la poussière des murs.

Il n'y avait qu'une vingtaine de cellules, et jamais plus de la moitié n'étaient occupées. Le système pénal de la Cité, aussi brutal qu'expéditif, en assurait une vidange régulière. Maïa et Taylor passèrent devant deux condamnés prostrés sur leur matelas de paille et arrivèrent devant la cellule de Dimitri. Celui-ci portait une tunique trouée à la place de son uniforme, et des cernes marqués soulignaient son regard bleu.

— Sous-lieutenant Freeman, vous êtes la pire tête de mule que j'aie jamais vue ! s'exclama-t-il à son approche.

Maïa vint se coller à la grille et sentit son cœur se nouer à la vue des ecchymoses et du sang séché sur le visage de Dimitri. Celui-ci tentait de paraître inébranlable, mais il ne faisait aucun doute que son interrogatoire avait brisé quelque chose en lui. Elle aurait donné cher pour le serrer dans ses bras, l'inonder de promesses de meilleur, si mensongères soient-elles. Dimitri derrière les barreaux, en position d'extrême vulnérabilité, c'était leur relation entière qui se retrouvait bouleversée. Leurs rapports s'étaient brutalement inversés, et Maïa sut qu'il lui incombait désormais de protéger l'homme sur qui elle s'était toujours reposée.

— Ce n'était pas la peine de venir, poursuivit-il, vaguement réprobateur.

— Comment vas-tu ?

Dimitri haussa les épaules. Ce genre de question se passait de réponse.

— Johnson ne va pas aimer que tu sois là.

— Ils ont des preuves contre toi ?

Dimitri coula un regard vers Taylor, qui montait la garde à trente centimètres d'eux, et garda le silence. Maïa soupira et se tourna vers le garde.

— Soldat Taylor, pourriez-vous nous laisser seuls un instant, s'il vous plaît ?

L'intéressé roula de nouveau des yeux, ce qui semblait être sa façon d'exprimer son trouble.

— C'est contraire au règlement...

Maïa pinça les lèvres.

— Une minute. Pas plus. Personne ne le saura... S'il vous plaît.

Le soldat roux hésita un long moment. Maïa crut qu'il allait camper sur ses positions, mais il lui adressa un regard étrange, presque tendre, et tourna finalement les talons pour aller houspiller l'un des prisonniers, à plusieurs mètres de là.

— Tu crois qu'il en pince pour toi ? ricana Dimitri en se collant à la grille.

— Arrête ! chuchota Maïa en se penchant à son tour. Ils ont quelque chose contre toi ?

— Oui. J'avais les documents que tu m'avais demandés sur moi quand ils m'ont arrêté.

De nouveau, Maïa sentit les larmes lui monter aux yeux. Depuis la veille, elle avait l'impression de n'être bonne qu'à pleurnicher. Ce qui n'était probablement pas qu'une impression, d'ailleurs.

— Je vais te sortir de là, Dimitri.

Les mots lui avaient échappé avant qu'elle ait pu y réfléchir. Elle ne se sentait pas le courage de demander pardon à son protecteur ; elle s'en voulait trop pour ça. Mais, au-delà de la culpabilité, la terreur de se voir enlever

Dimitri la rongeait. À la mort de Tobias, elle s'était raccrochée à lui de tout son désespoir et il l'avait aidée à se remettre debout. Elle ne savait toujours pas ce qu'il représentait pour elle ; pas un père, pas un frère non plus. Pas un amour ni un ami, mais bien plus qu'un mentor. Il était une part d'elle-même.

— Ne dis pas n'importe quoi, lui renvoya Dimitri sans élever la voix. Tu sais bien que c'est impossible, alors...

— Alors quoi ? Tu veux que je les laisse te faire ce qu'ils font aux pires criminels ?

— Je *suis* un criminel. Toi aussi, d'ailleurs, alors tu ferais bien de raser les murs au lieu de venir me voir...

— Mais...

— Ça suffit. Rentre chez toi, Maïa. Fais-toi oublier et, quand cette histoire sera finie, reprends tes... « affaires ».

Maïa esquissa un mouvement de dénégation. Elle ne pouvait pas sacrifier Dimitri pour leurs idéaux communs, parce qu'elle savait que l'armée réservait aux traîtres un sort pire que la mort. Il fallait qu'elle trouve un moyen de l'innocenter... Mais, même si elle se dénonçait, Dimitri démentirait sa version. Au pire, ils seraient condamnés tous les deux.

Taylor jeta un bref regard dans leur direction et, estimant que le temps imparti était écoulé, revint vers la cellule.

— Écoute-moi bien, reprit précipitamment Dimitri. Ne commets pas d'imprudences, compris ? Quand tout sera calmé, tu te remettras en chasse. Il faudra que tu trouves l'Enfant Papillon.

Maïa ouvrit des yeux ronds.

— Quoi ?

— L'Enfant Papillon, répéta son mentor alors que le garde n'était plus qu'à deux mètres. C'est à lui que m'ont mené mes recherches. Trouve-le et...

Il s'interrompit. Taylor était tout près d'eux. Maïa recula d'un pas, ébranlée, et adressa un signe de la tête au garde pour lui signifier que l'entrevue était terminée.

— Merci, soldat. Je me souviendrai de cette faveur.

Le roux balaya la remarque de la main et la raccompagna vers l'escalier. Au bout de quelques pas, Maïa se retourna vers Dimitri, qui les regardait s'éloigner depuis sa cellule. D'un geste ferme, elle le salua comme le faisaient les soldats. Et Dimitri lui répondit d'un geste mal assuré, laissant pour la première fois affleurer sa peur à l'idée de ce qui l'attendait.

— Sous-lieutenant Freeman !

La voix glaciale du colonel Johnson la figea alors qu'elle quittait Tucumcari Center. Elle se retourna mécaniquement et adressa un salut stoïque à son supérieur.

— Colonel Johnson...

Le militaire s'approcha d'elle jusqu'à la couvrir de son ombre immense.

— Où étiez-vous ? Je ne vous ai pas vue dans l'aile des Renseignements...

Maïa hésita, puis se décida à jouer franc jeu. Des témoins l'avaient probablement vue descendre aux geôles, et elle ne doutait pas un seul instant que le colonel soit capable de mener son enquête.

— J'ai rendu visite au lieutenant-colonel Bielinski. Je m'apprêtais à partir en mission.

— Je n'ai pas vu passer votre autorisation...

— Elle a été signée par le capitaine Carlson, répondit-elle en dépliant le bout de papier.

Le crotale en uniforme la jaugea de nouveau, comme s'il hésitait entre la dévorer et la laisser agoniser après l'avoir mordue au cou. Il opta finalement pour la seconde solution et pointa de l'index le coquard de Maïa.

— Toujours rien à m'avouer, sous-lieutenant ?

— Je déplore ce qui est arrivé. Je ne me serais jamais doutée que le lieutenant-colonel était un traître.

Johnson laissa planer un silence méfiant. Maïa savait qu'il ne la croyait pas et aurait parié sa main droite qu'il la ferait surveiller dès qu'elle aurait tourné les talons. Mieux valait être prudente.

— D'ailleurs, je n'ai pas lu vos derniers rapports à propos de Jordan Lane.

— Ah bon ? Pourtant, je les ai donnés au capitaine Delgado la semaine dernière.

Dès son intégration dans l'armée, Maïa avait été affectée au service des Renseignements, secteur qu'elle avait pu choisir grâce à son excellent classement au concours d'entrée. De plus, elle avait été promue sous-lieutenant d'office, en compensation de la perte de son père. Son rôle consistait à épier les éléments jugés perturbateurs par le gouvernement ; sa dernière mission l'avait envoyée dans le ghetto pister un pauvre gars qui parlait trop, un certain Jordan Lane.

Son travail aurait pu sembler excitant, au premier abord. Il n'en était cependant rien : on confiait les vrais agitateurs à plus compétent qu'elle. Jordan Lane était absolument inoffensif, et Maïa savait bien qu'on l'avait envoyée dans le ghetto pour la mettre à l'épreuve. Si elle réussissait à rapporter des informations de cette zone de non-droit sans y perdre quoi que ce soit, les pontes lui feraient confiance.

— Soyez prudente, sous-lieutenant Freeman, dit finalement Johnson avec un rictus.

Maïa salua de nouveau son supérieur et attendit qu'il tourne les talons pour s'en aller.

Lorsqu'elle mit un pied dehors, assommée par l'écrasante chaleur de ce mois de mai, elle tremblait comme une feuille.

CHAPITRE 5
J-31

Les Murs.

Des kilomètres de béton enrichi en fibre de carbone, coulé à toute allure sur des poteaux en titane un siècle plus tôt. Depuis, rien n'avait bougé, pas même le grillage posé dessus. Le même déplaisant grésillement s'en échappait depuis son installation, glas sinistre et continuel repoussant quiconque s'approchait trop près.

Personne ne gardait les Murs. La mémoire collective se chargeait de véhiculer le message : tenter de franchir la muraille, c'était mourir carbonisé. Et, quand les souvenirs se perdaient, une nouvelle mort pour l'exemple ne tardait jamais à se produire. La dernière en date était celle d'un simple d'esprit nommé Dean Kearney qui, cinq ans plus tôt, avait échappé à la vigilance des nurses du Centre de Soins.

On l'avait retrouvé deux jours plus tard, brûlé sur tout le corps et à moitié dévoré par les charognards du désert. Son cadavre calciné avait fait la une du *Citizen Voice*, la feuille de chou de l'armée. Histoire de rappeler qu'il fallait se tenir loin des Murs...

*

— Z'auriez pas une p'tite pièce, mam'zelle ?

Le poivrot essaya de la retenir par la manche, mais Maïa se dégagea brutalement. L'alcool de cactus et le waska faisaient des ravages sur la faune du ghetto. La violence y pullulait, gratuite et désespérée, avec pour cible favorite les plus faibles ou, mieux, les plus fortunés. Et, quand l'armée se risquait à y descendre, c'était toujours en groupes d'au moins cinq soldats armés jusqu'aux dents.

Heureusement, Maïa ressemblait à tout sauf à une militaire dans les guenilles puantes qu'elle portait en infiltration.

— Allez, mam'zelle…

Elle s'éloigna d'un pas vif, slalomant entre les miséreux agglutinés autour des stands du marché aux viandes de Main Street. Une fois par mois, la plus grande rue du ghetto s'emplissait des carcasses des animaux du désert chassés par les autochtones et revendus aux enchères. Il n'y avait généralement pas assez d'offre pour la demande, les coyotes étant devenus beaucoup plus rares que les habitants du quartier, mais le prix d'achat d'un bout de viande restait, malgré tout, bien plus abordable qu'ailleurs dans la Cité, où les porcs et les moutons d'élevage se négociaient à prix d'or.

Le ghetto, quart sud de la Cité, abritait les rebuts de la société : les pauvres, les estropiés, les criminels qui avaient survécu à leur Châtiment et ceux qui échappaient pour le moment à l'autorité. L'armée n'y était pas la bienvenue et l'existence du service des Renseignements y prenait tout son sens, car il permettait de contrôler cette zone sans s'y faire repérer.

Étourdie par l'odeur écœurante de barbaque fermentée, Maïa emprunta une petite rue perpendiculaire à l'artère principale et ralentit l'allure. Ici, la plupart des habitations étaient des cabanes construites avec des déchets industriels et un peu de terre ; si, par miracle, une maison d'avant la Grande Épidémie avait survécu, elle était transformée en squat insalubre depuis des lustres.

Elle s'arrêta devant un minuscule bouge en tôle dont la porte consistait en un rideau de coton orné de motifs complexes. Cela pouvait sembler désuet mais, la plupart des tissus se passant de teinture, posséder une tapisserie bariolée au cœur du ghetto équivalait à se balader avec un diamant au doigt alors qu'on n'avait même pas de quoi s'habiller.

Maïa inspira à fond et s'engouffra dans la cabane. L'intérieur était surchauffé et plongé dans la pénombre, car aucune fenêtre ne perçait les cloisons. Elle avança presque à tâtons, en essayant d'esquiver les carcasses faisandées et les ustensiles bizarres pendus au plafond. Dans le fond de l'échoppe, une silhouette épaisse était assise à un bureau fait d'une vieille planche posée sur des tréteaux.

— Bonjour, Big D…

L'homme leva vers elle son regard chassieux. Il tenait un antique revolver de modèle Springs 416, qui avait probablement appartenu à l'armée avant de tomber entre ses mains. Semi-automatique, dérivé des Sig Sauer d'avant la Grande Épidémie. L'acier avait laissé place à un alliage cuivre-fer peu maniable, qu'une technologie sommaire dotait d'une précision minable. Un sourire carnassier étira les lèvres flasques de Big D.

— Bonjour, sous-lieutenant, articula-t-il à mi-voix.

Maïa frissonna. Elle détestait que Big D mentionne son grade ; si quelqu'un l'entendait, adieu sa couverture. Elle jeta un regard autour d'elle, en s'arrêtant sur les cadavres de lapins écorchés pendus au plafond.

— Vous ne faites pas le marché aux viandes ?

— Et toi, tu n'es pas censée filer Jordan Lane ?

Maïa ne réagit pas. Officiellement, ses escapades dans le ghetto étaient certes dangereuses mais surtout ennuyeuses. En réalité, elle y menait une partie de ses investigations personnelles.

— J'irai dès que nous aurons fini.

Big D tenait le ghetto au creux de sa main. Ce vieil hors-la-loi gras et parcheminé trempait dans tous les circuits parallèles existants, et quiconque avait à faire du côté de l'illégalité devait lui rendre des comptes. Son empire s'étendait de Main Street aux limites de la Cité, et il ne craignait rien ni personne – surtout pas l'armée, qui le préférait chez lui que dans ses geôles. En effet, Big D ne faisait pas de vagues et s'occupait de ses affaires. Mieux : son autorité incontestée maintenait une paix relative dans le ghetto. Le gouvernement fermait donc les yeux sur ses activités.

— Bien, apprécia le mafieux en commençant à démonter le Springs. Tu as ce que je t'avais demandé ?

Pour toute réponse, Maïa jeta un bout de papier plié en quatre sur le bureau. Un mouvement derrière le vieil homme lui arracha un sursaut. Une effrayante créature contourna les tréteaux et vint se planter devant la jeune fille ; Kingston, l'animal de compagnie de Big D, la contemplait de ses yeux presque humains. La bestiole rôdait toujours autour de son maître, lugubre et silencieuse. Haut d'environ quatre-vingts centimètres, couvert d'un pelage noir parsemé des touffes blanches de la vieillesse, Kingston était un *singe*. Un animal unique au sein de la Cité.

— Ce sont les dates des prochaines descentes de l'armée ? demanda le vieil homme en lorgnant le bout de papier couvert de l'écriture serrée de Maïa.

— Oui.

— Qui est visé ?

— O'Meara. Lili Birnes. Peut-être le vieux Lingh.

Maïa avait découvert l'existence de Kingston au hasard d'une virée dans le ghetto, l'année précédente. Et c'était précisément pour cela qu'elle avait décidé de se rapprocher de Big D : son singe venait forcément de l'Extérieur. Le mafieux était donc déjà sorti, ou connaissait quelqu'un qui avait franchi les Murs. Elle espérait que, si elle lui transmettait les données sur l'armée qu'il réclamait, il lui dévoilerait comment il avait obtenu Kingston.

Pas question, cependant, de le braquer. Pour le moment, Maïa se contentait de lui soutirer des informations simples, presque anodines, sur le fonctionnement du ghetto ; pour lui, Maïa trempait dans le trafic de waska, qu'elle achetait dans le ghetto pour le revendre. Quand elle aurait gagné sa confiance, elle aborderait le sujet du singe… Enfin, en théorie. L'arrestation de Dimitri changeait la donne. Le temps manquait.

Comme s'il l'avait entendue penser, l'animal s'approcha encore d'elle. Elle recula d'un pas, nerveuse.

— Bien, bien, murmura Big D sans détacher son regard du bout de papier. Merci, *sous-lieutenant*. Que veux-tu en échange, cette fois-ci ?

Maïa inspira profondément. C'était le moment ou jamais. Le mafieux se désintéressa du bout de papier et recommença à tripoter son revolver.

— C'est une demande un peu différente de…

Elle ne finit pas sa phrase. La lumière inonda soudain le terrier de Big D, et une silhouette longiligne se découpa dans l'embrasure. Le nouveau venu fit un pas en avant et le rideau bariolé reprit sa place, plongeant de nouveau la pièce dans la pénombre.

Big D leva la tête avec lenteur ; un sourire froid lui effleura les lèvres.

— Zéphyr...

L'intéressé passa devant Maïa sans la voir et jeta quelque chose sur le bureau du vieil homme. Celui-ci considéra ce qui gisait sous ses yeux avec calme. Maïa laissa échapper un hoquet.

C'était une tête.

Une tête humaine. Détachée du corps.

L'odeur de putréfaction retourna l'estomac de la jeune fille, qui détourna immédiatement les yeux du visage figé dans une expression horrifiée.

— Pauvre O'Meara, commenta Big D d'un air faussement affligé. Au moins, il ne sera pas raflé par l'armée lors de la prochaine descente...

Maïa ne savait plus où se mettre. Son estomac menaçait de déverser son contenu sur le bureau. Enfin, sur la tête décapitée, mais le pauvre défunt ne devait plus vraiment s'en soucier.

— Il m'a juré qu'il n'avait jamais vendu de waska sur ton territoire, précisa le dénommé Zéphyr d'une voix étonnamment douce. Je ne l'ai pas cru.

— Tu as bien fait. Trois mille, c'est ça ?

Le tueur acquiesça en silence alors que Big D détachait plusieurs billets d'une liasse apparue comme par magie.

Zéphyr les glissa dans la doublure de sa tunique noire à manches longues.

— Maintenant, laisse-nous, tu veux ? demanda Big D avec une sorte de déférence pour celui qui semblait être son homme de main. Je dois discuter avec cette jeune fille.

Soudain, Zéphyr sembla s'apercevoir de la présence de Maïa et se tourna vers elle avec lenteur. Elle le détailla avec appréhension. D'abord, elle ne comprit pas pourquoi ses habits étaient noirs et couvrants ; avec la canicule qui sévissait au-dehors, il fallait être fou pour porter autre chose que des couleurs claires et des manches courtes. Puis elle remarqua ses mains, grêlées de cicatrices rosâtres, tourmentées, et la lumière se fit dans son esprit.

Cet homme était un criminel qui avait été châtié : son corps entier devait arborer les marques de son supplice. Pas étonnant qu'il le cache sous des étoffes opaques. Une trace de brûlure barrait sa mâchoire carrée et une pluie de petites cicatrices entourait ses yeux vairons, empreints d'une délicatesse étrange, presque mélancolique.

Il porta une main au vieux panama noir qui coiffait sa tête et le retira dans un salut respectueux, dévoilant un crâne nu à la peau ravagée.

— Mademoiselle...

Il accompagna son geste d'un petit sourire et se retourna vers son patron :

— Tu sais où me trouver, pour le prochain.

— Lili Birnes, révéla Big D. Et le vieux Lingh. Ils sont dans le collimateur de l'armée et j'aimerais éviter qu'ils deviennent bavards s'ils sont interrogés. Deux mille cinq cents sotos chacun.

Zéphyr prit acte de la commande d'un hochement de tête et tourna les talons pour disparaître comme il était apparu, sans un bruit.

— Que disais-tu ?

Maïa sursauta. L'irruption du tueur l'avait détournée de son but premier, et elle réalisa que son cœur battait à lui briser les côtes. L'odeur âcre des lapins écorchés et la chaleur l'étourdissaient. Une peur animale hurlait en elle et changeait le sol en eau boueuse sous ses pieds.

La tête décapitée du gêneur lui avait rappelé un détail essentiel : Big D était un homme extrêmement dangereux. Et capable d'assassiner quelqu'un par simple précaution. Poser les mauvaises questions sur Kingston était le meilleur moyen de finir comme O'Meara... Maïs réprima un frisson. L'arrestation de Dimitri bouleversait ses plans, mais elle devait à tout prix garder la tête froide. Le moment n'était pas opportun. Pas encore.

— Je me contenterai du salaire habituel, fit-elle d'une voix qu'elle espérait assurée.

Et elle quitta la tanière du mafieux aussi vite qu'elle le put.

CHAPITRE 6
J-30

Le soleil se levait sur Tucumcari Center, parant son armature métallique du halo rose de l'aube. La fraîcheur nocturne ne durait jamais plus de quelques heures après le lever du jour. Les rongeurs et les oiseaux profitaient de cette brève faveur du climat pour sortir, et la Cité troquait alors son silence habituel contre leurs fouissements, piaillements et autres vocalises ; un sursaut de vitalité quotidien, salutaire dans le paysage désolé de ce coin de désert.

Maïa, nerveuse, attendait devant l'entrée du quartier général des armées que l'audience débute. Pour la première fois, son uniforme de coton beige, dont la veste fermée par des boutons de cuivre descendait jusqu'à mi-cuisses, lui semblait trop petit, trop rêche. Elle ne voulait plus le sentir contre sa peau.

Il n'y avait encore personne sur le parvis, à part un Lazul qui avait probablement passé la nuit là. Maigre, dépenaillé, il n'était déjà plus qu'une ombre en attente de la mort assise sur le sol poussiéreux. Ses cheveux d'un bleu éclatant, trop longs, reflétaient les lumières crues du matin. Maïa laissa son regard tomber sur le misérable, puis détourna les yeux avec un léger dégoût.

Les Lazuli, caste de la population dotée de cheveux bleus et d'une peau diaphane, uniformément blanche et incongrue dans le paysage aride de la Cité, suscitaient au mieux l'indifférence, en général le mépris. Le reste des habitants n'éprouvait que de l'aversion pour ces monstres. Moutons noirs honnis de tous, les Lazuli portaient les stigmates du virus depuis près d'un siècle. Cent ans plus tôt, la Grande Épidémie avait laissé derrière elle des survivants hagards et moribonds, traumatisés par l'épreuve qu'ils venaient de subir. La vie se réorganisait péniblement, entre deuils et misère, quand apparurent les premiers cas de résurgence. On ne comprit pas immédiatement. Quelques années après l'éradication du virus, une petite partie des rescapés présenta les premiers symptômes. Paralysie progressive, douleurs et troubles cognitifs entraînant inexorablement la mort : le virus était de retour.

La panique déferla sur la Cité. On parqua les nouveaux malades au sous-sol du Centre de Soins et ils y restèrent longtemps ; on finit par découvrir qu'ils n'étaient pas contagieux, mais le mal était déjà fait. Pour les familles décimées par le virus lors de la Grande Épidémie, hantées par l'agonie de leurs proches, ces malades représentaient l'horreur de la maladie. Haine, violence, mépris, rien n'était épargné à cette minorité pestiférée.

Des recherches menées dans les locaux ressuscités du Centre de Soins, ancien fleuron de la médecine emmuré avec ses chercheurs, révélèrent bientôt l'impensable : chez cinq pour cent des survivants, le virus n'avait pas été neutralisé par les anticorps. Au lieu de vivre en équilibre muet avec le système immunitaire de leurs hôtes, une forme atténuée du fléau croissait en eux. Les malades n'étaient pas contagieux mais étaient néanmoins dévorés de l'intérieur, comme lors de la Grande Épidémie. Toujours présent mais affaibli, le virus se multipliait en silence pendant des années. Seuls symptômes manifestes pendant des décennies, des crises de douleurs brutalisaient les malades dès l'enfance. Les signes plus handicapants n'apparaissaient qu'à l'âge adulte, rarement avant trente ans.

L'éclosion régulière de nouveaux cas, de façon aléatoire, attisait la psychose sans fin. Nul ne savait ce dont le virus atténué était capable. Réveil de l'épidémie, apparition d'une forme contagieuse, les promesses funestes ne manquaient pas. Effrayée, la population entretint sa propre dislocation, traquant les malades pour les dénoncer et allant jusqu'à abandonner les enfants lors des premières manifestations du virus.

En l'an 11, l'armée lança un vaste programme de dépistage des nouveau-nés porteurs du virus atténué, basé sur des techniques médicales simples. Dès l'âge d'une semaine, les nourrissons atteints étaient emmenés dans une aile sécurisée du Centre de Soins, tout contre Tucumcari Center, pour y être élevés par des nourrices.

Les familles prirent l'habitude de ne donner un nom à leur enfant qu'au bout d'une semaine, quand la certitude que le bébé allait bien et ne leur serait plus enlevé était acquise. Les malheureux condamnés par le virus étaient, eux, considérés comme morts par la communauté : les familles se recueillaient sur une stèle commune symboliquement dédiée aux nourrissons dans le cimetière principal. Le deuil ne durait cependant jamais longtemps. La vie reprenait vite ses droits, avec ses impératifs qu'aucune mort ne pouvait combattre.

Les bébés grandissaient donc dans le Centre de Soins, où ils subissaient plusieurs injections d'une substance dont seuls les pontes du gouvernement et leurs plus éminents scientifiques connaissaient la composition. Le traitement dépigmentait leur peau et colorait durablement leurs cheveux et leurs poils en bleu. On leur tatouait ensuite un numéro d'identification sur la pommette gauche avant de les relâcher dans la Cité, le jour de leurs treize ans. Ainsi étaient créés les Lazuli.

Il ne leur restait dès lors qu'à remplir leur rôle premier : devenir les boucs émissaires d'une société qui avait besoin de cet exutoire pour survivre. En catalysant la peur des habitants vis-à-vis du virus, leur frustration causée par la captivité forcée, les Lazuli maintenaient à leurs dépens la paix dans la Cité.

Dépourvus de droits fondamentaux, ils ne pouvaient prétendre qu'à des métiers dont personne ne voulait, par exemple travailler aux abattoirs ou comme domestiques pour les plus aisés. L'accès à l'éducation leur était interdit, et ceux qui tentaient de fonder une famille étaient sévèrement punis.

Comme s'il sentait le mépris de Maïa, le Lazul leva la tête et croisa son regard. Le vieux *4577-C* tatoué sur sa figure ressemblait à une balafre. Il baissa la tête, craintif. Lazul, militaire : les antipodes d'un monde basé sur la ségrégation et l'oppression. Maïa se détourna à son tour, un goût désagréable sur la langue. Elle s'éloigna du Lazul qui regardait fixement le sol.

Comme ses pairs, elle n'aimait pas ces créatures pitoyables. Elles lui rappelaient le virus et, par un système de cause à effet, la captivité dont elle était victime.

Soudain, trois hommes en uniforme apparurent dans son champ de vision. L'un d'eux travaillait à la Stratégie de Production, l'autre était un collègue de Dimitri. Le premier chassa le Lazul du parvis. L'homme aux cheveux bleus se leva péniblement et déguerpit en claudiquant. Ses nerfs devaient déjà être dévorés par le résidu de virus. Le dernier militaire, qui n'était autre que le colonel Johnson, suivait la scène avec froideur. Il avait rassemblé un jury pour le procès (dont Maïa ne faisait évidemment pas partie) et soigneusement sélectionné les personnes autorisées à y assister. Quand Maïa avait reçu son invitation pour le jugement de son mentor, elle n'avait pas pu s'empêcher d'y voir un acte de sadisme pur, mais elle n'avait pas le choix. Compte tenu des soupçons du colonel, mieux valait jouer le jeu.

Johnson et les deux autres soldats la saluèrent avant de s'engouffrer dans le hall. Elle plongea dans la gueule du monstre d'acier à leur suite et les talonna jusqu'au tribunal, situé au dernier étage de l'aile nord.

Le brouhaha qui régnait dans la salle entièrement peuplée d'uniformes écrus charriait une excitation malsaine. L'unique horloge du tribunal, un modèle ouvragé aux imposantes aiguilles de cuivre, indiquait huit heures moins cinq. Le juge, que Maïa connaissait sous le nom de Rinner, apparut deux minutes plus tard, encadré par un greffier et par Solomon White, le chef des armées, superbe dans son uniforme couvert de galons. Chacun prit place, et le silence tomba sur l'assemblée sans que quiconque ait à le réclamer.

— Le procès va commencer, annonça Rinner d'une voix gutturale qui ne convenait pas à son physique malingre. Faites entrer l'accusé.

Maïa frissonna. Dans quel état Dimitri allait-il apparaître ? Elle crut à une apparition divine lorsqu'il se glissa dans le box des accusés. Il était propre, rasé de près, et seuls un bleu au coin des lèvres et une coupure au front, en partie cachée par ses cheveux blonds, rappelaient les quatre jours qu'il venait de passer en prison. Son uniforme de lieutenant-colonel lui avait momentanément été rendu, mais les menottes qui enserraient ses poignets montraient qu'il était passé de l'autre côté de la barrière.

Son regard bleu acier balaya l'assemblée et tomba sur Maïa. Il fronça les sourcils, comme s'il désapprouvait sa présence, mais elle lui opposa une mine imperturbable. Quoi qu'il dise, elle ne l'abandonnerait pas. Et sa présence au procès était l'occasion de le lui prouver.

— Bien, nous allons commencer, gargouilla Rinner en jetant un œil à l'horloge murale. Il est précisément 8 h 06, le 29 mai de l'an 97. Je déclare ouvert le procès du lieutenant-colonel Dimitri Bielinski. Commençons par les faits qui lui sont reprochés, si vous le voulez bien.

À côté de lui, le greffier prenait des notes avec une application presque comique. Maïa sentit ses viscères se nouer quand Solomon White se leva. Il se racla la gorge, et ceux qui osaient encore bouger se figèrent.

— Lieutenant-colonel Bielinski, commença le général sans un regard pour l'accusé, les chefs d'accusation qui pèsent contre vous sont les suivants : haute trahison envers le gouvernement, incitation à la révolte et possession de documents interdits.

Rinner entretint quelques secondes de silence et se tourna vers Dimitri, qui fixait un point dans le vide en face de lui.

— Lieutenant-colonel Bielinski, contestez-vous ces chefs d'accusation ?

— Non.

La réponse avait fusé sans une once d'hésitation.

— Bien. Dans ce cas, nous allons commencer par écouter l'accusation. Colonel Johnson, je vous prie.

Installé entre Dimitri et les jurés, le colonel se leva. Il n'y avait pas d'avocats dans la Cité ; les accusés assuraient eux-mêmes leur défense et la partie civile désignait un représentant parmi les principaux concernés. Le fait que Johnson ait été choisi pour cette tâche n'augurait rien de bon.

— L'accusé, entonna-t-il d'une voix solennelle qui parvenait mal à masquer son plaisir, a été arrêté il y a quatre jours en possession de documents illicites.

— Quels étaient ces documents, colonel Johnson ?

Le crotale se tourna vers le juge et répondit d'une voix mielleuse :

— Des documents sur l'Extérieur.

Un murmure désapprobateur parcourut l'assemblée. Faire des recherches sur l'Extérieur, c'était douter de la bonne foi de l'armée, qui relayait régulièrement des informations sur ce qui se passait de l'autre côté. Un acte d'une gravité extrême, en somme. Seule Maïa éprouva une vague irritation devant tant de stupidité.

— Quelle sorte de documents ?

— Des documents de catégorie 4, Votre Honneur.

Nouveaux murmures horrifiés. La catégorie 4 désignait les documents scellés et conservés dans la salle des registres, à laquelle presque personne n'avait accès.

— Bien, colonel. Autre chose ?

Le colonel Johnson se tourna brièvement vers l'assemblée, effleura Maïa du regard et se retourna vers Rinner. Un instant, la jeune fille crut qu'il ferait part au juge de ses soupçons, mais il n'en fit rien.

— Le lieutenant-colonel n'a jamais respecté le gouvernement qui l'a accueilli en son sein, dit finalement le crotale. En témoignent ses cheveux à la longueur indécente et ses diverses frasques, telles que...

— J'ai lu le dossier, colonel. Merci.

— Je tenais à souligner la désinvolture de l'accusé, Votre Honneur, en espérant qu'elle sera prise en compte.

— Très bien. Avez-vous fini ?

— Oui, Votre Honneur.

— Vous pouvez regagner votre place.

Johnson s'exécuta pendant que le greffier prenait note de ses déclarations. Au bout de plusieurs minutes de silence, Rinner reprit la parole. À ses côtés, Solomon White gardait l'immobilité d'une statue.

— Nous allons maintenant passer aux déclarations de l'accusé. Lieutenant-colonel Bielinski...

Le cœur de Maïa battait à tout rompre. Elle aurait voulu se précipiter devant le juge, défendre son mentor, hurler sa colère et sa révolte. Dimitri se leva posément et attendit qu'on lui donne la parole.

— ... nous vous écoutons. Qu'avez-vous à dire pour votre défense ?

Dimitri hésita. Ses quatre jours de détention lui avaient probablement permis de réfléchir à son cas, mais c'était comme si, au pied du mur, il reconsidérait soudain la situation.

— Je ne conteste pas les faits qui me sont reprochés, annonça-t-il d'un ton neutre.

— Non !

Le cri de Maïa avait franchi ses lèvres avant qu'elle ait pu s'en rendre compte. D'un mouvement réflexe, elle bondit sur ses pieds et, toutes les têtes pivotèrent dans sa direction. Rinner l'observa avec surprise.

— Un problème, mademoiselle, euh… ?

— Sous-lieutenant Freeman, Votre Honneur, intervint Johnson avec une contrariété affichée.

Maïa chancela. La souffrance et la panique lui brouillaient les sens. Elle ne savait pas quoi dire ; tout ce qu'elle voulait, c'était obtenir la clémence du tribunal.

— Non… répéta-t-elle d'une voix vacillante. Le lieutenant-colonel Bielinski…

— Votre Honneur, faites-la sortir, s'il vous plaît.

La voix de Dimitri la cloua sur place. Elle était vide, désincarnée, comme déjà morte. Mais, lorsque Maïa osa enfin poser les yeux sur son mentor, la fureur qui émanait de lui l'électrisa.

— Sous-lieutenant Freeman, vous êtes avertie, trancha finalement le juge. Au prochain écart, vous serez priée de quitter cette pièce.

Maïa se rassit en tremblant.

— Poursuivons. Lieutenant-colonel Bielinski, vous ne contestez pas les faits qui vous sont reprochés. Souhaitez-vous les justifier, ou faire une déclaration à l'attention du jury qui statuera sur votre cas ?

— Non.

— Est-ce votre dernier mot ?

— Oui, Votre Honneur.

Soudain, Maïa comprit pourquoi Dimitri opposait si peu de résistance : pour elle. Il assumait l'entière responsabilité dans cette affaire, œuvrant pour qu'elle soit bouclée le plus vite possible. Pour qu'elle-même ne soit pas inquiétée et puisse poursuivre ses investigations en temps voulu.

Un filet de sueur coula entre ses yeux alors qu'une violente panique enflait en elle. Elle était piégée, vouée à l'impuissance. Dimitri... Dimitri. Dimitri. Dimitri.

Ne pars pas.

Les mots moururent sur ses lèvres, asphyxiés. Elle se sentait déconnectée, arrachée à la réalité. Sans Dimitri, ce monde n'était plus le sien.

Je t'en supplie, ne pars pas.

— Très bien, fit Rinner en se levant. Le jury va à présent délibérer.

Pendant que les jurés suivaient Rinner dans une pièce adjacente, les spectateurs se mirent à discuter à voix basse. Deux gardes emmenèrent Dimitri à l'abri des regards sans que Maïa s'en aperçoive.

Elle aurait pu quitter la salle sur-le-champ : sans surprise, Dimitri serait condamné au Châtiment, la peine capitale au sein de la Cité. Pas de peine de mort ni d'emprisonnement pour les criminels ; uniquement le Châtiment, dont l'horreur dépassait l'entendement.

En cas de crime majeur, les accusés subissaient une torture de vingt-quatre heures. Brûlures, mutilations, écartèlement, les bourreaux ne reculaient devant rien pour briser le condamné. Pas question, cependant, de le tuer. Les criminels étaient relâchés après le Châtiment, mais il n'y avait aucune bienveillance dans cette décision. En refusant d'avoir le droit de vie et de mort sur les accusés, l'armée entretenait son image d'autorité sévère mais juste. En cas de récidive – mais les cas se comptaient sur les doigts d'une main –, une nouvelle journée de torture achevait de mater les velléités des agitateurs. La plupart des criminels n'en arrivaient pas là : les châtiés mouraient généralement au bout de quelques mois d'infections mal soignées ou, réduits à l'état de loques, perdaient la raison.

Les horribles blessures de Zéphyr, le tueur qu'elle avait croisé chez Big D, dansaient devant les yeux de Maïa. La santé mentale de Dimitri ne survivrait pas à une pareille torture. Et, si elle y résistait, il échouerait dans le ghetto avec les autres criminels. Dans le ghetto, avec ceux qui haïssaient l'armée. Autant le condamner à mort tout de suite.

Une heure s'écoula sans qu'elle s'en rende compte. Lorsqu'elle leva enfin les yeux, toujours hantée par l'image de Zéphyr, le jury était revenu dans le tribunal. Dimitri aussi. La voix du juge Rinner retentit dans la salle comme un glas lugubre :

— Le jury a délibéré. Lieutenant-colonel Bielinski, la cour vous exclut du corps de l'armée et vous condamne au Châtiment pour haute trahison, incitation à la révolte et possession de documents interdits. La sentence prendra effet dans un mois à dater d'aujourd'hui. En attendant, vous serez maintenu en détention. La séance est close.

CHAPITRE 7
J-30

Le sol tanguait. Le brouhaha en provenance des étages faisait vibrer les murs, comme si Tucumcari Center abritait un monstre en éveil. Dimitri titubait, encadré par deux gardes. L'air chargé de poussière colmatait ses poumons et le manque d'oxygène brouillait sa vision, le plongeant dans un magma ocre et noir dont il ne discernait plus les contours.

— Allez, accélère !

Il voulut obéir, mais ses jambes refusaient de le porter. Arrivé à l'entrée des geôles, il s'arrêta et leva la tête vers le plafond. Au dernier étage du bâtiment, le tribunal achevait de se vider ; son nom courait sur toutes les lèvres. Dimitri Bielinski. Le brillant lieutenant-colonel. Le gentil rebelle. Le bras armé dont on n'avait jamais douté, condamné au Châtiment pour trahison. La Cité ne s'en remettrait pas de sitôt.

Il esquissa un sourire sans joie alors que l'un des matons le poussait sans ménagement vers sa cellule. Taylor, fidèle au poste, l'attendait devant les grilles. Il ouvrit la sienne sans un mot. Quand Dimitri le croisa, chancelant, le jeune soldat ne parvint pas à poser son regard sur lui. La trahison de l'homme qu'il respectait le plus au sein du gouvernement lui était insupportable. Le garde retint Dimitri par l'épaule au moment où il pénétrait dans sa cellule.

— Ton uniforme, traître.

Il y eut un instant de silence, puis Dimitri ferma les yeux et esquissa un nouveau sourire froid. La matraque du garde s'abattit violemment sur son flanc. Il étouffa un gémissement.

— Ton uniforme !

Avec lenteur, Dimitri entreprit de déboutonner sa veste, mais ses doigts tremblaient sur les boutons de cuivre. Le garde lui arracha le vêtement des mains dès qu'il eut réussi à l'enlever. Dimitri se dépouilla de son pantalon et de ses bottes cirées et se retrouva en sous-vêtements, dos à la grille de sa cellule, qui claqua avec un grand bruit. Des ecchymoses marquaient ses épaules et son dos mince, à la peau tout juste dorée. Le regard accroché au mur jaune en face de lui, il écouta les pas des matons qui s'éloignaient, puis ceux de Taylor, et le silence l'écrasa enfin.

Il tomba à genoux dans la poussière. Les paroles du juge résonnaient en lui au rythme affolé de sa respiration. Il s'attendait au verdict, mais l'entendre prononcer lui donnait une réalité inadmissible. Il tendit le bras vers la tunique sale et trouée abandonnée sur sa paillasse et l'enfila avec des gestes saccadés. Il avait un peu froid.

Comme un fantôme, il se traîna contre le mur et s'y assit. Son regard se perdit dans le vague alors que, plein d'une nostalgie amère, il retraçait son parcours. Il ne regrettait pas son engagement ; pas un seul instant. Tout ce qu'il espérait, à l'heure actuelle, c'était que Maïa saurait rester prudente. Quant à lui...

Il retira ses lunettes pour les nettoyer avec un pan de sa tunique et les chaussa de nouveau, pensif. Il avait quarante ans et sa vie se terminait déjà. Il allait passer trente jours dans l'attente et la solitude. Dans un mois, il serait torturé à en perdre la raison et jusqu'à la fin de ses jours il essaierait de survivre, atrocement mutilé et dépossédé d'une part de son âme. Pourtant, il lui restait encore des choses à accomplir.

Si Maïa voulait simplement sortir de la Cité, lui caressait des projets de plus grande ampleur. Tobias et lui avaient toujours œuvré pour leur liberté et, surtout, *contre* leur gouvernement. Pour eux, seul un coup d'État sauverait leur peuple de l'enfermement. La liberté, oui, mais pour tous les habitants ; et, à la mort de son ami, Dimitri s'était juré de porter leurs idéaux à bout de bras.

Il passa une main dans ses cheveux, épuisé. L'idée de céder au Châtiment sans avoir mené à bien sa mission le rendait malade. Mais Tobias était mort et lui, derrière les barreaux. Et il avait peur de ce qui l'attendait.

Il laissa échapper un rire nerveux.

Peut-être qu'au fond l'armée avait déjà gagné.

*

— J'ai fini le livre que tu m'as apporté la semaine dernière…

Zéphyr referma la porte de son taudis derrière lui. Sa maison, un dôme en terre crue coincé entre un immeuble écroulé et un troquet pouilleux au fond du ghetto, se résumait à un deux-pièces qu'il partageait avec un colocataire.

— Tu as été rapide, apprécia le tueur en retirant sa tunique noire.

L'autre leva les yeux vers lui, mais aucune aversion ne passa sur ses traits à la vue des blessures de Zéphyr.

— Ça devient facile, maintenant. Je reconnais presque tous les mots.

— À la bonne heure. Qu'est-ce que c'est que ça ?

Le tueur pointait du doigt une demi-carcasse de crotale délestée de sa peau.

— Je suis allé au marché aux viandes, ce matin, expliqua l'autre.

— Tu ne t'es pas fait harceler ?

L'homme haussa les épaules. Un petit sourire passa sur ses lèvres.

— Ça allait.

Zéphyr fouilla dans un sac en toile posé dans la salle d'eau, en sortit une tunique légère, blanche et sans manches, qu'il enfila avant de revenir dans la pièce principale.

— Au fait, dit-il alors que l'autre se levait, j'ai vu quelque chose d'intéressant chez Big D, hier…

— Ah oui ?

— Une gamine est venue lui rendre visite. Pour parler affaires.

— Et ?

— Et elle faisait partie de l'armée.

L'homme plissa les yeux, perplexe.

— Une gamine en uniforme est venue chez Big D ? Et elle en est sortie vivante ?

— Elle n'était pas en uniforme, rectifia Zéphyr. Mais elle faisait partie de l'armée.

— Comment tu le sais ?

Zéphyr porta un index à son nez en esquissant un rictus désabusé.

— Je le sens. Les militaires, je les ai assez fréquentés pour les flairer à trois kilomètres...

— Admettons. Pourquoi tu m'en parles ?

— Parce que je pense qu'elle pourrait t'intéresser.

*

Toc, toc, toc.

Quelque chose tapait à l'unique fenêtre du studio de Maïa. Probablement un bout de bois ou un câble arraché, maltraité par le vent qui s'était levé à la tombée de la nuit. Baignée par la lumière chaude d'une ampoule à filament, la jeune fille étudiait. Devant elle s'étalait le résultat de ses deux années de recherches sur l'Extérieur ; un sésame, mais aussi plus qu'il n'en fallait pour la condamner au même sort que Dimitri si l'armée tombait dessus.

Les derniers mots que son mentor lui avait adressés, dans la prison, lui revenaient sans cesse.

L'Enfant Papillon. Elle devait trouver l'Enfant Papillon pour pouvoir franchir les Murs.

Elle n'avait jamais entendu parler de cette créature. Était-ce une légende ? Une personne réelle ? Ce nom désignait-il seulement un humain ? Ses recherches à elle n'en faisaient pas mention.

Toc, toc, toc.

Elle lâcha un soupir irrité. Impossible de se concentrer. De toute façon, ce n'était pas en fouillant dans les documents dont elle disposait qu'elle résoudrait l'énigme. Elle rangea soigneusement la liasse de feuilles dans leur enveloppe, glissa le tout dans un sac en toile enduit d'un mélange odorant de matière fécale et de lait de brebis caillé (mixture idéale pour décourager d'éventuels fouineurs) et replaça le sac dans une alcôve creusée à même le sol. Après avoir rebouché le trou, elle fit glisser dessus un coffre plein de casseroles et des sacs de farine que lui donnait régulièrement sa mère. Un petit sourire passa sur ses lèvres. Après l'arrestation de Dimitri, la garde avait fouillé son appartement sans repérer sa cachette.

Elle s'approcha de la fenêtre. Au-dessus de la Cité, la pleine lune éclairait comme s'il faisait jour, découpant des ombres allongées sur le sol en terre battue.

Un mois.

C'était le temps qui lui restait pour trouver le moyen de quitter la Cité. Quand la lune se remplirait à nouveau, Dimitri et elle seraient libres. Le monde s'offrirait à eux dans toute sa splendeur et ils goûteraient enfin à la vie. Peut-être verraient-ils la mer. Tobias aurait aimé l'idée…

Elle déglutit péniblement. Depuis que Dimitri n'était plus là, le fantôme de son père recommençait à la hanter. Comme si la nouvelle solitude de Maïa avait ravivé des braises qu'elle pensait éteintes. Elle posa les doigts sur le carreau poussiéreux. Dans la rue déserte, des silhouettes en clair-obscur dansaient sur le sol et les murs des maisons environnantes.

— Tu es là ?

Elle sourit malgré elle. Bien sûr que non, Tobias n'était plus là. Elle avait passé l'âge de croire que le spectre de son père veillait sur elle… et pourtant, elle aurait donné cher pour avoir encore cette foi. Ainsi, elle aurait peut-être réussi à entendre sa voix, à se lover dans le souvenir de son parfum. Peut-être aurait-elle eu un peu moins peur.

Mais le temps vient à bout de tout et, avec les années, elle avait de plus en plus de mal à faire surgir l'image de

Tobias. Comme s'il mourait une deuxième fois. Elle serra les dents pour empêcher un chagrin vieux de quatre ans de remonter en elle.

— Ne m'abandonne pas…

Mais il s'effaçait, inexorablement. Et son absence toujours plus marquée forait un trou béant dans ses entrailles, là où l'acceptation ne parvenait pas à s'installer. Quand elle y repensait, sa croisade pour la liberté était aussi une façon de garder Tobias auprès d'elle. Elle se rappelait chaque détail du jour où elle avait compris que son père ne vivait que pour trouver une faille dans les Murs.

L'hiver s'achevait et elle allait sur ses quatorze ans. Une nuit fraîche, presque froide. Marthe et Andy dormaient, elle s'était levée pour aller boire…

Un hibou travaillait ses vocalises quelque part dans le lointain. La pièce principale de la maison, un cocon douillet du quartier ouest, était plongée dans la pénombre. Un claquement sec, lancinant, résonnait entre les murs. Encore ensommeillée, Maïa s'arrêta sur le seuil de la porte.

— Papa ?

Tobias, assis sur une chaise dos à l'adolescente, frissonna. Il se retourna avec lenteur pour poser sur elle un regard trouble. Sa peau noire luisait faiblement sous la lune, et Maïa distinguait l'angoisse sur les traits d'ordinaire si paisibles de son père.

Quelque chose n'allait pas.

— Papa, tu viens de rentrer du travail ? Il est tard…

Il ouvrit la bouche pour répondre, mais aucun son n'en sortit. Sa main ne tapait plus contre le montant de la chaise. Maïa s'approcha de lui et aperçut une fiole vide sur la table.

De l'alcool de cactus... Tobias, ivre ? Lui qui ne touchait jamais à ce genre de chose...

— Il était mort...

Maïa sursauta. La voix de son père tremblait.

— Le cobaye qu'on devait envoyer à l'Extérieur pour les recherches sur le vaccin... il n'est pas sorti. Ils l'ont tué.

— Papa, qu'est-ce que tu racontes ?

Il eut un hoquet et son regard se troubla.

— L'armée nous ment, ma chérie. Ils ne cherchent pas de vaccin.

— Papa...

— Il faut qu'on sorte.

Maïa recula d'un pas, ébranlée. Ses jambes tremblaient. Elle jeta un regard derrière elle pour être sûre que ni Marthe ni Andy n'avaient entendu les paroles de Tobias, puis se concentra de nouveau sur lui.

— Je ne veux pas mourir ic...

Il s'interrompit brusquement, comme s'il venait de réaliser ce qu'il était en train de faire. Il battit des cils pour s'éclaircir les idées et contempla sa fille avec horreur.

— Oublie, souffla-t-il. Retourne te coucher et oublie ce que j'ai dit, Maïa.

Elle avait regagné son lit, mais elle n'avait jamais oublié.

Quelques mois plus tard, la conduite de gaz de Tucumcari Center avait pulvérisé Tobias, et Maïa s'était raccrochée à cette nuit-là de toutes ses forces. Elle avait fait de sa quête de liberté une raison de vivre. Et Dimitri avait marché à ses côtés sans faillir, jusqu'à se faire arrêter pour elle.

Son procès, le matin même, avait fait à Maïa l'effet d'un électrochoc. Le désespoir dans lequel l'avait plongée l'arrestation de son mentor s'était atténué pour laisser place à une énergie nouvelle. Elle sauverait Dimitri. Elle l'emmènerait avec elle hors des Murs avant qu'il subisse le Châtiment.

Le compte à rebours avait commencé.

CHAPITRE 8
J-29

Le début de la matinée était le moment le plus sûr pour se balader dans le ghetto. La plupart de ses habitants, des noctambules, dormaient ; on risquait donc moins d'y faire une mauvaise rencontre.

Sous ses guenilles, Maïa passait inaperçue dans les rues nauséabondes, jonchées des débris du marché aux viandes. Un homme lui coupa la route à la sortie de Main Street. Hagard, défiguré par le Châtiment, l'ancien criminel boitait violemment et la douleur déformait son visage à chaque pas. Maïa frissonna, mais l'homme ne la remarqua même pas et s'éloigna comme une ombre. La jeune fille se retourna pour le suivre du regard. La silhouette de Dimitri se superposa à celle du condamné, que la torture avait dépossédé de toute humanité. Son cœur se serra. Le tueur à gages de Big D constituait une exception qu'elle ne parvenait pas à expliquer, mais Dimitri, qui avait le cœur tendre et l'esprit fragile des gens aisés, n'en serait pas une.

Le rideau bariolé de Big D était baissé, mais elle le trouverait sans doute déjà à son bureau : elle l'avait étudié assez longtemps pour connaître ses horaires et il dormait très peu. Nerveuse, elle pénétra dans son antre et battit des cils pour s'accoutumer à l'obscurité. Le silence de veillée funèbre lui arracha un frisson. Comme elle l'avait espéré, le vieil homme attendait derrière son bureau de fortune, enveloppé dans une tunique rouge dont les innombrables replis évoquaient un linceul maculé de sang. Il parut surpris de la voir, mais pas inquiet. Kingston dormait à ses pieds, roulé en une boule noire parsemée de blanc.

— Bonjour, Big D...

— Tiens, tiens. Qu'est-ce qui t'amène, sous-lieutenant ?

Maïa hésita. Sa dernière rencontre avec le mafieux lui avait fait reconsidérer sa stratégie. Elle avait passé sa nuit à élaborer des plans destinés à lui arracher l'information convoitée et en avait retiré deux certitudes. Un : la seule façon d'en savoir plus sur Kingston sans finir décapitée nécessiterait du temps pour gagner la confiance de Big D. Deux : du temps, elle n'en avait pas. La seule option restante était de jouer franc jeu en espérant que le vieil homme la croie. Elle déglutit et se décida à plonger dans le vide :

— Je... C'est à propos de Kingston.

Le singe réagit à l'énoncé de son nom et leva vers elle un œil ensommeillé. Big D caressa l'animal, les yeux réduits à deux fentes.

— Je t'écoute...

— Où l'avez-vous eu ?

Un bref instant, Maïa crut que Big D n'avait pas compris la question. Puis il esquissa un rictus et la jeune fille sentit ses jambes fléchir.

— Ça ne te regarde pas, murmura Big D.

— Je ne vous veux aucun mal ! Tout ce qu'il me faut c'est...

Kingston se leva et avança vers elle, l'air mauvais. Big D empoigna son vieux Springs avant de l'imiter.

— Tu es un agent double, sous-lieutenant ?

— Quoi ? Non !

— Tu essaies de me piéger, hein ? Depuis tout ce temps, tu cherches à savoir ce qui me lie à l'Extérieur pour me vendre à l'armée !

— Mais non ! Je vous jure que non !

Big D abaissa le chien de son arme et mit la jeune fille en joue. La fureur étincelait dans ses yeux. Maïa recula d'un pas, le souffle court. Elle n'avait pas anticipé la paranoïa de Big D et ne se doutait pas que les choses tourneraient si mal. Le poignard fixé à sa ceinture lui parut soudain bien insignifiant. Face au Springs 416 de Big D, dix centimètres d'acier et les cours de combat d'une armée qui n'avait jamais fait la guerre ne valaient pas grand-chose.

— Sors d'ici, siffla le vieil homme, et que je ne te revoie plus. (Maïa amorça un geste pour battre en retraite, mais il l'interrompit.) Et, quand tu verras tes supérieurs, dis-leur que, s'ils veulent ma tête, ils n'ont qu'à venir la chercher.

À pas prudents, la jeune fille recula jusqu'au rideau, où la voix glaciale de Big D la cueillit une dernière fois :

— Je les attends.

Maïa se rua à l'extérieur. Il fallut plusieurs secondes à son cœur pour retrouver un rythme normal. Une fois certaine que ni Big D ni Kingston ne la poursuivraient dans la rue, elle se laissa submerger par l'angoisse. Encore une porte qui se fermait devant elle, alors que l'implacable compte à rebours se poursuivait. Chaque seconde perdue, c'était un pas de plus vers le supplice de Dimitri. La détermination qui avait éclos en elle la veille redevint désespoir. Une panique douloureuse monta de son ventre et elle se remit en marche presque à tâtons.

Lorsqu'elle tourna au coin de la rue, une ombre fondit sur elle. Une poigne de fer lui bloqua les poignets dans le dos alors qu'une lame aiguisée se collait à sa gorge. Elle voulut crier, mais le couteau appuyé sur sa trachée l'en dissuada. Elle sentait le corps de son agresseur contre le sien, son souffle chaud dans sa nuque.

— Tu vas me suivre gentiment.

Elle se figea. La voix douce, détachée, de son agresseur lui rappelait quelque chose. Elle essaya vainement de se dégager, furieuse de s'être laissé surprendre, mais l'homme avait une force de titan. La voix chuchota de nouveau à son oreille :

— Je ne te veux aucun mal. J'ai seulement besoin de ta coopération.

Maïa se détendit un peu.

— Je vais baisser mon arme. Tu ne vas pas te débattre ni essayer de fuir, et tout ira bien. Sinon, je te tranche la gorge. Compris ?

— Compris.

La lame quitta le cou de la jeune fille, et celle-ci put apercevoir la main droite de son agresseur. Elle était labourée de cicatrices.

— Tu... tu es le tueur de Big D... murmura Maïa sans comprendre.

L'homme ne répondit pas et la poussa doucement pour la guider. À son grand soulagement, il ne la renvoya pas chez Big D mais prit la direction opposée.

L'étrange duo déambula de longues minutes à travers le ghetto. Zéphyr, silencieux, marchait derrière Maïa. Il serrait toujours son poignard, prêt à bondir au moindre écart de la jeune fille.

Ils s'arrêtèrent devant une sorte de hutte en terre crue. Une nouvelle poussée du plat de la main incita Maïa à ouvrir la porte de bois vermoulu et à pénétrer dans le domaine du tueur.

Son cœur battait à lui briser les côtes.

CHAPITRE 9
J-29

Un rai de lumière blanche en provenance d'une lucarne coupait en deux la minuscule maison de Zéphyr. Maïa jaugea le mobilier spartiate d'un regard circulaire. Le tueur vint se planter devant elle. Ses yeux vairons, le bleu à gauche et le marron à droite, la contemplaient avec froideur mais sans animosité. Maïa fronça les sourcils.

— Qu'est-ce qu...

— Bienvenue chez moi, annonça Zéphyr. Désolé pour mon manque de tenue. Assieds-toi.

Il désigna un tabouret branlant près de la table qui occupait presque tout l'espace disponible. Encore effrayée, Maïa obéit sans broncher.

— Il n'est pas encore arrivé. Mais ça ne devrait plus tarder, ne t'inquiète pas.

— A... attends, qu'est-ce que tu racontes ?

Zéphyr enleva son panama mité et l'accrocha à un clou fiché dans le mur. Maïa se sentait nauséeuse. Elle venait de se disputer avec Big D et son tueur attitré l'invitait chez lui. Elle se trouvait au fin fond du ghetto, à l'insu de tous, et un type qui décapitait les gens pour trois mille sotos *l'invitait chez lui*. Et ce type, là...

— J'ai du pissenlit séché, tu veux une tisane ?

Et ce type lui offrait une tisane de pissenlit. N'importe quoi. Soit elle était devenue folle, soit il allait mettre du cyanure dans l'infusion. Elle secoua la tête, la mine revêche.

— Non, j'ai pas soif.

Zéphyr haussa les épaules et jeta quelques pousses dans une théière. Puis il se servit un peu de tisane dans une tasse en argile. Maïa soupira ; raté pour le cyanure. Elle était donc devenue folle.

— Tu ne veux pas me dire ce qui se passe, vraiment ? articula-t-elle, au bord du désespoir.

— Comment t'appelles-tu, au fait ?

— Maïa Freeman. Si tu ne sais pas qui je suis, pourquoi...

— Je sais qui tu es. Tu es une militaire qui fait affaire avec Big D.

Le cœur de Maïa manqua un battement, mais elle n'eut pas le temps de répliquer : la porte s'ouvrait en grinçant.

— Deux types m'ont coupé la route avant que j'arrive à l'épicerie. Apparemment, je n'ai pas le droit de mettre les pieds sur leur territoire et ils étaient armés. Je crois que tu vas devoir y aller à ma pl...

Le nouvel arrivant s'interrompit en apercevant Maïa, qui le fixait avec des yeux ronds. Il n'était pas très grand, mais sa tunique grise, dont la capuche lui cachait le haut du visage, laissait deviner un corps sec et musclé.

— Désolé, Zéphyr, maugréa l'homme avec une gêne palpable. J'ignorais que tu avais un rencard. Je vous laisse...

Pour toute réponse, le tueur éclata d'un rire qui évoquait un aboiement.

— Quoi ?

— S'il y a un rendez-vous, il est pour toi ! Je te présente Maïa Freeman, membre du gouvernement et indic de ce cher Big D. (Il baissa la voix d'un air faussement conspirateur.) Elle aussi, elle veut sortir.

Maïa laissa échapper un cri de surprise.

— C... Comment sais-tu que je veux... Non, n'importe quoi ! Pourquoi voudrais-je...

— Pas besoin d'être devin pour savoir ce que tu as derrière la tête, répliqua Zéphyr. Il n'y a qu'à voir comment tu regardes cet horrible Kingston.

Le tueur se retourna vers le nouveau venu.

— Alors, Nate, content ?

Ce dernier avait ôté sa capuche et regardait Zéphyr et Maïa comme s'ils avaient trois bras et un œil au milieu du front. Aucune commune mesure, cependant, avec l'effarement de Maïa.

La peau diaphane du jeune homme, tendue sur un visage anguleux, tranchait avec ses iris couleur chocolat. Sous son œil gauche, le « 6016-E » tatoué au fer attirait l'attention. Mais le plus dérangeant, chez lui, c'étaient ses cheveux courts et ébouriffés, d'une intense couleur bleu cobalt.

— Zéphyr, qu'est-ce que c'est que ce bordel ? demanda le Lazul avec une contrariété affichée.

— Elle va t'aider... Je rêve, t'es pire qu'un vieux. En fait, tu détestes être surpris, hein ?

Le Lazul passa devant le duo attablé et se servit une tasse de tisane de pissenlit.

— Je n'ai pas besoin d'aide.

— Tu fais ta princesse, là.

— N'importe qu... Merde !

Il venait de faire tomber la tasse en argile, qui, si elle resta miraculeusement intacte, déversa son contenu sur le sol en terre de la hutte.

— Il est assez maladroit, chuchota Zéphyr à l'adresse de Maïa.

Celle-ci n'en croyait pas ses yeux. Non seulement Zéphyr habitait avec un Lazul, mais en plus il lui parlait comme à une personne normale. Un égal. C'était insensé...

— Elle a accès aux documents de l'armée, reprit Zéphyr en suivant le jeune Lazul du regard.

— Tu veux que... que je l'aide ? vociféra Maïa, révoltée à cette idée. Jamais !

— Vous pouvez déjà commencer par discuter...

— Pour quoi faire ? Que pourrait-il m'apporter, hein ? C'est un...

— Tu peux me parler directement.

Le Lazul était agacé. Maïa renvoya une moue hargneuse à Zéphyr. Les Lazuli, sous-hommes estropiés de naissance, ne pouvaient certainement pas poursuivre un but aussi ambitieux que le sien.

— Écoute, 6016-E...

— Nathanaël.

— Quoi ?

— Je m'appelle Nathanaël, rétorqua-t-il, raide comme un piquet.

Maïa leva les yeux au ciel. Pour un Lazul, avoir un nom était considéré comme un délit.

— Il a adoré *Le Dernier des Mohicans*, précisa Zéphyr. D'où le nom.

— Parce que, en plus il sait lire ? Zéphyr, tu sais que, si je dénonce ton domestique, tu...

— Mon domestique ? s'étonna le tueur. Nate est bien trop maladroit pour ça, tu l'as vu. Nous sommes colocataires.

— T'as vraiment des idées à la con, toi ! s'écria Nathanaël en se tournant vers Zéphyr, que la situation semblait amuser au plus haut point. Qu'est-ce qui t'a pris de ramener une militaire ici ?

— Détends-toi, elle ne nous dénoncera pas... On sait tous les deux que c'est une traîtresse.

Maïa se leva, excédée. Ces deux abrutis se moquaient d'elle. Dimitri allait être supplicié si elle n'agissait pas très vite, et elle était là à perdre son temps avec deux guignols qui la prenaient pour une vache à lait.

— Ça suffit. Je m'en vais.

Et, joignant le geste à la parole, elle quitta la maison de Zéphyr. Celui-ci attendit quelques secondes, puis adressa un petit sourire à Nathanaël.

— J'aurai essayé. Désolé. Tu es en colère ?

Le Lazul haussa les épaules. Son irritation semblait avoir laissé place à une curiosité dévorante.

— Dis... C'est vrai, ce que tu as dit ? Elle cherche à sortir, elle aussi ?

CHAPITRE 10
J-27

— Bonjour. Un sac de farine, s'il vous plaît.

Pour appuyer sa demande, Nathanaël posa un billet de dix sotos et deux pièces sur le comptoir. L'épicier de Main Street, un vieux type nommé Gill qui dépassait à peine de sa caisse enregistreuse, scruta sa tignasse bleue de ses yeux porcins.

— Sors de chez moi, Lazul.

Nathanaël réprima un soupir. D'habitude, c'était la femme de Gill qui tenait la boutique et elle tolérait les Lazuli. Bien plus, en tout cas, que son mari. Le jeune homme indiqua la monnaie posée sur le comptoir.

— S'il vous plaît. Frida me connaît, elle a l'habitude de…

— Frida fait ce qu'elle veut, mais il est hors de question que je vende quoi que ce soit à un Lazul. Dégage.

Nathanaël hésita. Il n'avait pas envie de s'attirer des ennuis, mais rebrousser chemin les mains vides ne lui disait rien. Traverser le ghetto sous un soleil de plomb pour rien, très peu pour lui. D'autant que son organisme, en lutte perpétuelle contre le virus, supportait mal les efforts prolongés et la chaleur. Ses muscles souffraient encore de sa dernière crise, trois jours plus tôt. C'était la première depuis plus d'un an, mais elle l'avait laissé à moitié inconscient, brisé par des douleurs terribles ; une petite piqûre de rappel de la part du virus, qui gagnait inexorablement du terrain. Comme s'il pouvait oublier l'agonie qui lui était promise...

— Allez, Gill... C'est pour Zéphyr.

Pour toute réponse, celui-ci sortit un bâton hérissé de pointes en ferraille de sous le comptoir. Nathanaël leva les mains en signe d'apaisement.

— OK. Je m'en vais.

Il esquissa un geste pour récupérer sa monnaie, mais l'épicier abattit l'arme juste à côté de sa main.

— Tu laisses ça là, siffla-t-il. Ça t'apprendra que les Lazuli ne sont pas les bienvenus chez moi.

Et il raffermit sa prise sur le bâton. Nathanaël recula prudemment et sortit de l'épicerie. Il marcha sans se retourner jusqu'à être sûr de se trouver assez loin de Gill pour échapper à son courroux. Alors seulement il ralentit l'allure et prit la direction de la maison de Zéphyr, écrasé par la lassitude.

Une journée comme les autres. Une confrontation habituelle au sein de la Cité.

Il leva les yeux vers le ciel, esquissa un sourire amer.

Il voulait sortir.

*

Fébrile, Maïa grimpa l'escalier de pierre qui menait au premier étage de Tucumcari Center. Elle vérifia qu'il n'y avait personne dans le couloir principal avant de pénétrer dans la salle des archives. Les documents officiels et publics sur à peu près tout ce qui se passait dans la Cité y étaient conservés depuis qu'un gouvernement en avait pris le contrôle. Minette Wyle, une vieille femme capitaine presque aussi aimable que Johnson, surveillait les kilomètres de tracts, articles et inventaires rangés là. Elle salua Maïa et se replongea immédiatement dans sa lecture du *Citizen Voice*.

Maïa se faufila entre les étagères pleines à craquer de classeurs poussiéreux et s'empara de l'énorme volume qui répertoriait les emprunts. Si Dimitri avait trouvé une information à propos de l'Enfant Papillon aux archives, son nom serait consigné quelque part. Cependant, elle n'y croyait qu'à moitié : la salle des archives ne contenait que les documents accessibles à tous les membres de l'armée.

Elle balaya du regard la liste des emprunts sans y voir le nom de Dimitri. Il n'était pas passé par là. Du moins pas officiellement, mais elle n'avait aucun moyen d'en savoir plus. Frustrée, elle décida de consulter l'index général des archives à la recherche d'une indication potentielle. Cependant, ledit index occupait à lui seul une bonne dizaine de classeurs. Et, avec la vieille Wyle qui la surveillait depuis sa guérite, pas moyen de faire des recherches poussées sans éveiller les soupçons.

Elle choisit donc d'étudier l'index de la dernière décennie. Le classeur qui lui était dédié pesait deux bons kilos de paperasses, pour la plupart sans intérêt. Elle soupira et alla s'installer au bureau dédié à la lecture, placé juste sous le nez de la capitaine Wyle, qui ne manquerait pas de parler de sa visite à la hiérarchie.

— L'index en cours ? interrogea la vieille chouette, l'œil inquisiteur.

Maïa hocha la tête et se plongea dans la lecture du document. À côté de la date d'émission de l'article étaient indiqués son titre et son auteur.

— Vous travaillez aux Renseignements, vous, hein ?

— Sous-lieutenant Freeman, confirma Maïa en relevant le nez, irritée par ces interruptions.

— Z'êtes intéressés par les archives, aux Renseignements ?

Et voilà, songea Maïa. Le sbire de la hiérarchie ne la lâcherait pas avant de savoir ce qu'elle fabriquait ici.

— Pas vraiment. Je fais du zèle, c'est tout.

Minette Wyle grogna, apparemment peu convaincue. Nerveuse, Maïa accéléra le rythme. Sur l'index, les titres abscons se succédaient ; aucun n'attira son attention. De toute manière, elle n'avait jamais compris quoi que ce soit au jargon administratif.

Elle finit d'éplucher les dix années d'indexation de son classeur deux heures plus tard et quitta les archives bredouille. Prévisible mais frustrant. La nuit était tombée depuis longtemps : la capitaine Wyle verrouilla la salle avant de planter Maïa dans le couloir sud du premier étage. Fatiguée, celle-ci s'appuya au mur en briques en écoutant les pas de sa supérieure décroître. Lorsque le silence revint, elle se força à se mettre en marche pour rentrer chez elle. Le QG était désert. Elle traversa l'aile sud pour rejoindre le couloir ouest. Alors qu'elle arrivait au pied de l'escalier menant au rez-de-chaussée, un mouvement dans son champ de vision périphérique attira son attention.

Par réflexe, elle tourna la tête et son cœur cessa de battre.

À vingt mètres d'elle, plongée dans la pénombre, une silhouette qu'elle connaissait par cœur la regardait.

Le corps mince, effilé comme une lame, avait retrouvé l'uniforme écru qui lui donnait la prestance d'un roi. Les galons luisaient faiblement sur ses épaules, et les iris aux couleurs du lac se cachaient derrière des verres ovales. Maïa suffoquait. Un prénom lourd comme le monde s'était coincé dans sa gorge.

Ils lui avaient coupé les cheveux pour lui apprendre l'obéissance, et sa crinière blonde se résumait à présent à des mèches courtes et disciplinées, mais c'était bien lui.

Dimitri se tenait devant elle, libre. Réhabilité.

Comment une telle chose était-elle possible ?

Elle jeta un regard circulaire autour d'elle, cligna des yeux pour s'assurer qu'elle ne rêvait pas. Mais son mentor était toujours là, statufié.

— Dim...

Elle fit un pas vers lui et il disparut brusquement, dévoré par l'obscurité.

— Dimitri !

Elle s'élança dans le couloir et tourna à l'angle du mur. Aucune trace de Dimitri. Il s'était évaporé. Perdue, elle remonta le couloir en scrutant les ténèbres, en vain. Elle s'arrêta pour se passer une main sur le visage. Avait-elle rêvé ? Elle était pourtant certaine d'avoir vu Dimitri dans ce couloir...

Un sourire amer étira ses lèvres. L'absence de son mentor lui pesait au point de lui causer des hallucinations. Magnifique. Dépitée, elle revint au pied des escaliers et descendit au rez-de-chaussée, puis quitta Tucumcari Center sous l'œil moqueur de la lune décroissante.

*

Les pas s'évanouirent et le silence revint, oppressant.

— Elle est partie...

— Nous avons été imprudents.

— Oui. Je suis désolé, colonel. J'ai manqué de réactivité.

Dimitri recula jusqu'à toucher la porte du bureau dans lequel il s'était réfugié après avoir croisé Maïa. Une sueur acide imprégnait son uniforme.

— Dites-moi, Bielinski, c'était bien qui je crois ?

— Le sous-lieutenant Freeman, oui.

Le dégoût et la méfiance gravés sur les traits du colonel Johnson ressemblaient à des peintures de guerre.

— Quelle coïncidence, siffla-t-il.

Dimitri fronça les sourcils, le regard accroché à un point au-dessus de la tête de Johnson. Celui-ci faisait des allers-retours dans le bureau étriqué avec la hargne tranquille d'un prédateur sur le point de se remplir l'estomac.

— L'incident est regrettable, colonel, murmura Dimitri, mais je pense qu'il sera sans conséquence. Le sous-lieutenant Freeman croira sûrement qu'elle a rêvé.

— Après tout, vous êtes censé croupir dans les geôles.

— Et puis, ma coupe de cheveux change beaucoup ma silhouette.

Il passa une main à rebrousse-poil dans sa nouvelle brosse.

— Vous les regrettez ?

— Non, les avoir coupés est une bonne chose. J'aurais dû le faire il y a longtemps.

Le colonel le regarda par en dessous, un sourire mauvais sur les lèvres.

— Vous vous êtes enfin acheté une conduite ?

— Oui.

— Alors c'est le moment de le prouver, Bielinski.

Dimitri hocha la tête et se décolla de la porte. Avec prudence, il mit le nez dans le couloir pour s'assurer que personne n'y traînait sans permission, cette fois. Puis il traversa l'aile ouest et quitta le QG par une porte de service, Johnson sur les talons. La fraîcheur nocturne lui souleva le cœur. Depuis combien de temps n'avait-il pas respiré l'air extérieur ? En réalité, à peine quelques jours ; mais il avait l'impression d'être enfermé depuis des siècles.

— Bien sûr, dit soudain Johnson, je suppose que vous préférez tenir le sous-lieutenant Freeman à l'écart de notre, hmmm, « arrangement »...

Dimitri accéléra le pas, le visage fermé. La Cité dormait d'un sommeil de plomb et une brise sèche s'engouffrait dans les rues désertes.

— Ça m'est égal, colonel.

Johnson esquissa un rictus.

— Bien sûr, Bielinski. Bien sûr...

*

Allongée sur sa paillasse, les mains jointes derrière la nuque, Maïa fixait le plafond de sa chambre. Les heures filaient et la lune avait déjà largement entamé sa course, mais elle ne parvenait pas à fermer l'œil. Chaque seconde écoulée transformait ses doutes en certitudes : elle avait aperçu Dimitri au premier étage de Tucumcari Center. Dimitri en uniforme, les cheveux rasés. Pourquoi lui avait-on rendu son statut de soldat et, surtout, pourquoi était-il libre ?

Elle se retourna sur le ventre et passa une main dans ses boucles folles. Son état de tension était tel que les battements de son cœur lui paraissaient résonner dans tout le studio. L'armée ne graciait pas ses condamnés. Et surtout pas les traîtres. Alors pourquoi Dimitri... Ses cheveux coupés témoignaient de sa nouvelle allégeance à l'autorité. Impensable. Une telle soumission ne lui ressemblait pas. Et pourtant, elle l'avait vu.

Un mauvais pressentiment montait en elle à mesure que sa réflexion avançait. Le jour pointa, timide, alors qu'elle ressassait encore son escapade de la veille. Elle se leva en titubant, assommée par le stress et le manque de sommeil, et fila dans la pièce à vivre pour s'éclaircir les idées devant un petit-déjeuner. La bouilloire sifflait et un bol de gruau de blé attendait son premier coup de cuillère, quand le facteur fit glisser les nouvelles du jour par la fente ménagée dans la porte d'entrée. Entre une enveloppe du service des Finances et un tract du gouvernement, la une du *Citizen Voice* attira son attention. D'habitude, elle aurait feuilleté le journal avec distraction avant de le jeter sur la pile des anciens numéros, dont elle se débarrassait régulièrement ; mais le gros titre inscrit au-dessus d'une illustration maladroite, représentant un fusil d'assaut ou quelque chose d'approchant, lui fit l'effet d'une gifle.

Elle jeta quelques fleurs de pissenlit dans sa tasse d'eau chaude et s'attabla face à son bol, les yeux rivés sur l'article.

COUP DE FILET DANS LES CARRIÈRES : LA LUTTE CONTRE LE TERRORISME CONTINUE

Un détachement de l'armée a mis la main sur une réserve illégale d'armes à feu, cette nuit, près de la carrière de cuivre B-3, au nord-ouest du lac.

L'enquête aura duré plusieurs mois, mais l'action conjointe du service des Renseignements et des Forces Armées a permis de réaliser l'une des plus grandes opérations de lutte contre le crime de l'année. En effet, les enquêteurs suivaient depuis longtemps la trace d'un groupuscule terroriste. Cette nuit, vers une heure du matin, ils ont pénétré dans une cabane dissimulée par un bosquet. Inhabitée, elle abritait néanmoins un nombre important de fusils dont le numéro de série avait été limé. Dix Springs 716, trois fusils d'assaut et de nombreuses armes blanches ont ainsi été saisis.

Une enquête méticuleuse permettra de remonter jusqu'aux propriétaires. De nombreux effectifs sont mobilisés pour maintenir la paix de la Cité et...

Maïa laissa retomber sa cuillère dans le bol de gruau, incapable de poursuivre sa lecture. Elle connaissait l'existence de la cabane mentionnée dans l'article, mais n'y avait jamais mis les pieds. Dimitri l'en avait toujours dissuadée, arguant que c'était plus sûr.

Dimitri, qui venait d'être arrêté par l'armée et qu'elle avait aperçu en uniforme dans les couloirs la veille.

Comme par hasard.

D'une main tremblante, elle essuya les larmes qui la brûlaient.

— Dimitri...

Des crampes terribles lui nouaient l'estomac. Elle ne comprenait pas. Elle ne comprenait plus.

— ... qu'est-ce que tu as fait ?

*

La lame s'enfonça entre les deux côtes comme dans du sable humide. La pointe du couteau atteignit le cœur, dont le rythme s'affola avant de capituler dans un flot de sang. L'homme se débattit et Zéphyr raffermit sa prise sur sa gorge. Leurs regards se croisèrent, terreur contre froideur, puis l'assassin approcha ses lèvres du visage du mourant.

— C'est fini.

Les yeux du vieux Lingh, que Big D préférait savoir mort qu'entre les mains de l'armée, papillotèrent. La panique laissa place à la résignation et ses paupières s'abaissèrent à mesure que les gerbes de sang tarissaient. Puis la nuit tomba sur son âme et il cessa de bouger. Zéphyr attendit quelques secondes et relâcha sa prise. Il posa de nouveau les yeux sur la plaie sombre dans la poitrine de sa victime et écouta les battements de son propre cœur. Calmes, réguliers. Comme toujours. Rien ne perturbait jamais ses rythmes internes.

Avec précaution, il essuya la lame de son couteau sur les guenilles du vieux Lingh et la posa sur sa trachée, juste au-dessus de la pomme d'Adam. Les cartilages résistant à la pression, il referma les doigts sur le manche et élargit la fente. Les tissus mous en dessous cédèrent sans problème, de même que les muscles du cou, et il atteignit la colonne vertébrale. La pointe du couteau fureta jusqu'à trouver l'interstice entre deux vertèbres, sectionna la moelle épinière ; et la tête, enfin détachée du corps, roula sur le sol imbibé de rouge.

Zéphyr se redressa et guetta le silence et l'obscurité. La nuit était paisible. Plus tard, il emporterait le cadavre dans le désert et l'y abandonnerait aux charognards, offrande aux créatures qui, comme lui, vivaient de la mort des autres. Puis il enfermerait la tête dans un sac en toile, l'apporterait à Big D et recevrait plus d'argent qu'il n'aurait jamais imaginé en posséder dans sa vie d'avant le Châtiment, quand il était encore humain.

CHAPITRE 11
J-26

Maïa n'avait qu'une idée en tête quand elle pénétra dans le hall déjà surchauffé de Tucumcari Center : parler à Dimitri. Elle devait à tout prix dissiper les doutes terribles qui entretenaient sa nausée depuis qu'elle avait lu le *Citizen Voice*.

Pour cela, il lui fallait l'autorisation de l'un de ses supérieurs et de quoi la justifier. Elle était encore en train de se creuser les méninges à la recherche d'une bonne raison de voir Dimitri quand une voix désagréablement familière la fit se retourner :

— Sous-lieutenant Freeman, où allez-vous comme ça ?

Elle se mit au garde-à-vous avec raideur, peu encline à échanger avec Johnson de si bon matin : son moral était trop bas. N'avait-il personne d'autre à harceler ?

— Colonel Johnson.

— Que faites-vous au deuxième étage ? Vos quartiers se situent un peu plus bas, non ?

— Je m'apprêtais à solliciter la bienveillance du capitaine Delgado, du service des Renseignements, mon colonel.

Le crotale plissa les yeux et la gratifia d'un de ces sourires qui lui donnaient envie de fuir à toutes jambes.

— Il va falloir reporter l'entrevue, je le crains. Je vous veux dans mon bureau immédiatement.

Maïa se mordit la langue pour s'empêcher de grimacer et le suivit à travers les couloirs, étreinte par un mauvais pressentiment. Arrivé devant la porte marquée à son nom, Johnson la couva de nouveau de ses pupilles de reptile et l'invita à entrer. Comme dans tous les bureaux individuels, un portrait du général White veillait sur ses ouailles depuis un cadre en fer. Une petite horloge égrenait ses secondes avec un bruit de pluie sur une surface mate, et un nombre considérable de dossiers prenaient la poussière sur les étagères. D'un pas tranquille, Johnson alla s'installer à son bureau. Maïa se remit au garde-à-vous et planta son regard dans le vert éteint de celui de White. Johnson ménagea quelques secondes de silence, puis :

— Je vous retire le droit de rendre visite à Dimitri Bielinski.

Maïa accusa le coup, plus violent qu'un direct à l'estomac, et fournit un effort monstrueux pour rester impassible.

— Ce… C'est entendu, mon colonel.

La tête lui tournait. La faute à sa nuit blanche, probablement. Quant aux larmes qu'elle sentait poindre… elle décida de les imputer à l'épuisement et surtout pas à la blessure que les mots de Johnson venaient d'ouvrir. Pas question de lui laisser ce plaisir.

— J'imagine que vous brûlez de connaître le pourquoi d'une telle décision, sous-lieutenant.

Maïa battit des cils.

— Pardonnez ma curiosité, mon colonel.

— C'est tout naturel. Est-ce que par hasard vous penseriez avoir votre part de responsabilité dans mon choix ?

— Je serais désolée d'une telle méprise.

Elle sentait le regard du colonel posé sur elle et la sueur qui dégoulinait entre ses omoplates. Bien sûr, Johnson ne la croyait pas une seule seconde quand elle affirmait avoir tourné le dos à Dimitri. Pour autant, elle pensait avoir bien joué son rôle ; elle ne lui avait donné aucune raison valable de l'interdire de visite.

— Dimitri Bielinski a réfléchi à ses erreurs, lui révéla Johnson sans parvenir à dissimuler son plaisir. Il a... hum... décidé de changer de comportement et d'employer au mieux le temps qu'il lui reste avant le Châtiment. Et il ne veut plus vous voir. (Il se cala dans son fauteuil et joignit les mains.) Je ne veux *surtout pas* savoir s'il y a un lien entre les deux. Mais j'ai décidé d'accéder à sa demande.

Maïa tenta de se raccrocher au portrait du général White mais, même peint, le chef de l'armée n'était pas son allié. Le tic-tac de l'horloge lui tapait sur le système et elle avait chaud, atrocement chaud. Une question dont elle devinait la réponse lui brûlait les lèvres. Johnson n'apprécierait pas, mais elle ne put s'empêcher de la poser :

— Excusez-moi, mon colonel, mais pourquoi êtes-vous si bienveillant envers le traître ? Il ne mérite pas vos faveurs...

— Les faveurs que j'accorde me regardent. Tâchez de rester à votre place.

Le ton de Johnson la glaça. Cet homme avait le pouvoir de la décapiter d'un coup de dents ; elle avait eu le malheur de l'oublier et il le lui rappelait, comme le dominant d'une meute rappelle à ses dominés qui est le chef.

— Repos, soupira finalement Johnson. Vous pouvez disposer, sous-lieutenant.

Elle s'exécuta avec raideur et il l'arrêta sur le pas de la porte.

— Et que je ne vous revoie plus traîner ailleurs que dans le secteur des Renseignements.

— Oui, mon colonel.

Sur ce, elle déguerpit aussi vite qu'elle put. Elle aurait donné cher pour pouvoir quitter Tucumcari Center sur-le-champ, sortir là où l'air était plus respirable. Mais Johnson garderait probablement un œil sur elle jusqu'à la fin de la journée et elle devait faire bonne figure. La méfiance du crotale crevait les yeux et elle n'avait pas besoin qu'il la surveille davantage. Alors elle traversa les couloirs comme une ombre, en lutte contre une claustrophobie grandissante. Elle n'avait jamais aimé l'odeur de poussière du QG, mais aujourd'hui celle-ci la révulsait.

L'évidence lui était tombée dessus de tout son poids à la lumière des révélations de Johnson. Elle avait vu juste : Dimitri avait changé de camp.

Vus sous cet angle, les événements de la veille prenaient sens. Si on avait sorti Dimitri des geôles, c'était pour qu'il mène Tucumcari Center à la réserve d'armes. Maïa ignorait si son mentor les y avait mises lui-même où s'il avait sciemment trahi des compagnons de révolte. En revanche, elle savait que l'armée n'aurait jamais trouvé la planque sans aide. Elle perçait à jour les magouilles des rebelles une fois tous les jours d'éclipse, et encore. Et Maïa avait croisé Dimitri, miraculeusement réintégré dans les rangs, le soir de cette prise exceptionnelle. Troublante coïncidence.

Elle hâta le pas à l'approche du bureau qu'elle partageait avec quatre autres membres des Renseignements. Vu la réaction de Johnson, elle aurait parié qu'il était celui avec qui Dimitri avait pactisé. Un frisson remonta son échine. Pourquoi Dimitri, l'incorruptible résistant, avait-il cédé aux sirènes du colonel ? Son mentor et lui se vouaient une haine viscérale depuis toujours. Elle poussa la porte du clapier qui lui servait de bureau, épuisée. Par chance, il était vide. Elle se laissa tomber sur une chaise et ouvrit un dossier au hasard avant de replonger dans ses réflexions. Les « pourquoi » fusaient dans son crâne, implacables.

Au bout d'un moment, la réponse pointa, affûtée comme un croc.

Dimitri avait vendu son âme pour une remise de peine. C'était la seule solution possible. Johnson avait accepté de réduire la durée du Châtiment en échange d'informations sur les rares rebelles de la Cité. Les mains de Maïa se mirent à trembler sur le dossier. Dimitri devait être terrifié pour marchander ainsi ses convictions contre quelques heures de sursis. Et c'était normal. Comment rester froid devant une telle perspective ? Il allait souffrir le martyre et souhaiter la mort un bon millier de fois alors qu'on le brûlerait, qu'on le mutilerait, qu'on briserait ses os et qu'on arracherait sa peau dorée, que son âme coulerait entre ses doigts comme le filet ténu d'une source dans le désert. Avant qu'il s'en rende compte, elle se serait évaporée à jamais et il ne serait plus qu'une enveloppe vide ayant voyagé au-delà de la pire des douleurs.

Il n'existait pas de courage capable de lutter contre une telle peur ; seulement de l'inconscience. Et Dimitri était tout sauf inconscient.

CHAPITRE 12
J-26

Le colonel Johnson attendit que la jeune Freeman ait disparu à l'angle du couloir pour se rasseoir dans son fauteuil sous le portrait du général White. Il soupira d'aise. La victoire était totale.

Le désarroi de la jeune recrue, quand il lui avait transmis le souhait de Bielinski, ne lui avait pas échappé. Il avait adoré voir la flamme insolente dans ses yeux vaciller puis s'éteindre. La gamine en elle-même ne l'intéressait pas plus que ça, mais le récit qu'il allait en faire à Bielinski, en revanche… il en salivait d'avance.

Après des années de guerre, il avait enfin réussi à mater Dimitri Bielinski ; il était parvenu à soumettre l'insoumis, à entraver l'électron libre. Et la victoire avait un goût particulièrement sucré. Dès l'instant où il avait brandi la réduction de peine sous son nez, l'ex-lieutenant-colonel s'était changé en agneau. Il était mort de trouille et – comble de la jouissance pour Johnson – il craignait que sa protégée l'apprenne. Il redoutait le regard qu'elle poserait sur lui quand elle saurait qu'il avait vendu son âme par lâcheté ; c'était la raison pour laquelle il avait coupé les ponts. Rien de plus. Car, s'il ignorait à quel point Maïa

Freeman flirtait avec les idées subversives de son mentor, Johnson savait qu'elle ne les désapprouvait pas complètement. Une fois le traître châtié, elle serait en tête de sa liste. Il n'avait encore rien à lui reprocher, mais il finirait bien par trouver de quoi taper sur cette tête de clou. Son intuition le trompait rarement.

Il se renversa dans son fauteuil et inclina sa tête vers l'arrière, de façon à apercevoir, à l'envers, la mine sévère de White. Un sourire s'épanouit sur ses lèvres. Il était fiancé à la Cité depuis toujours et comptait bien œuvrer pour elle encore longtemps. Il vivait pour traquer les trouble-fêtes, les dissidents, les perturbateurs et tout ce qui, de manière générale, pouvait compromettre l'harmonie de sa ville chérie. Mais Dimitri Bielinski... il en faisait une affaire personnelle. Johnson ferma les yeux, assailli par les souvenirs.

Bielinski avait quinze ans de moins que lui. Johnson avait été son examinateur lors de l'épreuve physique du concours d'entrée et, déjà, le sourire léger de l'ex-militaire lui avait déplu. Dès le début de sa carrière, Bielinski s'était démarqué par une intelligence hors du commun, toujours désinvolte, et avait gravi les échelons avec une facilité insolente. Même Johnson, qui faisait en son temps figure d'enfant prodige, ne tenait pas la comparaison. Pendant des années, Bielinski et lui s'étaient opposés à tout-va, sous l'empire d'une différence de caractère trop marquée pour permettre une quelconque communication.

La guerre avait couvé en silence jusqu'à une après-midi de juin, quatre ans plus tôt. Il pleuvait des cordes, la première mousson de l'année. Le ciel ployait sous les nuages noirs et l'air charriait de l'électricité statique. Johnson rentrait à peine d'une réunion exceptionnelle organisée par le général White en personne.

Les ouvriers de l'usine C-2, qui transformaient le fer des carrières, menaçaient de se mettre en grève ; en cause, une récente restriction de leurs effectifs, assortie d'une augmentation de leurs horaires sans réelle compensation financière. Rien de surprenant dans une conjoncture sombre où, plus que jamais, l'enfermement se faisait sentir. Mais la réunion avait dégénéré et Johnson s'était accroché avec un général de brigade un peu trop virulent à son goût, qui proposait la répression pure et simple comme solution. Après tout, les ouvriers du nord trimballaient une réputation épouvantable, à mille lieues des discrets planteurs et éleveurs de l'ouest.

Johnson l'avait renvoyé dans les cordes un peu trop sèchement. Il était le premier à prôner la politique de la main de fer, mais jamais en dépit du bon sens. Et, en l'occurrence, il ne fallait pas beaucoup de bon sens pour voir qu'une telle solution ne rimait à rien. Il était donc d'une humeur de chien quand il avait quitté la réunion. Il remontait les couloirs poussiéreux du QG en pestant, lorsqu'il croisa une tignasse blond lunaire dont les plus longues mèches finissaient entre les omoplates de leur propriétaire. Le colonel se hérissa, comme chaque fois que Dimitri Bielinski se trouvait dans le secteur. Celui-ci sortait d'un bureau des Renseignements. Son habituel sourire tranquille avait laissé place à un visage fermé, fuyant. Il passa devant Johnson sans le voir et celui-ci le coupa dans son élan :

— Il me semble que vous avez oublié quelque chose, lieutenant-colonel Bielinski.

Le jeune lieutenant-colonel se retourna avec raideur et Johnson lut sur son visage une émotion qu'il n'y avait jamais vue : la fureur. Avec le recul, il se dirait qu'il aurait dû y prêter attention, mais il était trop en rogne lui-même pour en faire cas. Le lac prisonnier des yeux de Bielinski avait littéralement pris feu. Il salua son supérieur avec des gestes saccadés, aussi spontanément que si on lui avait collé le canon d'un Springs sur la tempe. Johnson lui rendit la politesse, sec comme le désert.

— Que je ne vous reprenne plus à faire fi du respect que vous devez à votre hiérarchie.

Dimitri aurait pu se contenter d'acquiescer avec humilité. Il aurait pu baisser la tête et partir, ainsi que le lui conseillait l'instinct de survie le plus élémentaire. Au lieu de quoi il enfreignit la loi tacite qui interdisait aux subordonnés de regarder leurs supérieurs dans les yeux et planta ses iris flamboyants dans ceux de Johnson. Celui-ci ne cilla pas et siffla entre ses dents :

— Attention, lieutenant-colonel.

Dimitri esquissa un mouvement vers la porte de la pièce qu'il venait de quitter, si ténu que Johnson douta de sa réalité.

— On a les crocs, Johnson ?

Le poing du crotale le cueillit à la mâchoire et le fit vaciller. Il riposta aussitôt et lui sauta dessus, libérant une rancune trop longtemps contenue. Les coups fusèrent jusqu'à ce que deux soldats qui passaient par là les séparent. Haletants, furieux, Bielinski et Johnson se regardèrent encore en chiens de faïence quelques secondes. Du sang perlait de la lèvre fendue du premier et une tuméfaction apparaissait déjà sur la pommette gauche du second. Les stigmates d'une haine inextinguible.

Revenu au présent, Johnson quitta le portrait de White des yeux. Pour cet incident, Bielinski et lui avaient reçu un blâme qui avait officialisé leur guerre.

Et aujourd'hui, cette guerre, il l'avait gagnée.

*

L'après-midi était déjà bien avancée quand Zéphyr arriva devant sa maison après sa nuit de travail. Le corps du vieux Lingh reposait désormais au pied d'un énorme créosotier à plusieurs kilomètres de la frontière sud du ghetto. Sa tête, quant à elle, ornerait le bureau de Big D jusqu'à ce que celui-ci décide de s'en débarrasser ; sa décomposition serait alors si avancée que même les coyotes affamés n'en voudraient pas.

L'esprit léger et le corps fourbu, Zéphyr poussa la porte de la hutte et faillit entrer en collision avec Nathanaël, qui sortait.

— Oh, Zéphyr. Tu travaillais ?

Le tueur s'étira.

— Absolument. Et maintenant je vais m'octroyer un peu de repos.

— J'ai l'impression que Big D est très en forme, en ce moment…

— Il a décidé de faire le grand ménage, confirma le tueur. Où vas-tu ?

— Lui montrer ce que tu sais. Si avec ça elle ne change pas d'avis…

— Tu vas aller chez elle ?

— Elle habite dans le quartier est, pas très loin du Centre de Soins. J'y serai en moins d'une heure.

Pour appuyer ses dires, le Lazul rabattit sa capuche sur sa chevelure bleu cobalt.

— Fais attention à toi, dit Zéphyr en pénétrant dans la maison.

— C'est bon, je ne crains rien...

— Dans un quartier qui fourmille de militaires ? Si.

— Tu t'inquiètes pour moi ?

Zéphyr inclina la tête, les sourcils froncés. L'affection qu'il décelait dans les yeux de Nathanaël le laissait perplexe ; il était incapable d'éprouver les mêmes sentiments que son ami. Pour autant, il n'avait aucune envie de le retrouver en mauvais état à cause de sa légendaire indocilité.

— Pas vraiment, répondit-il. Je te préviens, c'est tout.

— C'est noté. À plus tard.

Nathanaël s'éloigna et s'arrêta au bout de quelques pas.

— Au fait, Zéphyr...

Le tueur se retourna sur le pas de la porte. Le Lazul esquissa un geste vers l'angle de sa mâchoire.

— Tu as du sang, là.

Zéphyr sourit malgré lui. Il gratta le sang séché et referma la porte alors que Nathanaël s'éloignait déjà, déterminé. Dans la pénombre de sa hutte, il retira sa tunique et contempla son torse ravagé par le Châtiment. Après tant d'années, certaines cicatrices lui faisaient encore mal. Il effleura la bosse qu'avaient formée trois de ses côtes en se ressoudant après avoir été brisées d'un coup de masse ; ou peut-être était-ce une batte. Il n'était plus tout à fait conscient à ce moment-là, et la qualité de ses souvenirs s'en ressentait.

Il s'allongea sur sa paillasse dans la petite chambre qu'il partageait avec Nathanaël. La mise à mort du vieux Lingh l'avait éreinté, comme chaque fois qu'il était contraint d'aller jeter un cadavre au milieu du désert, mais la portée de cet acte l'indifférait. Il avait l'impression que chaque meurtre l'éloignait un peu plus du monde des vivants. La quantité de sang sur ses mains était inversement proportionnelle à la taille de son âme, et il s'en accommodait plutôt bien.

C'était le prix à payer pour la vie qu'il avait choisie, et la raison pour laquelle il existerait toujours un fossé entre l'amitié que lui portait Nathanaël et son sentiment à lui. Malgré tout, il appréciait la façon dont le jeune homme le regardait, comme on regarde un frère. Sans peur, sans jugement, sans ombre. Si le cœur de Zéphyr vivait encore assez pour espérer, il souhaitait que cette relation dure.

Zéphyr supposait donc qu'il éprouvait, à sa manière, de l'affection pour le Lazul. De l'affection, ou quelque chose qui s'en approchait suffisamment pour le pousser à prier afin qu'il ne lui arrive rien, quoi qu'il ait l'intention de faire dans le quartier est.

*

Une brise taquine plissait la surface du lac, y sculptant de minuscules vagues qui ressemblaient aux facettes d'un diamant. La lumière crépusculaire rehaussait le bleu profond, hypnotique, de l'eau. Assise sur la berge craquelée, au milieu des joncs mis à rude épreuve par la saison sèche, Maïa jetait des cailloux dans le lac Tucumcari, comme pour le mettre au défi de sortir de sa torpeur indifférente. Son eau manquait tellement que la Cité allait finir par mourir de soif avant la prochaine mousson, mais rien ne semblait pouvoir empêcher son niveau de décroître.

Quelque part sur la droite de Maïa, au cœur d'une végétation plus luxuriante que partout ailleurs, un animal qu'elle ne réussit pas à identifier répondait à ses ricochets. À part ce bruit léger, rien ne troublait la sérénité absolue de ce coin du monde. Maïa avait enlevé sa veste d'uniforme et l'avait posée sur une touffe d'herbe grillée. Seulement vêtue d'un maillot de corps, elle profitait de la caresse du soleil sur ses épaules brunes, du murmure fragile du ressac, de la tiédeur du sol argileux sous ses fesses. Son pantalon serait bon pour la blanchisserie, et cela lui vaudrait des réprimandes ; la sécheresse obligeait les soldats à tenir un mois entier avec leur jeu de deux uniformes afin de limiter l'utilisation des lessiveuses. Mais, pour l'instant, tout cela était bien loin de Maïa.

Dimitri avait renoncé à sa raison d'être pour alléger son supplice de quelques heures. Il les avait reniées, sa liberté chérie et elle, pour se ranger du côté de l'ennemi. Quand elle en avait pris conscience, dans le bureau de Johnson, Maïa s'était sentie trahie au plus profond d'elle-même. Puis l'absurdité de sa réaction l'avait clouée sur place. Dimitri n'avait pas à placer ses idéaux avant sa vie et, si les quelques heures de sursis qu'il avait réussi à négocier le tranquillisaient un peu, tant mieux.

Installée face au lac comme face à un juge divin, Maïa était écœurée par son égoïsme. Elle ignorait comment elle aurait réagi si c'était elle que la garde avait arrêtée en possession de documents sur l'Extérieur. Elle ne savait pas non plus si ses convictions valaient plus que sa propre vie. En cet instant, elle se sentait juste petite, insignifiante ;

totalement impuissante face à un système qui broyait ses opposants.

Dimitri ne voulait plus d'elle. Que valait sa croisade, désormais ? Si elle le laissait derrière elle, plus grand-chose. Ainsi qu'il le lui avait conseillé quand elle était allée le voir dans sa cellule, elle ferait mieux de renoncer à traquer l'Enfant Papillon tant qu'elle était dans le collimateur de l'armée. Cet être mystérieux, dont elle ignorait tout, attendrait encore un peu. Il fallait qu'elle soit discrète et...

Un mouvement dans l'eau, sur sa gauche, attira son attention. Un héron émergea des roseaux, ses longues pattes fendant l'eau en silence. Son plumage éclatant tranchait avec les bleus et les verts du lac, et une grâce sans bornes émanait de sa silhouette élancée. Maïa se figea pour ne pas l'effrayer et ravala une émotion étrange, paralysée par la beauté de l'oiseau. Elle se tiendrait à carreau jusqu'au Châtiment, elle tenterait d'absorber par avance son chagrin... et ensuite elle recommencerait. Quand Dimitri aurait été torturé, elle trouverait l'Enfant Papillon. Quand il ne serait plus capable de la reconnaître, quand il refuserait qu'elle l'aide à se relever de cette épreuve, qu'il ne tiendrait peut-être même plus debout et que...

Elle s'interrompit, un cactus coincé dans la gorge. Avec une lenteur extrême, le héron étendit son cou gracile et la regarda. Elle se mordit la lèvre inférieure. Ça ne changerait rien. Les heures de salut que Dimitri avait réussi à obtenir ne changeaient strictement rien. Il suffisait d'une heure à l'armée pour briser un homme ; il aurait beau négocier toutes les remises de peine du monde, à partir du moment où il entrerait dans la salle des tortures, tout serait fini pour lui.

Le héron la contemplait toujours, figé dans une attitude interrogative. La seule solution pour sauver Dimitri, c'était de le faire sortir. Tout, absolument tout revenait à cette maudite captivité dont ils étaient victimes. Le héron déploya ses ailes immenses. Même s'il ne voulait plus d'elle, elle restait la seule à pouvoir le soustraire à sa destinée. Elle se passa une main sur le visage ; le héron s'envola avec souplesse, troublant à peine la surface immobile de l'eau.

Elle se retrouva de nouveau seule face au lac, avec la sensation d'avoir rêvé l'oiseau tant il avait effacé les traces de sa présence en s'envolant. Que Dimitri ait cru en Johnson plutôt qu'en elle pour améliorer son sort importait peu. Elle ne l'abandonnerait pas. Jamais.

Elle se releva et récupéra la veste de son uniforme, emplie d'une détermination nouvelle. Elle débusquerait l'Enfant Papillon et elle quitterait la Cité avec son mentor.

Le soleil déclinait déjà quand Maïa arriva dans le quartier est, mais la température faisait de la résistance, refusant de descendre sous les trente-cinq degrés. Sur le trajet entre le lac et son studio, elle croisa un petit groupe de médecins, reconnaissables à leur veste bleu marine. Ils se dirigeaient vers le Centre de Soins pour prendre leur tour de garde. Les blessés, les malades et les femmes en couches assez fortunés pour se payer des soins – ou trop mal en point pour s'en passer – afflueraient comme chaque nuit, sans être certains de sortir vivants du dispensaire. En effet, le manque de moyens rendait toute hospitalisation poten-tiellement risquée.

Les commerces de South Avenue, l'artère principale, fermaient alors que les bars ouvraient à peine leurs portes.

Comme d'habitude, on ne trouverait sur les comptoirs que de l'alcool de cactus pur, une horreur juste bonne à flanquer une cirrhose illico, mais les bistrots étaient toujours pleins. Preuve, s'il en fallait, que les habitants prisonniers des Murs avaient besoin d'évasion.

Maïa aperçut Timmy Tinel, le propriétaire de l'une des deux épiceries de South Avenue, en train de fermer la porte en bois de son échoppe. Elle lui fit signe d'attendre et se précipita dans sa boutique qui sentait le renfermé pour lui acheter un sachet de haricots blancs. Quinze sotos les deux cents grammes. L'équivalent de dix dollars d'avant la Grande Épidémie, une fortune. Cent ans avaient passé, mais la mémoire collective sur l'ancien temps perdurait et la misère actuelle n'échappait à personne.

Son sachet de haricots à la main, Maïa s'engagea dans les ruelles étroites du quartier résidentiel. Lorsqu'elle entra dans l'impasse qui abritait son studio, au milieu d'autres constructions sommaires en terre crue, elle se figea, glacée.

Quelqu'un attendait devant chez elle. Une silhouette élancée, de taille moyenne, drapée dans une tunique gris perle. Maïa sentit son cœur s'accélérer et réduisit la distance qui les séparait. Son visiteur se retourna, et elle mit quelques secondes à le reconnaître.

Le Lazul qu'elle avait rencontré chez Zéphyr la regardait dans les yeux. Sa chevelure éclatante était dissimulée sous une capuche, mais elle lut sans peine le 6016-E tatoué sous son œil gauche.

Une colère sourde monta en elle et balaya la détresse qu'elle avait ressentie quelques heures plus tôt, sur les berges du lac. Un Lazul se permettait de l'attendre devant chez elle. Un *Lazul*, le jouet d'une maladie que tant d'autres avaient réussi à vaincre. Combien de germes colonisaient déjà le cerveau de ce misérable ? Quelles étaient les chances qu'un jour, de cet organisme ridiculement fragile, émerge une forme contagieuse du virus ? Les Lazuli étaient une erreur, une absurdité. Condamnés à la souffrance et au néant, insignifiants. Elle ne tirait aucune fierté de cette aversion, et c'était précisément pourquoi elle évitait le plus possible les Lazuli.

6016-E avait très mal choisi son moment. Alors qu'elle tentait de se remettre en selle, des images de torture et d'évasion plein la tête, ce rebut aux cheveux bleus n'avait rien trouvé de mieux que de recommencer à la harceler. Elle passa devant lui, l'ignorant royalement, bien décidée à le planter là pour lui rappeler quelle était sa place.

— Hé ! s'exclama-t-il. Inutile de faire comme si tu ne m'avais pas vu…

Maïa déverrouilla la porte de son studio alors que Nathanaël s'approchait d'elle. Elle se raidit, rendue nerveuse par cette proximité.

— J'ai des informations qui pourraient t'intéresser.

— Ne m'adresse pas la parole, siffla-t-elle. Et retourne d'où tu viens.

Nathanaël pinça les lèvres. La lumière dure du crépuscule révélait la beauté atypique de ses traits mais, loin de s'en préoccuper, Maïa s'engouffra dans le studio.

— Écoute-moi deux secondes…

Maïa se retourna et le fit reculer d'une violente poussée alors qu'il passait le pas de la porte.

— Je n'ai rien à faire avec un Lazul ! Si quelqu'un nous voit ensemble…

— Laisse-moi entrer, ce sera plus discret que si on reste en pleine rue.

Maïa rougit jusqu'aux oreilles, clouée par le bon sens de la remarque.

— Je vais t'arrêter pour outrage à...

— Oui, oui, oui. Tu n'approuves pas ma présence chez toi, d'accord. En attendant, j'ai une information à propos de l'Enfant Papillon à négocier.

Maïa ouvrit une bouche parfaitement ronde, puis se reprit. Un point pour le Lazul. Ses épaules s'affaissèrent et elle se laissa submerger par l'épuisement. Trop de choses lui étaient tombées dessus dans la journée et son courage menaçait de l'abandonner. Elle jeta un regard par-dessus l'épaule du Lazul, puis capitula et le laissa entrer.

CHAPITRE 13
J-26

— L'Enfant Papillon, tu dis ? attaqua Maïa en refermant la porte sur eux.

Nathanaël brandit une liasse de feuilles abîmées sous le nez de la jeune fille. Celle-ci voulut s'en emparer, mais le Lazul les replongea dans une poche de sa tunique.

— Je ne te les montrerai que si tu acceptes de traiter avec moi.

— Qu'est-ce que c'est ?

— Une sorte de... de légende urbaine qui court dans le ghetto. Sur l'Extérieur.

— Tu as parlé de l'Enfant Papillon. Qu'est-ce que tu sais sur lui ?

— On se calme, rétorqua Nathanaël. C'est donnant-donnant : je t'aide, tu m'aides. On a tout à gagner à collaborer.

— Je suis désespérée, mais pas au point de m'en remettre à un Lazul.

Nathanaël leva un sourcil méprisant.

— Très bien. Dis adieu à l'information, dans ce cas.

Maïa soupira, excédée par le ridicule de la situation. Comment ce type avait-il pu survivre dans la Cité ? Alors que sa condition exigeait soumission et passivité, il avait la tête plus dure qu'un bloc de granit. Elle le jaugea d'un coup d'œil : le virus atténué dormait encore au fond de lui. Ses mains ne tremblaient pas, rien n'échappait à ses yeux perçants. Pourtant, dans une ou deux décennies, il ne resterait de lui qu'une loque incapable de se mouvoir, pétrie de douleurs et d'angoisses.

— Tu es totalement inconscient, hein ? Oser parler comme ça à une militaire…

— Tu ne me feras rien. Tu sais que vais t'apporter une aide précieuse.

— Comment sais-tu que je cherche l'Enfant Papillon ?

Nathanaël retint un sourire triomphant.

— Je ne le savais pas.

— Tu veux dire que c'est un hasard si…

— Si on en est arrivés aux mêmes conclusions ? Je pense surtout que c'est bon signe.

Le jeune homme tendit une main à Maïa.

— Alors montre-moi tes papiers, grinça-t-elle.

— Toi d'abord.

Maïa leva les yeux au ciel, agacée. Elle savait bien qu'elle n'avait pas d'autre choix que de coopérer avec le Lazul si elle voulait avancer. Mais cela ne s'annonçait pas de tout repos… Pour se donner une contenance, elle entreprit de nettoyer une semaine de vaisselle sale entassée dans l'évier.

— Ne me donne pas d'ordres.

— Je vais me gêner, ricana Nathanaël avec un sourire féroce.

Maïa hésita à capituler pour la deuxième fois. Il lui suffisait d'un geste pour que cet insecte se retrouve en cellule, même sans aucun prétexte. Elle passerait certes ses nerfs sur ce Lazul qui se croyait supérieur à elle, mais elle n'obtiendrait rien de lui. Et, quitte à finir dans les geôles, celui-ci ne se gênerait pas pour la dénoncer. Elle avait tout intérêt à s'en faire un allié.

Elle serra les dents, honteuse de se laisser ainsi manipuler par un Lazul, mais lâcha finalement sa brosse à récurer en même temps qu'un juron sonore. De mauvaise grâce, elle se décolla de l'évier et déplaça le coffre rempli de sacs de farine pour déterrer son trésor sous l'œil curieux de Nathanaël. Celui-ci laissa échapper un sifflement admiratif quand elle étala ses plans tracés à la main sur la petite table.

— Je n'ai pas réussi à trouver de point faible dans les Murs, mais mes données se basent uniquement sur les plans de la salle des archives, expliqua Maïa. Il y en a sûrement.

— Et là, fit Nathanaël en pointant le croquis détaillé d'un gros bâtiment, c'est le QG des armées ?

— Je l'ai dessiné grâce aux plans du réseau électrique, expliqua Maïa, assaillie par le souvenir de Dimitri.

Un bref silence tomba entre eux. Chacun s'absorba dans la contemplation de la carte, qui ne leur était actuellement d'aucun secours mais deviendrait précieuse en temps voulu.

— Montre-moi tes documents, maintenant, dit-elle enfin.

Nathanaël tira la liasse de feuilles de sa poche et la tendit à Maïa. Le papier était tellement abîmé qu'elle s'étonna de ne pas le voir tomber en poussière au contact de ses doigts. Le titre, tracé d'une écriture maladroite en partie effacée, indiquait : *Confessions, Randall Fox, 68-74 après la Grande Épidémie.*

Les mains de Maïa se mirent à trembler sur le trésor.

— Ce document circule dans le ghetto depuis quelque temps, expliqua Nathanaël. Ce type, Randall Fox… Je ne sais pas exactement qui c'est, son texte est très énigmatique. Cependant…

— Comment as-tu réussi à te le procurer ?

— J'en ai entendu parler un jour, par hasard. C'était pendant le marché aux viandes, l'hiver dernier. Un type expliquait à un autre qu'il avait trouvé un manuscrit révolutionnaire dans un bar. Un texte à propos de quelqu'un qui avait quitté la Cité. L'idée lui avait semblé amusante, et il a dit qu'il l'avait laissé sur place pour que d'autres puissent le lire.

Nathanaël haussa les épaules.

— Évidemment, j'ai foncé dans ledit bar pour récupérer le document. Et, évidemment, il n'y était plus. Alors j'ai fouiné. Pendant plusieurs mois, j'ai suivi la rumeur. Ces *Confessions* circulaient dans le ghetto depuis longtemps ; je me suis dit qu'en étant patient je finirais par retrouver leur trace. J'ai évité de poser trop de questions, parce que… c'est le genre de comportement qui ne réussit pas aux Lazuli, mais j'ai écouté. Et je suis remonté au possesseur.

— Félicitations, commenta Maïa en levant un sourcil.

— Zéphyr a fait le reste du boulot. Il a échangé le manuscrit contre un kilo de farine au clochard qui l'avait avec lui.

— Même les clochards refusent de marchander avec les Lazuli…

— Effectivement, répliqua-t-il sèchement. Et ce fameux manuscrit est en fait une sorte de journal dont le début n'a pas grand intérêt. Mais…

Il indiqua une page cornée au milieu du recueil.

— … à partir de là, ça commence à devenir intéressant.

CHAPITRE 14

14 mars, an 71

La première fois, c'était dans ce bar de la Quinzième Rue où les verres d'alcool sont décorés d'une tranche de citron à la bonne saison. Je l'ai immédiatement remarqué quand il s'est assis au comptoir : peut-être parce que, avec l'expérience j'avais appris à guetter le moindre mouvement quand nous étions en réunion, comme un animal traqué. Peut-être était-ce tout simplement parce qu'il était bien trop jeune pour venir se soûler dans la Quinzième Rue passé minuit. Et peut-être aucune des deux raisons n'était-elle valable.

En fait, je crois que, s'il a attiré mon regard ce soir-là, c'est à cause de sa lumière. Il rayonnait d'une énergie capable de figer le temps et l'espace autour de lui, de capter les attentions d'un simple silence et d'asservir n'importe qui d'un regard. Il a commandé un verre d'eau. Le barman l'a regardé bizarrement, mais il l'a servi quand même. Il a bu à petites gorgées, comme pour savourer chaque goutte de sa boisson, et j'en ai profité pour observer son profil délicat, dont les yeux à demi clos semblaient voir loin, infiniment loin. Au-delà du bar, au-delà des ruelles desséchées du quartier, au-delà de la Cité elle-même. Il a passé une main dans ses boucles noires et puis il a tourné la tête.

Vers nous.

Il est descendu de son tabouret et s'est approché de la table où nous débattions. De près, j'ai vu à quel point il était jeune. À peine plus qu'un enfant. Il nous a détaillés un par un avec défiance, alors qu'il n'était rien de plus qu'un cocon, une chenille endormie attendant sa métamorphose.

Il a souri et il a dit : « Je veux me joindre à vous. »

Les autres se sont regardés un moment, abasourdis. Mais moi, j'ai senti qu'il avait la force de déplacer des montagnes. J'ai eu envie de le suivre.

Jusqu'à ce qu'il se transforme en papillon.

29 mai, an 71

Nous avons mis du temps à lui faire confiance, mais il sait y faire. Il n'a rien forcé, rien précipité. Et puis, un jour, nous avons accepté qu'il assiste à l'une de nos réunions. Il était assis à côté de moi. Je pouvais entendre le rythme incroyablement lent de sa respiration, sentir les épices et la poussière accrochées à ses vêtements. Il nous a écoutés en silence, attendant qu'enfin on s'intéresse à lui.

Il a posé une feuille sur la table. Une liste de codes. Avec elle, nous avions accès aux données du Centre de Soins. Il nous a assurés que celle de Tucumcari Center suivrait. Un silence ébahi a accueilli cette nouvelle.

À la fin de la réunion, j'ai voulu savoir qui il était, mais il n'avait pas l'air enclin à la confession. Devant mon insistance, il a fini par me révéler qu'il avait quinze ans. Quinze ans ! Quand je lui ai demandé ce qu'un enfant de quinze ans attendait de notre groupe, il m'a dit qu'il avait un rêve. Il voulait être enseignant.

Et puis il a haussé les épaules, comme si ça n'avait aucune importance, et il a ajouté : « Je veux devenir enseignant, mais certainement pas entre ces Murs. »

3 juin, an 71

Nous prenons beaucoup de risques, mais nous réussirons. Au-delà du désert, au-delà des Murs...

11 juin, an 71

Nous nous définissons comme des anarchistes. Nous refusons de reconnaître la loi édictée par l'armée et rêvons d'un autre monde. De l'autre côté des Murs. Le plus drôle, dans l'histoire, c'est que nous sommes sans exception des privilégiés, membres d'une élite intellectuelle couvée par les circonstances. Personne dans la Cité n'a moins besoin de changement que nous, et pourtant nous sommes insatisfaits. Nous qui gagnons assez pour manger de la viande régulièrement, nous qu'on regarde avec déférence, nous qui comptons.

J'ai longtemps imputé ce phénomène à une raison simple : notre intelligence. L'éducation que nous avons reçue nous différencie du reste de la population, apathique et soumise. Nous avons conscience des possibilités de changement et nous voulons les saisir. Au nom de tous ceux qui ne savent pas.

J'ai confié cette vision des choses à l'enfant prisonnier de sa chrysalide.

Il m'a regardé longtemps, ses yeux vert-de-gris arrondis par la perplexité. Et puis il a éclaté de rire.

Quand il a réussi à se calmer, il a dit :

« On ne se préoccupe pas de liberté quand on ne sait même pas si on va pouvoir manger le soir, Randy. C'est tout. »

Je l'appelle enfant, mais j'ai tort.

30 septembre, an 71

Je crois que l'armée nous surveille. Elle se méfie, mais nous sommes prudents et elle n'a aucune preuve de nos agissements. L'enfant dans son cocon le sait, lui aussi. D'ailleurs, il me semble plus réservé, ces derniers temps. Lointain. Tramerait-il quelque chose que j'ignore ?

31 décembre, an 71

Nous avons la date. Nous avons les moyens.
Nous serons bientôt libres.

5 avril, an 72

C'est la fin. Rien n'a commencé, mais tout est déjà terminé...
Il est parti. Sans nous. Il est parti chrysalide, dans le silence léger d'une nuit de printemps. Sa révolte créait un halo autour de ses frêles épaules ; je l'ai regardé s'éloigner en songeant que je ne le reverrais plus. Le désert l'avait englouti, et il ne recrache jamais ses proies...
Mais cet enfant était touché par la grâce. J'aurais dû m'en douter. Au lieu de le dévorer, le désert l'a porté jusqu'aux Murs. Quand il est revenu, il n'était plus le même.
Il s'était transformé en papillon.
J'ai pleuré toutes les larmes de mon corps, bouleversé par la beauté de ses ailes iridescentes.

— Voilà, il n'y a plus rien à propos de l'Enfant Papillon après le 5 avril, annonça Nathanaël, qui avait suivi la lecture de Maïa par-dessus son épaule.

Celle-ci essuya une goutte de sueur perdue sur son front brun.

— Qui est ce gamin ? interrogea-t-elle, lointaine.

— Apparemment, il est sorti de la Cité et il est revenu. Et je suis persuadé qu'il est le seul à l'avoir fait.

— Il faut qu'on le retrouve.

— Ne t'emballe pas. On ne sait même pas s'il est encore vivant… Tu vas commencer par faire des recherches dans la base de données de l'armée, et…

— Surveille tes paroles, rétorqua Maïa, qui n'était pas prête à tolérer qu'un Lazul la considère comme une égale.

Nathanaël ne répondit pas ; il était habitué à être traité comme un animal. Machinalement, il passa une main dans ses cheveux cobalt et une souffrance brève, farouche, passa sur ses traits.

— J'ai déjà cherché dans les archives de l'armée, reprit Maïa.

— Dans ce cas, il nous reste Randall Fox, l'auteur de ces textes.

— Et ça, c'est quoi ?

Maïa s'était emparée du livret alors que Nathanaël s'apprêtait à le ranger dans la poche de sa tunique. Elle pointa un gribouillis au dos de la dernière page, abîmée par le temps et les nombreuses manipulations.

— Ça, j'imagine que c'est une espèce de dédicace… mais c'est illisible.

— Pas tout à fait, nota Maïa en collant son nez sur les pattes de mouche à moitié effacées. Ça dit : « Va brûler en enfer, Ca… Ca-miel ? »

— C'est bien ce que je disais : impossible de déchiffrer le nom de la personne que Fox voulait voir brûler en enfer.

— Sympa, comme dédicace.

— Peu importe. Fox est notre priorité.

Maïa leva un œil décidé vers Nathanaël. Celui-ci rassembla les feuilles et les fourra dans la poche de sa tunique.

— On va le trouver.

Nathanaël esquissa un sourire amusé, un peu moqueur.

— J'espère bien.

Il rabattit sa capuche sur sa tête et quitta le studio de Maïa, qui était restée attablée, le regard perdu dans le vague. Lorsqu'elle revint à la réalité, sans avoir réussi à digérer tout ce qu'elle venait de vivre, elle ouvrit les rideaux et regarda par la fenêtre. Nathanaël avait déjà disparu, mais le crépuscule parait le ciel de rouges sublimes.

Un frisson lui parcourut l'échine. Elle se demandait à quoi ressemblait le ciel hors des Murs.

DEUXIÈME
PARTIE

CHAPITRE 15
J-24

— Cette situation est inadmissible ! tonna le colonel Johnson en faisant les cent pas dans la salle du Conseil de Tucumcari Center.

La dizaine de hauts gradés rassemblée pour la réunion qu'il avait organisée suivait ses allers-retours avec affliction.

— Dimitri Bielinski a été jugé et sera bientôt châtié, tempéra un général de brigade taillé comme une armoire à glace. Et, sans les délais procéduraux, il le serait déjà. Donc…

— Suis-je le seul à être choqué par le fait que la trahison gangrène des sphères aussi élevées que celle où évoluait Bielinski ? siffla Johnson.

Un murmure approbateur parcourut l'assemblée.

— Cette affaire nuit à notre crédibilité, intervint un vieillard parcheminé.

— Exactement, lieutenant-général Gonzalez ! Et c'est intolérable !

— Cela risque de pousser le peuple à la révolte, lança un autre homme, un peu plus jeune que Gonzalez.

— Enfin, nous n'en sommes pas encore là, répartit une femme colonel installée à l'autre bout de la table.

— Bien sûr que si !

— Nous devons durcir la répression !

— Oui !

— Mais n…

— S'il vous plaît !

Le colonel Johnson frappa du poing sur la table et le silence se fit instantanément. Même s'il n'était pas le plus haut gradé de la tablée, il faisait pour le moment figure d'autorité. Celui qui réunissait le Conseil présidait le temps du débat, quel que soit son grade. Et personne n'ignorait les accointances du colonel avec le général des armées, ce qui jouait sans conteste en sa faveur, même si ce dernier brillait par son absence.

— Merci, fit-il avec un sourire mielleux. Pour ma part, je pense que sanctionner le peuple ne ferait qu'accentuer les tensions. Punir des innocents à cause de la pourriture interne au gouvernement me semble…

Il laissa sa phrase en suspens, guettant les réactions de ses collègues.

— Je ne suis pas d'accord, déclara enfin le vieux Gonzalez.

De nouveaux murmures s'élevèrent, mais Johnson les fit cesser d'un mouvement apaisant de la main.

— S'il vous plaît. Nous aimerions tous entendre ce que le lieutenant-général Gonzalez a à dire…

Soudain, la porte de la salle du Conseil s'ouvrit sur Solomon White. À presque soixante-dix ans, le général des armées inspirait un respect absolu. Pas un cheveu ne manquait à sa tignasse poivre et sel, et ses yeux d'un vert acide ne rataient rien de ce qui passait dans leur champ de vision. Sous sa sérénité presque affable se cachait une personnalité forte, inflexible, qui menait la Cité à la baguette depuis plus de deux décennies. White dégageait une puissance telle que n'importe qui aurait courbé l'échine en le croisant, même s'il avait été sale et vêtu de haillons.

Les militaires présents dans la pièce se levèrent comme un seul homme dans un salut guindé.

Solomon White était le cinquième général à gouverner la Cité. Lors de la construction des Murs, un régiment de l'armée de terre avait été chargé de contenir la population malade. Certains avaient contracté le virus à leur tour. À la fin de la construction, le gouvernement fédéral avait donné l'ordre de les emmurer avec la population et les ouvriers qui avaient érigé les Murs.

Jake Soto, le tout premier généralissime, avait effectué un travail titanesque pour remettre la Cité sur pied. Il s'était éteint dix-huit ans après la Grande Épidémie et ses successeurs avaient poursuivi son œuvre avec abnégation, permettant à une ville posée sur les berges d'un petit lac au milieu du désert de survivre et de croître. Au prix d'un régime impitoyable et totalitaire, certes ; mais, cent ans plus tard, la Cité vivait toujours en autarcie et ne manquait presque de rien. Et Solomon White, ancien héros des forces d'intervention qui s'était illustré en matant les émeutes de l'été 45, entendait bien perpétuer la tradition.

— Reprenez place, je vous en prie, fit le général avec douceur.

L'assemblée obéit en silence. White adressa un regard furtif à Johnson et s'assit à la seule place vacante, qui portait un petit écriteau à son nom.

— Reprenez, colonel Johnson.

— Nous étions en train de débattre de la meilleure façon pour nous de… surmonter l'affaire Bielinski.

White ne réagit pas immédiatement. Un éclat étrange traversa ses yeux couleur cactus, mais disparut avant que Johnson ait pu le décrypter. Celui-ci déglutit avec peine – il avait sciemment profité de l'absence de White, qu'il pensait indisponible ce jour-là, pour faire part au Conseil de son sentiment à propos de Bielinski. Non pas que le général apprécie particulièrement le traître, mais la virulence de Johnson dépassait de loin ses prérogatives.

D'une voix rendue aiguë par le stress, il résuma la situation au général.

— Bien, approuva Solomon White lorsqu'il eut terminé. Maintenant, quittez tous cette salle et reprenez vos postes.

Il y eut un moment de flottement. La voix du général se durcit :

— Il n'est en aucun cas question de débattre, articula-t-il, glacial. Sortez d'ici. Reprenez. Vos. Postes.

Cette fois-ci, tous se levèrent et obéirent. White ne bougea pas d'un centimètre ; sa voix retentit à travers ses lèvres pincées :

— Colonel Johnson, vous restez ici.

Le crotale se figea au garde-à-vous.

— Colonel… Pourquoi avoir décidé de réunir le Conseil pour cette affaire ?

Il n'y avait pas de colère dans la voix du général : en tant que membre du Conseil, Johnson avait le droit d'organiser une telle réunion. Ledit Conseil comportait quinze membres permanents désignés parmi les collaborateurs de confiance de White. Leur regroupement permettait de statuer sur les problèmes majeurs, dont le cas Bielinski ne faisait apparemment pas partie.

— Je pensais que…

— La seule chose à faire, déclara White en le vrillant du regard, c'est de broyer la vermine qui pullule entre ces murs.

Johnson fixait un point droit devant lui, le front luisant de sueur.

— Vous savez l'estime que j'ai pour vous, colonel. Cependant, il serait regrettable que vous oubliiez quelle est votre place.

— Je pensais bien faire, mon général.

— En omettant de me prévenir de ce rassemblement ?

— J'ai appris que vous aviez à faire avec les ingénieurs pour la construction du puits... Je ne voulais pas vous déranger avec ces broutilles.

Solomon White leva un regard méprisant vers son subordonné et entretint un silence prolongé.

— Attention, Colonel. Vous outrepassez vos fonctions.

La menace à peine voilée plana entre eux comme un vautour affamé.

— Je sais que vous n'êtes pas favorable à un durcissement de la répression, colonel, reprit calmement White. Alors qu'attendiez-vous d'une telle réunion ?

Pour la première fois, le colonel osa poser les yeux sur son chef. Sans défiance, il dit :

— Je pense que Dimitri Bielinski n'est pas le seul clou qui dépasse, mon général.

— Un grand nettoyage de nos rangs, donc ?

— En quelque sorte, mon général.

— Avez-vous de bonnes raisons de soupçonner d'autres soldats ?

Johnson battit des cils, nerveux. Le message était clair : en soupçonnant un membre du gouvernement sans preuve valable, il enfreignait le Code d'Honneur. Si le colonel souhaitait porter une accusation envers l'un de ses pairs, il avait intérêt à avoir une excellente raison de le faire.

— Pas encore, reconnut-il.

— Dans ce cas, cessez de me faire perdre mon temps.

Il se leva et adressa un salut sec à Johnson, resté au garde-à-vous.

— Le... le sous-lieutenant Freeman ! s'exclama celui-ci alors que le général passait le pas de la porte.

Solomon White inclina la tête vers lui, signe qu'il écoutait attentivement, sans pour autant se retourner.

— Vous avez vu son comportement lors du procès...

— Le sous-lieutenant Freeman, répéta White en plissant les yeux. C'est cette jeune recrue qui s'est laissé dominer par ses émotions, c'est ça ?

Johnson acquiesça.

— Son amitié pour Bielinski est connue de tous, répliqua le général. Ce n'est qu'une enfant perturbée.

— Mais...

— Colonel, nous ne savons pas encore comment nous tiendrons jusqu'à la mousson estivale, vu le niveau actuel du lac. Les nappes phréatiques sont vides, il n'est même pas sûr que nous arrivions à forer assez profond pour alimenter le nouveau puits. Les champs de maïs commencent à se dessécher et l'activité de l'usine métallurgique A-1 a déjà été ralentie à cause des restrictions d'eau. Si ça continue, les habitants vont se révolter.

Le général fit enfin volte-face, révélant un visage figé, impénétrable.

— La Cité est face à une crise sans précédent, poursuivit-il. Il y a plus urgent que de traquer des traîtres imaginaires.

Il se rapprocha de quelques pas, si bien que Johnson put sentir son souffle.

— Colonel, vous savez que, si les habitants se mettent réellement en tête de sortir, nous ne pourrons pas les en empêcher. Et la répression n'y changera rien. Nous devons apaiser les tensions, et cela passe par la construction du puits au nord. Alors surveillez cette Freeman si ça vous chante, mais n'enfreignez pas le Code d'Honneur. Et, *surtout*, ne vous détournez pas de notre tâche principale. Sinon, je prendrai les mesures qui s'imposent, c'est compris ?

— Oui, mon général.

Solomon White tourna les talons et dit :

— Par les temps qui courent, je ne tolérerai pas le moindre écart de conduite, colonel Johnson. Vous connaissez les enjeux.

Sur ces mots, il quitta enfin la salle, plantant là un Johnson pétrifié.

CHAPITRE 16

J-22

— Voilà ce que j'ai trouvé au service du Recensement, annonça Maïa en posant une feuille dactylographiée sur la table de Zéphyr.

Le tueur et Nathanaël se penchèrent sur la trouvaille. Maïa se raidit malgré elle. La présence des deux hommes à ses côtés la mettait encore mal à l'aise, mais elle avait choisi d'avancer. Coûte que coûte.

— 3 novembre, an 42 ? déchiffra le Lazul en plissant les yeux.

— C'est la date de naissance de Randall Fox, expliqua Maïa. Et, la bonne nouvelle, c'est qu'il n'y avait pas sa date de décès dans le dossier...

— Donc il est toujours vivant.

Nathanaël s'empara du bout de papier et l'examina sous tous les angles avec une moue boudeuse.

— Et c'est tout ? maugréa-t-il. Tu n'aurais pas oublié quelque chose, par hasard ?

— Il n'y avait pas d'adresse dans son dossier, rétorqua Maïa, piquée au vif. Je sais faire des recherches, merci.

Le Lazul arqua un sourcil sceptique, mais Zéphyr intervint avant l'ouverture des hostilités.

— Attends, si l'armée ne sait pas où habite Fox, c'est que…·

— C'est qu'il vit dans le ghetto, termina Maïa.

En effet, la plupart des habitants du ghetto ne logeaient pas dans des maisons, mais vivaient sous un empilement de tôles qu'ils quittaient régulièrement pour un autre taudis. Impossible pour l'armée de suivre à la trace toute cette faune, même si l'envie ne lui manquait pas.

— Autant chercher une pierre précieuse dans le désert, soupira Nathanaël. Il y a au moins cinq mille personnes dans le ghetto.

— Et je n'ai aucune envie de m'y frotter, commenta Maïa. Il m'a fallu plusieurs mois pour réussir à approcher Jordan Lane, l'homme que je surveille pour le compte des Renseignements. Et il est plutôt inoffensif, contrairement à l'immense majorité de ses voisins.

— On pourrait peut-être…

Zéphyr les fit taire en se raclant la gorge.

— Désolé de vous interrompre, les enfants, mais… je suis là.

Maïa et Nathanaël le contemplèrent avec des yeux ronds. Ce fut le Lazul qui réagit le premier.

— Évidemment, tu bosses pour Big D…

— J'ai assez de relations dans le ghetto pour poser quelques questions sur Randall Fox, oui.

— C'est génial ! approuva Nathanaël avec une joie presque enfantine. Ça veut dire que tu t'es enfin décidé à sortir avec nous ?

— J'ai compris que tu ne me laisserais pas le choix, répliqua Zéphyr.

— C'est pas trop tôt.

— Tu es infernal, Nate.

Maïa suivit l'échange avec une moue médusée. Zéphyr s'en aperçut le premier.

— Un problème ?

— Tu… tu n'avais pas l'intention de sortir ? demanda-t-elle.

Zéphyr esquissa un sourire froid.

— Pas vraiment. Je voulais juste que vous vous rencontriez, Nate et toi. Pour qu'il sorte. Mais moi… Vivre ici ou ailleurs, ça m'est égal…

Son regard bicolore se perdit un moment dans le vague.

— Tu sortiras avec moi, intervint Nathanaël, farouche. Toi aussi, tu mérites mieux que cette vie-là.

Zéphyr posa les yeux sur lui, et une douceur étrange inonda ses traits balafrés. Pour la première fois, Maïa se demanda quel lien unissait les deux hommes ; l'un bourreau, l'autre victime, tous deux rebuts d'une société impitoyable qui les avait ironiquement réunis. Elle pensait que Zéphyr avait accepté de partager son logis par pitié, en admettant qu'un criminel comme lui éprouve ce genre de sentiment. Car, malgré ses sourires amusés, son humeur en apparence joviale, aucune lueur n'éclairait jamais ses yeux vairons – comme s'il était déjà mort et que rien ne pouvait le ramener à la vie. Rien, excepté peut-être la présence de Nathanaël.

— D'accord, répondit finalement Zéphyr.

Il se tourna vers Maïa et haussa les épaules en désignant le Lazul du pouce :

— Apparemment, je veux sortir aussi. Donc je vais fouiner dans le ghetto et trouver ce Randall Fox.

— Très bien, approuva Maïa, sans parvenir à interpréter le regard qu'il posait sur elle.

Un silence lourd de questions plana entre eux trois. Maïa s'attarda sur ses deux étranges partenaires, une boule au creux de l'estomac.

Juste devant elle, Zéphyr se tenait droit, impressionnant dans ses habits noirs. Ses cicatrices témoignaient des souffrances terribles qu'il avait endurées.

Le Lazul, quant à lui, fixait avec obstination la table, assis à la droite de Maïa. Tout dans son attitude parlait de révolte, de blessures à vif qui ne cicatriseraient jamais. Ses muscles ciselés enveloppaient une stature délicate, presque frêle ; il ne faisait pas de doute qu'il avait manqué de tout lorsqu'il s'était retrouvé livré à lui-même à la sortie du Centre de Soins.

Hormis ses cheveux à la teinte vibrante, comme inquiétante au milieu des jaunes monotones de la Cité, il n'avait rien d'un Lazul. Aucune passivité en lui, pas la moindre forme d'acceptation dans son regard vif. Rien qu'une intelligence incroyable là où il n'aurait dû y avoir qu'une peur animale, qu'une vie débordante supplantant la crainte d'une mort précoce et douloureuse.

Maïa frissonna. Ces deux hommes bousculaient ses maigres certitudes. Et dire qu'elle s'apprêtait à leur confier la vie de Dimitri…

Comme s'il avait lu dans ses pensées, Zéphyr dit :

— Au fait, Maïa, pourquoi veux-tu sortir ?

La jeune fille inspira à fond, le cœur serré. Puis elle leur résuma la situation de Dimitri.

— Cet homme compte pour toi au point de risquer ta vie ? intervint Nathanaël quand elle eut fini. Pourtant, vous n'avez aucun lien de parenté, si ?

Maïa ne répondit pas immédiatement. Elle se contenta d'accrocher son regard brun avec toute la défiance dont elle était capable, écrasée sous le poids de sa promesse.

— Non, répondit-elle d'une voix étranglée. Nous n'avons aucun lien de sang. Mais…

Elle ne parvint pas à terminer sa phrase, bouleversée.

Ils n'avaient aucun lien de sang, mais Dimitri Bielinski était ce qu'elle avait de plus cher.

CHAPITRE 17
J-21

Dimitri somnolait sur sa paillasse. Coupé du monde, il n'avait pour repère temporel que les variations de température dans sa cellule. La nuit, l'air y devenait un peu plus respirable que dans la journée, où l'on aurait pu faire cuire un œuf sur les grilles. À la taille des gouttes de sueur qui perlaient sur son front, Dimitri estimait qu'il devait être midi.

Deux autres prisonniers attendaient leur heure dans les geôles, mais la chaleur les assommait eux aussi ; pas un son ne perçait la touffeur ambiante. Des pas remontèrent le couloir et Dimitri les entendit s'arrêter devant sa cellule. Il garda les yeux clos, à l'affût.

— Bielinski, debout.

Il s'était attendu à la voix de Taylor, mais c'était Johnson qui avait prononcé son nom. Il se leva sans entrain et salua brièvement le colonel.

— Cette coupe de cheveux vous sied vraiment à ravir, lança celui-ci en guise de préambule.

Dimitri considéra un instant la question, puis :

— J'ai moins chaud, comme ça.

— J'ai retiré au sous-lieutenant Freeman le droit de vous rendre visite.

— Bien, mon colonel.

Il avait à peine cillé. Johnson croisa les bras et contempla le prisonnier avec une surprise factice.

— Vous ne me remerciez pas ?

— Pardon. Merci, mon colonel.

— Elle a eu du mal à digérer la nouvelle. En fait, j'ai même cru qu'elle allait se mettre à pleurer... (Il guettait la réaction de Dimitri, mais celui-ci lui opposa une expression neutre.) Malgré ses dires, je pense que vous comptez encore pour elle.

— Elle est stupide. C'est dommage.

— Vous ne voulez pas qu'elle voie ce que vous êtes devenu ?

— Je veux surtout pouvoir me retrouver seul face à moi-même. Sans interférences.

Johnson, qui n'était pas dupe, haussa un sourcil.

— Je vois, grinça-t-il. En fait, il s'agit de la protéger.

— Vous me prêtez des intentions que je n'ai plus, soupira Dimitri. Que me voulez-vous ?

Johnson approcha de la grille jusqu'à ce que son nez se trouve à quelques centimètres de celui de Dimitri. Celui-ci ne réagit pas, mais l'haleine lourde du colonel lui léchait le visage et lui donnait l'impression de s'insinuer en lui pour le contaminer.

— Vous mentez comme vous respirez, Bielinski.

— Que me voulez-vous ? répéta Dimitri sans élever la voix.

Johnson reprit son air dégagé et jeta un regard circulaire alentour. Taylor avait eu la bonne idée de se poster à l'autre bout des geôles pour être sûr de ne rien entendre de leur discussion, et les deux autres prisonniers faisaient toujours les morts.

— Rien en particulier, dit enfin Johnson. Je voulais vous tenir au courant des derniers événements et observer vos réactions.

— Vous ne me faites toujours pas confiance ?

— Pour me donner ce que je veux ? Si.

— Mais ?

— Mais je n'arrive toujours pas à comprendre ce que vous avez en tête.

Dimitri se cacha derrière un sourire contrit.

— En fait, vous avez vu juste, tout à l'heure.

Johnson fronça les sourcils, à l'affût du mensonge. Mais tout ce qu'il décela lorsqu'il détailla de nouveau son ennemi, fut un malaise criant. Dimitri hésita, puis laissa affleurer sa faiblesse.

— Vous aviez raison pour le sous-lieutenant Freeman. Je ne veux plus la voir, mais je ne désire pas la solitude.

— Voyez-vous cela !

— J'ai besoin de voir quelqu'un.

Ils se jaugèrent du regard un long moment, mais il n'y eut pas d'affrontement. Dimitri ne tenait pas à contester l'autorité qu'il avait lui-même conférée à Johnson et qui le rendait si magnanime. Surtout pas.

— Qui ça ? siffla le colonel, méfiant.

— Marcus Gilmore.

Le silence qui suivit faillit devenir hostile. Dimitri s'astreignit à paraître inoffensif alors que le colonel le dévisageait, perplexe.

— Est-ce l'un de nos soldats ?

— Un technicien civil en poste partiel à Tucumcari Center, rectifia Dimitri. Et un ami de longue date.

Johnson prit acte de l'annonce d'un bref hochement de tête.

— Il travaille à la maintenance des circuits informatiques. Un vrai génie dès qu'il a un fer à souder entre les mains. Le QG fait appel à lui quand il y a des problèmes insolubles sur le panneau de contrôle...

— J'ai compris, l'interrompit Johnson. Marcus Gilmore. Je vais voir ce que je peux faire.

Dimitri inclina la tête.

— Je vous remercie, mon colonel.

Johnson opina et s'éloigna d'un pas vif. Au bout de quelques pas, il s'arrêta et se retourna vers Dimitri :

— Ce ne sera pas gratuit, vous vous en doutez.

*

— Soldat Farrell, dans mon bureau.

Le troufion se mit au garde-à-vous et fila en direction du bureau de Johnson. Celui-ci suivit d'un pas lourd. Sa discussion avec le général White lui restait en travers de la gorge, et il comptait bien lui prouver qu'il avait tort d'être aussi désinvolte.

Si Johnson parvenait à prouver ses allégations, White saurait sûrement être bon perdant et le récompenser comme il se doit. Depuis le temps qu'il briguait le titre de général de brigade...

Il se glissa à son tour dans le bureau dépourvu de fenêtres et dont les murs irradiaient littéralement.

— J'ai du travail pour vous, soldat Farrell, commença-t-il sobrement.

— Votre confiance me touche, mon colonel.

Johnson leva les yeux au ciel, agacé. Benett Farrell n'avait pas inventé l'eau chaude, et on se demandait comment il avait pu réussir le concours d'entrée dans l'armée, excessivement sélectif. Mais Farrell était un bon gars, tout entier dévoué à la Cité et empli d'une confiance aveugle envers sa hiérarchie. Bref, le candidat le plus sûr pour mener à bien la mission de Johnson.

— Soldat Farrell, je suppose que vous avez entendu parler de l'affaire Bielinski ?

— Une tragédie, mon colonel, répliqua le jeune homme, l'air affligé. Une telle trahison dans nos rangs…

— Une tragédie, oui, répéta Johnson avec un sourire mauvais. Et puis, nous craignons que Dimitri Bielinski ait des… *complices.*

Farrell lâcha une exclamation horrifiée, dont Johnson ne put déterminer si elle était feinte ou sincère. Il s'assit à son bureau en prenant un air préoccupé.

— C'est pour cela que j'ai besoin de vous, soldat. Une recrue efficace, digne de confiance et dont la loyauté ne fait aucun doute…

— C'est trop d'honneur, mon colonel.

— J'aimerais vous confier une mission qui vous occupera à temps plein pour les semaines à venir.

Devant la moue congestionnée de Farrell, il ajouta :

— Bien sûr, j'ai pris mes dispositions pour assurer votre remplacement aux Affaires Administratives.

On aurait dit qu'il avait proposé un bonbon à un enfant de quatre ans. Parfait, songea-t-il. Avec un émissaire pareil, les choses seraient vite réglées. Pas de libre arbitre, pas de prise d'initiative, un travail propre.

— Il s'agit, poursuivit-il, de s'assurer de la loyauté de certains éléments du gouvernement. Un acte préventif, afin d'éviter une nouvelle affaire Bielinski...

Il y eut un moment de flottement, puis Farrell ouvrit des yeux ronds.

— Mon colonel, vous me demandez de... d'espionner un soldat ? C'est contraire au Code d'Honneur...

Johnson soupira. Le bougre n'était pas si stupide, en fin de compte.

— Mais non, lui assura-t-il d'un ton paternel. Il ne s'agit pas du tout de ça. Je vous demande juste de... vérifier l'emploi du temps de l'une de nos recrues. Discrètement.

Farrell ne répondit pas. Johnson avait beau essayer de l'embrouiller, il lui demandait *précisément* d'enfreindre le Code.

— Bien sûr, reprit le crotale, je saurai reconnaître votre effort. Et, si vous nous aidez à maintenir la paix au sein du gouvernement, je parlerai de vous au général White.

Il ménagea un petit silence, puis glissa avec un sourire complice :

— « Sous-lieutenant Farrell », ça sonne bien, n'est-ce pas ?

Farrell hésita longtemps ; acte futile, puisqu'il n'avait jamais eu le choix.

— Qui dois-je surveiller, mon colonel ?

Johnson fourragea dans l'un des tiroirs de son bureau et en tira une photo d'identité prise lors de la remise des uniformes, l'année précédente. Elle représentait une jeune fille noire, au regard décidé barré de mèches bouclées.

— Le sous-lieutenant Maïa Freeman, soldat Farrell.

CHAPITRE 18
J-19

Maïa fixait le visage balafré de Zéphyr avec impatience, espérant y lire ce qu'il avait en tête.

— Alors ?

Appuyé à la porte de sa maison, le crâne protégé du soleil par son panama élimé, le tueur ressemblait à un brigand d'avant la Grande Épidémie ; l'un de ceux qui peuplaient les romans que Maïa lisait après l'école, attablée au fond de la bibliothèque.

Zéphyr secoua négativement la tête.

— Rien pour l'instant. J'ai interrogé Big D, il ne sait rien. Pareil pour les habitués du *Yucca's* que j'ai croisés hier soir.

Maïa soupira avec une pointe de désespoir. Le *Yucca's* était un bar malfamé du ghetto. Non, c'était *le* bar malfamé du ghetto, repaire des crapules souhaitant magouiller en toute discrétion. Si les questions que Zéphyr avait posées là-bas étaient restées sans réponse, elles le resteraient longtemps.

— Je compte y retourner ce soir, continua Zéphyr en laissant courir un doigt sur la cicatrice qui lui barrait les lèvres. Il y a deux ou trois personnes que je n'ai pas vues hier et que j'aimerais bien questionner à propos de Randall Fox.

— Merci, Zéphyr…

— Pas de quoi, répondit celui-ci avec un sourire détaché. Tu sais, je ne suis pas ton ennemi. Et Nate non plus. Détends-toi un peu…

Maïa rougit. Depuis l'arrestation de Dimitri, elle se sentait plus isolée que jamais et peinait à accepter l'aide des deux hommes.

— En parlant du Lazul, il n'est pas là ?

— Nate est à l'intérieur, indiqua Zéphyr. Il se repose. Devant l'air perplexe de la jeune fille, il ajouta :

— Il a absolument tenu à m'accompagner au *Yucca's*, hier. Je lui ai dit que ce n'était pas une bonne idée, mais… tu as vu comme il est têtu. Comme on pouvait s'y attendre, la racaille du ghetto n'a pas apprécié de voir un Lazul sur son territoire. Ces imbéciles ont attendu que j'aie eu le dos tourné pour lui tomber dessus à cinq et lui coller une tannée.

— Nom d'un…

— Il n'a que quelques ecchymoses et l'arcade ouverte. Nate a le cuir solide et je suis intervenu avant qu'ils lui fassent trop mal. Mais bon… Du coup, il dort comme un bébé depuis hier soir.

— C'est un scandale ! s'insurgea Maïa. Comment de telles choses peuvent se produire ? D'accord, c'est un Lazul, mais…

— Ces choses se produisent parce que la société entière le permet, rétorqua Zéphyr avec dureté. Même toi, tu n'es pas si différente de ces salauds qui l'ont tabassé !

Maïa ne répondit pas, clouée sur place.

— Tu n'y es pour rien, reprit le tueur en retrouvant son habituelle douceur. Mépriser les Lazuli, nier leur humanité, c'est ce qu'on t'a inculqué depuis ta naissance.

Maïa joignit les mains devant elle comme une enfant fautive, le cœur soudain très lourd. Un faucon passa au-dessus de leurs têtes, pareil à une comète brune dans l'immensité azur du ciel. D'un même geste, Maïa et Zéphyr levèrent les yeux dans sa direction. Lové dans un courant ascendant, l'oiseau s'élevait en cercles majestueux dans une danse lente, paisible.

Maïa secoua la tête sous le coup d'une émotion qu'elle ne parvint pas à décrypter.

— On va sortir, grogna-t-elle. Et tout ça ne sera plus qu'un mauvais souvenir.

Zéphyr lâcha un rire sec, désincarné, qui ressemblait à un aboiement.

— Tu n'as pas peur de ce que tu trouveras, dehors ?

— Ce sera forcément mieux qu'ici.

— On sera des parias. À cause du virus.

— Cette histoire est un mensonge.

— Comment peux-tu en être aussi sûre ?

Maïa soutint son regard froid avec aplomb.

— J'en suis sûre parce que, si je commence à douter de ça, je n'aurai plus rien.

Zéphyr éclata d'un rire beaucoup plus sincère, anéantissant la tension qu'il y avait entre eux.

— Tu n'as peur de rien, toi !

Maïa resserra les pans de son vêtement déchiré autour de sa taille et amorça un demi-tour.

— Je reviendrai bientôt, annonça-t-elle, pour savoir ce qu'a donné ta descente au *Yucca's*. Et empêche Nathanaël de t'accompagner, cette fois…

Zéphyr sourit en entendant le nom du Lazul s'échapper pour la première fois des lèvres de Maïa.

— Pas besoin, répondit-il alors qu'elle s'éloignait. Maintenant, ils savent que 6016-E est sous la protection de Zéphyr le tueur…

Maïa frissonna et tourna à l'angle de la rue. Elle rejoignit Main Street, qui, à presque midi, s'éveillait à peine. Personne ne l'ennuya sur le trajet, mais quelque chose la tracassait depuis qu'elle avait quitté son studio. Elle n'aurait su expliquer quoi, mais ça clochait.

Instinctivement, elle ralentit le pas et s'engouffra dans une ruelle adjacente qui empestait la viande pourrie. Les restes du marché de la semaine précédente, à coup sûr. Le nez bouché, elle slaloma entre les carcasses faisandées empilées contre les murs en tôle du bidonville. Toute cette barbaque n'irait pas aux coyotes ; ce quartier-là, au nord de l'avenue principale, était l'un des plus pauvres du ghetto. Ses habitants récupéraient certainement les pièces sur lesquelles il restait assez de viande pour se nourrir. Désinfectées à l'alcool de cactus puis bouillies, elles seraient à peu près comestibles…

Écœurée par les relents de pourriture, Maïa s'enfonça un peu plus dans le labyrinthe du bidonville. Elle s'éloignait de son trajet habituel et, pourtant, la sensation désagréable qu'elle éprouvait depuis son départ ne la quittait pas.

Elle serra les dents, accéléra le pas.

Quelqu'un la suivait.

Mais qui ? Ses méninges tournaient à plein régime. Un habitant du ghetto qui voulait la dépouiller ? Ou alors… quelqu'un qui avait une bonne raison de lui en vouloir ?

D'un geste vif, elle fit demi-tour et revint sur ses pas. Les miséreux qui mettaient le nez dehors malgré le soleil au zénith la regardèrent passer avec indifférence. La plupart étaient trop faibles, malades et dénutris pour se montrer agressifs envers une inconnue.

Le suiveur n'était pas un amateur. Pas un pro non plus, puisqu'elle l'avait vite repéré, mais assez bon pour avoir anticipé son demi-tour et s'être caché. À l'intersection entre une impasse et un coupe-gorge qui débouchait sur Main Street, un mouvement attira son attention.

Elle se figea, attentive. Sa lame courte entre les doigts, elle se mit à couvert à l'angle d'un mur et risqua un regard dans l'impasse. Un rat de la taille de son pied s'en échappa à la hâte et Maïa aperçut un pan de tissu rouge dépassant du tas de gravats duquel il était sorti.

Ni une ni deux, elle bondit. Recroquevillé entre un tas de briques et une montagne d'ordures, l'espion la fixait avec malaise. Grand, maigrichon et à peine plus vieux qu'elle, il ressemblait à un épouvantail. Sous sa tunique puante et déchirée, il portait un pantalon flambant neuf qui anéantissait toute tentative de passer inaperçu.

Maïa lui colla son poignard sous la gorge avant qu'il ait pu réagir.

— Qui es-tu ?

L'autre bafouilla quelque chose d'inintelligible. Son pantalon de prix excluait d'emblée son appartenance au ghetto. Un membre de l'armée ? C'était le plus probable...

Maïa sentit la moutarde lui monter au nez.

— Qui t'envoie ?

— P... personne...

— Qui t'envoie, bordel ? répéta-t-elle en appuyant sur la gorge de l'homme.

Celui-ci pinça les lèvres. Soudain, la lumière se fit dans l'esprit de la jeune fille.

— Soldat Farrell, siffla-t-elle en reconnaissant son suiveur. Je vous ai déjà croisé aux Affaires Administratives. Qu'est-ce qu…

— Une simple mission de surveillance, reconnut Farrell, livide. Du préventif. Rien de plus.

— Depuis quand enfreint-on le Code d'Honneur pour une mission préventive ?

Farrell roula des yeux, terrorisé. Il ne s'attendait visiblement pas à ce que sa proie soit aussi réactive. Maïa, elle, réfléchissait à toute vitesse. Peu importait l'identité du commanditaire : on doutait d'elle dans l'armée. Les choses se compliquaient. Elle avait intérêt à rester vigilante, désormais.

Pour l'instant, la meilleure chose à faire était d'éloigner cet imbécile.

— Écoutez-moi bien, soldat, articula-t-elle avec fureur. Je travaille aux Renseignements. Je suis actuellement en mission. En me suivant de la sorte, vous risquez de réduire à néant des mois de mission d'infiltration.

Farrell opina nerveusement.

— Vous avez reçu des ordres, soit. Mais, si je vous croise encore une fois dans le ghetto, je vous fais la peau. Si je risque ma vie en essayant de gagner la confiance des gens d'ici, ce n'est pas pour me faire buter parce que vous m'aurez fait repérer. Compris ?

— C… compris.

De sa main libre, Maïa l'empoigna par le col pour le forcer à se relever.

— Maintenant, hors de ma vue, soldat Farrell.

Celui-ci obtempéra en vitesse et disparut à l'angle de la rue. Maïa prit quelques secondes pour évacuer sa tension. Lorsqu'elle se remit en route pour rentrer chez elle, elle réalisa qu'elle tremblait comme une feuille.

L'armée se méfiait d'elle. Sa couverture devait pourtant tenir vingt jours de plus... Après quoi, plus rien ne compterait.

Elle devait revoir sa stratégie...

*

Le soldat Farrell sortit du ghetto en courant. Cette gamine n'avait pas usurpé son grade et, jusqu'au dernier moment, il l'avait crue capable de l'égorger. Il ne la suivrait plus dans le ghetto. Pour autant, le colonel Johnson ne tolérerait pas qu'il revienne bredouille, et si tôt.

Une fois revenu dans le quartier ouest, loin de la violence du ghetto, il s'appuya à un mur pour rassembler ses idées. Il ne pouvait plus la suivre, mais sa première filature n'avait pas été tout à fait inutile...

La silhouette noire de l'homme auquel elle avait rendu visite lui revint en mémoire. Il ne s'agissait pas de Jordan Lane ; Johnson lui avait montré des photos de celui-ci pour éviter toute confusion. Non, cet homme-là, labouré de cicatrices, était un criminel.

Que faisait un sous-lieutenant de l'armée avec un ancien criminel ?

Farrell sourit.

Finalement, il avait trouvé quelque chose d'intéressant.

CHAPITRE 19
J-18

— Comment vas-tu, ce matin ?

Nathanaël ouvrit un œil cerné, esquissa un petit sourire.

— Ça va. Merci, maman.

— Tu es sarcastique, quand tu es convalescent.

— Je suis toujours sarcastique.

— Un sale gosse, quoi. Tiens, ton petit-déj.

Zéphyr posa un bol de gruau de maïs à côté de la paillasse où Nathanaël était couché. Celui-ci se redressa prudemment et s'empara de la cuillère que lui tendait le tueur. Une ecchymose soulignait son œil droit et du sang séché marquait son arcade sourcilière, seuls témoins de sa soirée au *Yucca's*. Il leva un œil curieux vers Zéphyr :

— Elle est revenue ?

— Hier matin. Tu dormais.

Le Lazul ne répondit pas. Il n'en eut pas le temps : des coups frappés à la porte l'interrompirent.

— Armée, ouvrez cette porte ! Nous avons un mandat d'arrêt contre Brian Stevenson.

Nathanaël jeta un regard en biais à Zéphyr, à la fois nerveux et incrédule.

— Brian Stevenson... C'est toi ?

Le tueur tira le rideau qui fermait la chambre.

— Tais-toi, murmura-t-il, soudain très grave.

Il ouvrit la porte et tomba sur trois militaires en uniforme qui lui passèrent les fers sans un mot. Zéphyr tenta de résister, mais se laissa finalement emmener. Nathanaël attendit que le calme revienne pour sortir de la chambre. Il colla son nez à la fenêtre de la maison juste à temps pour voir l'imposante silhouette de Zéphyr s'éloigner, encadré par les uniformes clairs de ceux qui l'avaient déjà brisé par le passé.

— Merde... pensa-t-il. Merde, merde, merde...

*

Maïa arriva devant la hutte de Zéphyr alors que le soleil commençait à décliner, caché au milieu de nuages vaporeux. La lumière du crépuscule ensanglantait la poussière en suspension dans les rues ; l'hémorragie sans fin d'une ville assassinée par son climat.

Le ghetto s'éveillait à peine. Les appels des noctambules parvenaient à Maïa ; bientôt, la vie pullulerait dans les ruelles étroites. Trafics, agressions, vagabonds hagards, le ghetto ne se mettait à vivre qu'à la tombée de la nuit.

Maïa frappa à la porte. Pas de réponse de l'autre côté de la cloison. Elle réitéra son appel, toujours sans succès, et ouvrit la porte. Assis à la table, Nathanaël fixait un point dans le vague, les mains jointes, comme en prière.

— Tu pourrais ouvrir, commença la jeune fille en s'approchant. Au fait, euh... comment ça va ?

Les paroles de Zéphyr lui revinrent en mémoire et elle rougit légèrement. Nathanaël ne répondit pas. Plantée sur le pas de la porte, elle hésita à parcourir la distance qui les séparait. Il y avait quelque chose d'anormal dans la retenue du Lazul, dans la fixité de son regard brun.

— Tu... es en colère ? essaya-t-elle en refermant la porte.

Le Lazul leva enfin les yeux vers elle sans comprendre. La détresse peinte sur ses traits secoua Maïa.

— Ils ont emmené Zéphyr, murmura-t-il.

— Qui ça, « ils » ?

— L'armée. Ils l'ont emmené.

Le cœur de Maïa eut un raté. Elle s'assit en face de Nathanaël.

— Quand ?

— Ce matin. Ça fait plus de huit heures.

— Ils avaient un mandat d'arrêt ?

— Oui.

— C'est à cause de moi...

Nathanaël la vrilla de ses iris bruns.

— Quoi ? chuchota-t-il, furieux.

— L'armée a envoyé quelqu'un pour m'espionner, dit-elle précipitamment. Je l'ai repéré et j'ai fait en sorte qu'il ne me suive plus. Je ne pensais pas qu'ils essaieraient de m'atteindre en interrogeant Zéphyr.

— Ça veut dire qu'ils t'ont vue avec lui.

Maïa acquiesça en silence. Les choses tournaient mal. Elle avait bien conscience qu'elle ne pourrait pas rester discrète indéfiniment, mais là tout allait beaucoup trop vite... Et trop de personnes étaient impliquées. Les militaires avaient déjà réduit Zéphyr en miettes, et il se trouvait à nouveau à leur merci par sa faute.

— Ne fais pas cette tête-là, grogna Nathanaël. Zéphyr ne dira rien sur toi.

— Je le sais bien, rétorqua Maïa. Ce n'est pas ça. Seulement, les interrogatoires de l'armée…

— Il est solide. Il a survécu à bien pire.

Maïa se prit la tête entre les mains, désemparée. Une mouche voletait au-dessus d'elle, emplissant son crâne de son désagréable vrombissement. Elle la chassa d'un geste de la main, en vain.

— Rentre chez toi, lui intima Nathanaël.

— Je vais l'attendre.

— Ça ne sert à rien. Il finira par revenir. D'ici là, nous devons poursuivre nos recherches.

— Impossible. Il devait retourner au *Yucca's* pour obtenir des informations sur Randall Fox. Certains des habitués n'étaient pas là hier, quand…

Son regard tomba alors sur le visage tuméfié du jeune homme. Elle sentit la culpabilité s'insinuer entre ses côtes. La révolte, aussi, mais elle n'en laissa rien paraître.

— On ne peut pas se rendre au *Yucca's* sans lui, finitelle. Entre toi qui risques ta peau en allant là-bas et moi qui ne connais personne, on n'est pas près d'obtenir des informations…

— Ça, c'est sûr.

— Donc, j'attends Zéphyr ici. Ma mission dans le ghetto est au point mort, je n'ai pas grand-chose à faire à part un rapport toutes les quarante-huit heures. Donc je peux bien rester ici…

— Et si l'armée revient ?

— Elle sait que je connais Zéphyr. Qu'elle me trouve ici ne changera rien au problème. Il faudra simplement que je trouve une bonne excuse si je me fais interroger à mon tour.

Nathanaël lâcha un long soupir et se leva. Il fit couler de l'eau dans une casserole – juste de quoi se désaltérer – et la mit à chauffer sur l'unique plaque électrique de la maison ; le fait qu'une habitation du ghetto ait le courant tenait du miracle.

— Pissenlit ? interrogea-t-il sans se retourner.

Maïa opina alors que le jeune homme s'emparait d'un récipient en argile plein de fleurs séchées. Lorsqu'il entreprit d'en verser le contenu dans l'eau frémissante, il en fit tomber la moitié à côté et lâcha un juron sonore. Maïa émit un petit rire.

— Zéphyr avait raison, tu es vraiment maladroit...

— Surtout quand je suis contrarié, répliqua Nathanaël, dont la peau avait pris une teinte cramoisie qui jurait avec sa tignasse bleue.

Maïa se leva pour l'aider. Dix jours plus tôt, elle n'aurait pas bougé le petit doigt, mais force était de constater que Zéphyr et Nathanaël lui faisaient du bien.

— Arrête de rire, maugréa le jeune homme alors qu'elle jetait les pousses naufragées dans la casserole.

— Désolée, c'est nerveux.

— Je n'en crois pas un mot.

— Reconnais que tu es drôle, alors.

Nathanaël poussa un soupir de principe, plus gêné que vraiment exaspéré. Ils attendirent en silence que le pissenlit infuse puis revinrent s'asseoir avec leurs tasses, remplies par Maïa.

— Zéphyr et toi, vous êtes très proches, hein ?

Maïa avait enfin osé poser la question qui lui brûlait les lèvres. Nathanaël réfléchit un moment, comme s'il hésitait à répondre. Ce qu'il finit par faire, le nez plongé dans sa tasse en argile.

— Il m'a sauvé la vie, murmura-t-il.

Maïa ouvrit des yeux comme des soucoupes. Zéphyr, le tueur à gages, le criminel, avait sauvé un Lazul ?

— Comment ça, il t'a sauvé ?

Nathanaël se concentra sur le fond de sa tasse. Puis il fronça les sourcils, peinant à retenir la déferlante d'émotions qui menaçait de l'engloutir.

— Quand je suis sorti du Centre de Soins à treize ans, avec les autres Lazuli de mon âge, je n'avais rien. J'ai vécu dans la rue pendant deux ans. Le parcours habituel pour les gens comme moi...

Il n'y avait pas d'apitoiement dans le ton du jeune homme. Juste un détachement las.

— Et puis j'ai été recueilli par une famille de notables de l'est. Pour être domestique.

— Ils ont dû en avoir pour leur argent, commenta Maïa avec un rire jaune.

— Tu ne crois pas si bien dire. Mais bon, j'étais jeune, en forme, pas trop moche ; le Lazul idéal pour ce genre de boulot. J'y suis resté quatre ans. Mais... Je crois que tu as remarqué que je ne suis pas très doué pour manipuler de la vaisselle ou nettoyer des bibelots.

— Effectivement...

Nathanaël sirota sa tisane, esquissa une mimique de dégoût.

— Trop infusée, grogna-t-il. Je ne suis pas doué non plus pour faire la tisane, apparemment. (Il plongea son regard dans celui de Maïa, et une brève lueur le traversa.) Bref, mes maîtres ont vite compris que je n'étais pas bon à grand-chose en tant que domestique. En revanche, j'étais le punching-ball idéal. Plutôt que de me revendre, ils ont décidé de me garder. Et de passer leurs nerfs sur moi à la moindre occasion.

— C'est pas vrai…

— Ce n'est pas si rare. Seulement, un jour, je me suis révolté. Le mari avait trop bu, il a dépassé les bornes. Au moment où il a levé la main sur moi, je me suis défendu. Je lui ai cassé un bras et trois dents, et je me suis enfui. J'ai atterri dans le ghetto ; je suppose que c'est là que j'ai croisé Zéphyr pour la première fois. Je ne m'en souviens pas, j'étais terrorisé, je ne cherchais qu'à me cacher parce que je savais que s'ils me retrouvaient…

Il marqua une pause, haussa les épaules.

— Ils m'ont retrouvé la nuit même. Ils m'ont ramené chez eux, m'ont passé à tabac. J'étais à moitié mort quand ils en ont eu fini avec moi.

Pendue à ses lèvres, Maïa sentait son cœur taper furieusement contre ses côtes.

— Le lendemain, à la première heure, Zéphyr est venu chez mes maîtres. Il leur a dit qu'il voulait m'acheter. Ils ont refusé, alors il leur a proposé cinq mille sotos.

Maïa lâcha une exclamation ébahie.

— Une fortune, n'est-ce pas ? fit Nathanaël avec un petit sourire. Ça représentait vingt fois le prix moyen d'un Lazul. Évidemment, ils ont fini par accepter. Et je suis rentré avec Zéphyr. Il m'a soigné, nourri et… depuis, je vis chez lui. Ça fait quatre ans.

Pensif, il laissa courir un doigt sur le numéro tatoué sur sa pommette.

— Je suis désolée.

La voix de Maïa ne tremblait pas. Les dents serrées, elle réprimait de son mieux une culpabilité sale, juste capable de blesser un peu plus le Lazul. Elle se savait en partie responsable de ce qui lui était arrivé – de ce qui arrivait chaque jour aux cinq mille Lazuli de la Cité. Elle avait toujours fermé les yeux sur les comportements de ses pairs des classes aisées, parce que c'était plus simple. Parce qu'elle avait d'autres chats à fouetter ; Tobias, l'Extérieur, ses rêves et sa raison d'être la rendaient aveugle à tout le reste.

Mais les choses avaient changé.

— Je suis désolée, répéta-t-elle. Parce qu'il est temps que quelqu'un le soit.

Lorsqu'elle regarda de nouveau le jeune homme, elle fut transpercée par la tendresse maladroite qui émanait de lui.

— On va sortir, Maïa. Et on fera ce que l'Extérieur refuse de faire depuis cent ans : ouvrir les portes de la Cité.

— Oui.

Ils burent en silence, perdus dans leurs pensées. Leurs révoltes étaient identiques, même si mues par des raisons différentes. Ce monde les révulsait, parce qu'il existait en eux une part de lucidité qui semblait avoir abandonné le reste de la population.

— Au fait, reprit Maïa en relevant la tête. Pourquoi Zéphyr t'a-t-il recueilli ?

Nathanaël haussa les épaules.

— J'ai eu de la chance de le croiser cette nuit-là. Il m'a dit qu'il avait vu mes maîtres me ramener au bercail et qu'il avait su ce qui m'attendait. Un hasard heureux.

— D'accord, mais… pourquoi s'intéresser à un Lazul ? Sans vouloir te manquer de respect, la plupart des gens…

— Pour expier sa faute.

Devant l'air interrogateur de Maïa, le jeune homme rentra les épaules dans une attitude défensive.

— Il n'arrive pas à se pardonner ce qu'il a fait il y a quinze ans. J'étais… j'étais son seul moyen d'y arriver.

— Qu'a-t-il fait, il y a quinze ans ?

— Il a commis le crime qui lui a valu le Châtiment.

Le cœur de la jeune fille battait à tout rompre. Au fond d'elle-même, elle savait ce que Nathanaël allait lui révéler, mais elle avait besoin de l'entendre pour y croire. Le regard doux, lointain, de Zéphyr la hantait.

— Il y a quinze ans, Zéphyr a…

Nathanaël passa une main dans ses cheveux bleu cobalt, l'air soudain épuisé.

— … Il a assassiné un Lazul.

CHAPITRE 20
J-18

— Zéphyr a… tué un Lazul ?

— Oui.

— Mais… pourquoi ?

Nathanaël ferma les yeux. Il s'était posé la question des centaines de fois, mais aucune des réponses qu'il avait trouvées ne le satisfaisait.

— Il… il n'y a personne dans cette satanée ville qui aime plus les Lazuli que Zéphyr, éluda-t-il, dans une tentative dérisoire pour justifier l'acte de son ami.

Maïa se renversa dans sa chaise et repoussa sa tasse de tisane, incrédule.

— Explique-moi.

— Je ne sais pas exactement ce qui s'est passé. Zéphyr m'en a vaguement parlé, une fois. On n'a plus jamais abordé le sujet ensuite.

— Et ?

Nathanaël passa de nouveau une main sur le tatouage qui ornait sa pommette, tic qui semblait resurgir quand il se sentait mal.

— Zéphyr faisait partie de l'élite de la Cité. Ses parents étaient responsables du pompage et de la distribution de l'eau du lac, et il étudiait pour devenir médecin. Ils avaient un Lazul comme domestique. Ses parents le maltraitaient, comme c'est souvent le cas. Mais on dit que...

Il s'interrompit, car il n'était pas certain d'être autorisé à dévoiler les secrets de son ami. Il fixait la table, perdu dans ses pensées, alors que ses doigts continuaient de courir sur la cicatrice imprimée au fer rouge sur son visage.

— ... Zéphyr m'a dit qu'il... qu'il avait commencé à se rapprocher de ce Lazul. Il ne pouvait pas empêcher ses parents d'agir comme ils le faisaient, mais il essayait d'améliorer la condition de leur domestique, du mieux qu'il pouvait. Ça ne suffisait pas. Puis le Lazul a commencé à prendre de l'âge. Tu imagines la suite...

— Le virus ?

— La maladie s'est éveillée, confirma Nathanaël. Il se paralysait peu à peu. Les parents de Zéphyr, en grands seigneurs, l'ont gardé à leur service. Mais, comme il n'était plus capable de faire tout ce qu'il aurait dû, sa condition s'est encore dégradée... Ils le nourrissaient à peine, le laissaient dormir dehors. Alors Zéphyr, qui l'aimait bien, a...

— Oh non, murmura Maïa.

— ... Il lui a proposé d'abréger ses souffrances. Le Lazul a accepté. Zéphyr l'a tué.

Maïa secoua la tête, comme pour refuser d'accepter une situation aussi terrible.

— Tu n'es pas sans savoir que le meurtre d'un Lazul est, malgré leur condition, un crime majeur, poursuivit Nathanaël.

Une loi datant des débuts de la Cité, quand les parents d'enfants porteurs du virus atténué avaient un peu trop tendance à se débarrasser de leurs moutons noirs, protégeait les Lazuli du meurtre malgré leur statut. Peu importait que les Lazuli soient battus et méprisés de leur vivant, la loi tenait bon, forte d'une hypocrisie séculaire.

— Zéphyr a reçu le Châtiment. Il y a survécu, physiquement. Mais psychiquement... Il n'y a plus grand-chose de vivant en lui. Il est persuadé d'être un monstre.

— Pourquoi ? Il... il a fait ce que le Lazul désirait, non ?

— Les choses ne sont pas si simples, répliqua Nathanaël. Penses-tu que c'était la seule solution ? Que ce Lazul voulait mourir assassiné ? Non. Ce Lazul ne voulait juste pas mourir de faim, dans la misère la plus totale...

Nathanaël s'interrompit, un instant écrasé par ses propres mots. La destinée de ce Lazul anonyme pourrait être la sienne, et il ne voulait pas d'une fin pareille. Et pourtant, au fond de lui, il comprenait le geste de Zéphyr autant qu'il comprenait ses remords.

— Zéphyr pense qu'il aurait pu aider ce Lazul à mourir dignement, à passer ses dernières années du mieux possible. Alléger ses souffrances plutôt que de les abréger.

— C'était impossible, intervint Maïa. Tu le sais aussi bien que moi. On ne l'aurait pas laissé faire.

— Je le lui ai dit. Ça n'a rien changé.

— Mais Zéphyr t'a sauvé...

Nathanaël ne répondit pas. Maïa secoua la tête, comme pour chasser son sentiment d'injustice. La Cité marchait sur la tête et, à la lumière du récit de Nathanaël, elle la haïssait encore plus. La société bâtie sur les cadavres de la Grande Épidémie se targuait d'avoir survécu à la pire des plaies, mais à quel prix ? Pourquoi tolérait-on de tels dysfonctionnements ? Et surtout pourquoi, quand quelqu'un comme Zéphyr tentait de rétablir un peu de justice, était-il broyé par le système ?

— Il a eu raison, grogna Maïa. Il a eu raison de tuer cet homme et tout le monde autour a eu tort !

Nathanaël esquissa un sourire perplexe.

— Tu sais, je pense que les choses sont un peu plus compliquées que ça.

Maïa lui renvoya une moue hargneuse. La colère et la révolte engloutissaient le désespoir que le récit du Lazul avait éveillé en elle.

— Ah oui ? Comment penses-tu qu'il aurait dû réagir ?

— Je ne sais pas, mais…

— Alors ne viens pas me dire qu'il a eu tort !

— Je n'ai jamais dit ça, bon sang ! Tu es incapable de penser avec un minimum de nuances, ou quoi ?

— Tu sais quoi, Nathanaël, je t'em…

Le grincement de la porte d'entrée interrompit le juron de Maïa. Zéphyr, le visage tuméfié et maculé de sang, la fixa avant de se tourner vers Nathanaël :

— Tu l'as encore mise en colère ? Tu devrais faire attention, elle sait se servir d'un poignard.

— Et toi, tu devrais changer de fréquentations, soupira le Lazul. Ils t'ont bien amoché, dis-moi…

— J'ai fait ce qu'il fallait et je tiens encore debout. Tout va bien.

Il passa devant Maïa et lui pour aller se nettoyer. La jeune fille accrocha son regard.

— Je pense que tu as eu raison de faire ce que tu as fait, Zéphyr.

Le tueur fronça les sourcils. Puis il croisa le regard de Nathanaël, et la lumière se fit dans son esprit.

— Oui, j'ai fait ce qu'il fallait, répéta-t-il avec un sourire désincarné. Et je tiens toujours debout.

Maïa hocha la tête et son cœur se serra. Zéphyr était si éloigné de la notion même d'émotion qu'il n'était plus mû que par son instinct et ses capacités de raisonnement. Le Châtiment l'avait changé en animal uniquement préoccupé de sa survie immédiate. Elle reporta son attention sur sa tasse et Zéphyr se glissa dans la salle d'eau, où il remplit une petite bassine de cuivre.

— Je suis désolée, dit enfin Maïa. Je ne savais pas que l'armée nous avait vus ensemble...

— C'était un risque à courir, répartit Zéphyr en essuyant le sang au coin de ses lèvres. Rassure-toi, je n'ai rien avoué.

— Ils vont te coller au train, maintenant.

— C'est ce que je me suis dit. Donc tu vas vite partir d'ici, Maïa.

Celle-ci approuva et récupéra le sac en toile qu'elle avait apporté avec elle.

— On a les mains liées pour le moment, conclut Nathanaël.

— Exact. Pas question d'aller au *Yucca's* poser des questions sur Randall Fox tant que je suis suivi par l'armée. Et puis, honnêtement...

Il posa un regard désolé sur Maïa et Nathanaël.

— ... Honnêtement, je pense qu'on ne trouvera pas Fox comme ça.

— Comment ça ? intervint la jeune fille.

— Je voulais revenir au *Yucca's* par acquit de conscience, mais je doute que ça serve à quelque chose. Tout se sait dans ce bar et, si quelqu'un avait entendu parler de lui, je l'aurais su lors de ma précédente visite. Si même la fine fleur du ghetto n'a pas pu me renseigner...

— Pourtant, il vit dans le ghetto, on en est sûrs...

— Oui, mais personne ne sait où. Il va falloir changer d'approche.

Un silence songeur s'installa entre eux. Nathanaël le rompit au bout de plusieurs secondes, la voix mal assurée :

— Le clochard.

— Mmm ?

— Le clochard qui nous a échangé les *Confessions*, expliqua-t-il. Il pourra peut-être nous aider.

— Nate, soupira Zéphyr. Ce type a sûrement trouvé le texte dans une poubelle. Les chances pour qu'il sache où est Fox sont...

— Pas Fox. Il y a une dédicace au dos du manuscrit, mais elle est illisible. Ce sans-abri pourra peut-être nous dire ce qu'elle contenait avant d'être effacée. Cette personne mentionnée par Fox devait compter pour lui. Pas en bien, d'ailleurs...

Maïa se remémora le texte griffonné au dos du feuillet. *Va brûler en enfer.* Charmant...

— Si cette personne est toujours en vie et si on réussit à la retrouver, elle pourra peut-être nous aiguiller, termina le Lazul.

— Ça fait beaucoup de « si » et de « peut-être », commenta Maïa.

— Tu as une meilleure idée ?

— Non.

— Donc on change de stratégie, résuma Zéphyr. On cherche ce clodo pour qu'il déchiffre le nom inscrit au dos des *Confessions*, c'est ça ?

Maïa et Nathanaël approuvèrent en chœur. Zéphyr leur adressa un sourire crispé.

— Vous êtes mignons… On n'arrive pas à retrouver un gars dont on a le nom, et vous voulez mettre la main sur un sans-abri dont on sait… quoi, au juste ?

— Tu te rappelles à quoi il ressemblait ?

— Petit. Métis. Dans les cinquante ans, énuméra le tueur. Il me semble qu'il boitait. Et qu'il peignait.

— Qu'il… euh ?

— Qu'il *peignait*. Sur le sol. Sur le mur, derrière lui. J'ai déjà vu certaines de ses fresques dans le ghetto… des sortes d'animaux. Tu vois à quoi elles ressemblent, Nate ?

Le Lazul hocha la tête, pensif.

— Je vais le retrouver, annonça-t-il en plongeant son regard dans celui de Zéphyr. Toi, tu ne fais rien qui puisse alarmer les militaires. Et toi, Maïa, tu ne reviens plus ici tant qu'on ne t'a pas fait signe, compris ?

— Compris. Soyez prudents, dit-elle avant de quitter la hutte.

La nuit était déjà tombée quand elle mit le nez dehors. La constellation du Bouvier, menée par la lumière d'Arcturus, montrait le bout de son nez dans le ciel vierge de nuages, bercé par une lune translucide. La touffeur du jour pesait encore sur les épaules de Maïa. Ce que lui avait raconté Nathanaël à propos de Zéphyr l'avait bouleversée, mais ce n'était pas ce qui la hantait le plus.

Non, ce qui ne la quittait plus, alors qu'elle traversait les rues vides de la Cité, c'était le visage du Lazul.

Je suis désolée. Parce qu'il est temps que quelqu'un le soit.

Les mots avaient dépassé sa pensée. Face au stoïcisme de Nathanaël, une amertume inédite l'avait secouée. Son récit ne l'avait pas surprise ; elle se doutait bien que le terrible sort réservé aux Lazuli faisait partie des secrets cachés dans les riches maisons du quartier est. Mais l'entendre de la bouche de Nathanaël, affronter ses yeux ternis par la lassitude et ses mots affûtés comme des poignards, c'était différent. D'une certaine manière, elle était passée de l'autre côté de la barrière.

Sa famille nageait au sommet de la classe moyenne et Maïa n'avait jamais été en contact direct avec les Lazuli. Pas assez miséreuse pour les côtoyer au travail, mais trop peu nantie pour les avoir eus à son service, elle n'avait d'eux qu'une vision floue, marquée par une indifférence rassurante. Elle ne cautionnait pas leur situation, mais ne s'en offusquait pas non plus. Elle ne se posait pas de questions, convaincue que sa croisade pour la liberté la dispensait de s'interroger sur le sort réservé aux plus faibles de la Cité.

Et cette nuit-là, alors qu'une brise allégeait l'atmosphère et révélait la lumière timide des étoiles, son indifférence lui apparaissait telle qu'elle était en réalité : criminelle. En détournant ainsi le regard, elle laissait des Nathanaël se faire battre à mort sans raison, des Zéphyr être condamnés pour avoir tenté de rétablir un peu de justice. Car la justice, elle en avait désormais la conviction, vivait à travers des hommes comme lui, fussent-ils devenus des assassins, et non par le biais de lois séculaires hypocrites qui prétendaient protéger les Lazuli. Elle n'aimait toujours pas ces créatures aux cheveux bleus, passives et soumises ; son mépris était trop ancré en elle pour s'évaporer si facilement. Mais, pour la première fois, l'injustice de leur double peine la révoltait.

Les Lazuli payaient au prix fort leur rencontre avec le virus : non seulement ils y succombaient alors que le reste de la population y était insensible, mais leur faiblesse les condamnait à l'exclusion et aux mauvais traitements. Cela n'aurait jamais dû être le cas. Plutôt que de les écraser, la société aurait dû les protéger, tenter d'alléger leur fardeau. Parce qu'une société aussi malheureuse que la leur ne devait pas fonctionner autrement.

Maïa ralentit l'allure, frappée par les pensées qui pointaient à l'orée de sa conscience. Lui appartenaient-elles vraiment ? Depuis quand possédait-elle cette empathie ? Elle ne craignait pas ses idées marginales, lovées en elle comme une présence apaisante. Mais elle n'aurait jamais formulé un tel soutien aux Lazuli si elle n'avait pas rencontré Zéphyr et Nathanaël. À leur contact, elle changeait. Subtilement, sans s'en rendre compte, elle devenait quelqu'un d'autre ; et, lorsqu'elle se retournait, elle voyait sa mue loin derrière et ne parvenait pas à se rappeler quand elle l'avait abandonnée.

Elle accéléra, ébranlée. La porte blanche de son studio se profilait au fond de sa rue. La sérénité et le confort, et pourtant la pire des cages.

Elle voulait abandonner sa ville sans un regard en arrière mais, en cet instant, elle souhaitait aussi que quelqu'un reste et la bouleverse de l'intérieur.

CHAPITRE 21

J-14

Marcus Gilmore fixait la grosse horloge au-dessus de l'entrée des geôles en se disant qu'il présentait certaines similitudes avec l'objet en cuivre. À commencer par la rondeur. Les années de labeur assis devant un compteur ou un panneau de contrôle, armé d'un fer à souder et de pains fourrés aux fruits secs, s'étaient sournoisement logées sur son abdomen, si bien que le technicien peinait à voir ses pieds en position debout. La couleur du métal dépoli rappelait celle de sa peau, et la trotteuse battait au même rythme que ses paupières à cause d'un tic qu'il traînait depuis l'enfance. Et, surtout, il se plaisait à penser qu'il abritait la même mécanique précise, huilée, que celle des engrenages de l'horloge. Sous son apparence peu flatteuse, Marcus était convaincu de posséder une vigueur que le temps effleurait sans jamais l'altérer.

Un rouquin efflanqué interrompit ses réflexions et l'invita d'un geste à gagner les geôles. Marcus descendit les marches inégales sans perdre une miette du spectacle désolant qui s'offrait à lui : il n'avait jamais mis les pieds dans cette partie sombre de Tucumcari Center et comptait bien graver chaque grain de poussière, chaque parcelle des effluves acides du confinement, le halo orange de chaque ampoule dans sa mémoire. Il suivit son guide jusqu'au fond de l'enfilade de cellules, là où l'air ressemblait plus à de la poix qu'à un gaz et où même la lumière hésitait à s'infiltrer, et s'arrêta en même temps que lui devant les derniers barreaux.

Il se tourna devant le jeune roux et désigna la cellule :

— Je peux ?

— Oui, monsieur.

Marcus s'approcha de la cellule alors que son occupant se levait péniblement, comme écrasé sous un poids invisible.

— Tu ressembles à un rat crevé, Dimitri.

— Et toi, à un tonneau. Un gros tonneau particulièrement désagréable.

Marcus décocha un sourire à son ami, qui le lui rendit.

— Tu exagères toujours.

— C'est le « gros » qui te dérange ?

— Et le « particulièrement ». Et le « désagréable ». Et le « tonneau », tant qu'à faire.

— Un gros tonneau particulièrement désagréable *et* susceptible, donc. Tu m'as manqué, Marcus.

Dimitri appuya ses mots d'un autre sourire. Marcus y décela une force qu'il ne s'était pas attendu à voir chez son ami ; la ressource inattendue des animaux acculés. Il connaissait Dimitri depuis des années, et le voir ainsi remuait en lui des sentiments qu'il jugeait réservés aux femmes et aux poètes. L'ex-lieutenant-colonel avait été un véritable compagnon, le seul qui lui rappelait pourquoi il aimait travailler à Tucumcari Center – si l'on exceptait le salaire douillet que lui versait le gouvernement pour jouer avec ses circuits intégrés. Il retrouvait Dimitri au réfectoire chaque fois que leurs horaires le leur permettaient.

Là, tous deux partageaient des discussions passionnantes sur des sujets aussi variés et anodins que les installations électriques du QG, la littérature ou la cuisine. Chaque échange se terminait en joute d'idées et transformait la purée de carottes en guerre de convictions. Ces moments étaient les seuls capables de stimuler le cerveau de Marcus, largement plus performant que la moyenne mais coincé dans un corps de métier qui le condamnait à des débats capables d'ennuyer un cactus. Dimitri pouvait le faire rêver en lui parlant de la pluie et, rien que pour ça, il l'aimait profondément.

À croire qu'il était un peu femme, au fond. Ou un peu poète.

— J'ai cru comprendre ça, dit-il enfin. Le colonel Johnson m'a dit que tu voulais me voir et m'a autorisé à descendre ici.

— Le temps est long, dans le coin.

— Tu as commis un crime. Tu n'as que ce que tu mérites.

Dimitri soutint son regard. Marcus lui opposa un air fermé puis, au bout de quelques secondes, baissa sa garde.

— Merci pour la leçon de morale, Marcus. Mais j'ai déjà tout ce qu'il me faut en matière de remords.

— Très bien. Alors passons à la suite. Comment tu te sens ?

— Mal. C'est pour ça que j'ai voulu te voir.

Marcus prit acte de la déclaration d'un hochement de tête.

— Alors… tu vas être châtié ?

Dimitri battit des cils et, les lèvres pincées, opina gravement.

— Quand ?

— Dans… quatorze jours. Très exactement. Mais ce n'est pas la peine de t'en souvenir…

— Ah ?

Dimitri approcha de la grille et posa une main sur les barreaux. Son regard passa furtivement sur Taylor, qui écoutait la conversation derrière Marcus, puis vint se poser sur ce dernier.

— Quand le moment sera venu, tu en entendras sûrement parler.

— Et qu'est-ce qui se passe, en attendant ? demanda Marcus en jetant à son tour un regard en biais au soldat qui les surveillait.

— Tu le vois bien : je compte les minutes. Et les regrets. Pour moi, tout est fini.

— Et il y a des choses que tu aurais voulu faire avant de… euh… y passer ?

— Tout un tas.

— Dans ce tas, il y a quelque chose dont je pourrais me charger pour toi ?

Dimitri esquissa un sourire conspirateur et chuchota :

— Coucher avec la bouchère de la Septième Rue. Mais je doute que tu y arrives.

— Petit prétentieux…

Marcus vit un sourire infime traverser le visage maigrichon du rouquin sur sa droite.

— C'est tout ? voulut-il savoir en reportant son attention sur Dimitri.

Celui-ci balaya la question d'un geste à la désinvolture factice.

— Souviens-toi de moi. De nos discussions. Garde-moi *en vie* jusqu'au Châtiment et… (Il chercha ses mots.) Et, quand tu apprendras que le jour est venu, tu pourras m'oublier. Tu feras ton deuil ce jour-là. Parce que, après, plus rien ne m'importera.

La main de Marcus chercha sa nuque, la gratta sans conviction.

— Tu es sûr que c'est ce que tu veux ?

— Absolument.

— Tu ne penses pas à la suite ?

— Il n'y aura pas de suite, rétorqua Dimitri. Après le Châtiment, raye-moi de ta mémoire, mais avant fais-moi plaisir. Laisse-moi vivre à travers toi.

Les sourcils de Marcus s'envolèrent.

— T'es compliqué, Dimitri.

— Et toi, tu es...

— « Particulièrement désagréable », je sais. Je vais voir ce que je peux faire. Mais pitié, arrête avec ta rhétorique à deux sotos. Tout ce que tu veux, c'est que je pense un peu à toi.

— Oui. Merci.

— Ça t'aidera, au moins ?

— C'est déjà le cas. La solitude et l'oubli me faisaient peur, mais plus maintenant. Parce que tu es là et que tu feras ce qu'il faudra.

— Je ne t'oublierai pas, confirma Marcus en reculant d'un pas. Et je séduirai ta bouchère, histoire de te remettre en place.

— Chiche.

— On ne se reverra pas, hein ?

Dimitri garda le silence alors que Marcus s'éloignait déjà, peu désireux d'obtenir une réponse à sa question. Il savait très bien qu'après le Châtiment son ami disparaîtrait de la circulation et finirait probablement par mourir seul, coupé du monde. Il savait aussi que Dimitri choisirait cette destinée de son plein gré, si tant est qu'il soit encore capable de choisir après avoir été torturé, parce que la personne que recracherait Tucumcari Center dans quatorze jours ne serait plus vraiment lui.

Le rouquin le raccompagna jusqu'à la sortie sans un mot et, alourdi par le silence et la chaleur, Marcus gravit l'escalier jusqu'au rez-de-chaussée. Il s'empressa de quitter le QG et inspira l'air à pleins poumons. Un sourire vainqueur flottait sur ses lèvres.

Même à genoux, Dimitri Bielinski parvenait encore à le faire rêver. Et il adorait ça.

*

Deux semaines. Il restait à peine deux semaines à Dimitri, et Maïa n'avait pas avancé d'un pouce. L'Enfant Papillon, insaisissable, la narguait. Ses recherches à Tucumcari Center, entre rapports soporifiques et missions sans intérêt, ne menaient à rien. Mais, le pire, c'était le silence de Zéphyr et de Nathanaël, preuve que l'armée les surveillait assidûment depuis que Maïa avait surpris Farrell dans le ghetto.

Elle se doutait de l'identité du commanditaire : Johnson avait décidé de lui pourrir la vie jusqu'à ce qu'elle implore sa pitié, et ses soupçons avaient probablement été transmis en haut lieu. Zéphyr avait eu raison de l'inciter à la prudence, mais elle avait besoin de lui pour continuer à avancer. Leur seule chance de salut résidait dans ce sans-abri à qui il avait échangé les *Confessions*.

Assise à la table de son studio, elle traçait pour la centième fois les plans du QG – qu'elle étoffait sans cesse depuis l'arrestation de Dimitri –, sur une feuille de papier qu'elle brûlerait une fois son croquis terminé. Elle répétait l'exercice aussi souvent que possible, y reportant les tours de garde aux geôles et les spécificités des moindres couloirs, afin de mémoriser les lieux à la perfection. Sans ces certitudes, elle ne pouvait même pas espérer tirer Dimitri de Tucumcari Center ; mais à quoi bon le sortir des geôles si elle ne trouvait pas le moyen de franchir les Murs à temps ?

Épuisée, à cran, elle se leva et entreprit de faire les cent pas dans la petite pièce à vivre. Quatorze jours. Deux semaines. Et rien, pas la moindre piste concernant l'Enfant Papillon. Elle sentait une angoisse sourde battre en elle, que chaque seconde enfuie rendait plus intense. Elle allait échouer. Elle ne parviendrait jamais à trouver la faille dans les Murs à temps.

Elle était incapable de sauver Dimitri.

Elle interrompit ses allers-retours, électrisée. Une goutte de sueur perla sur sa tempe et son souffle se fit court, douloureux. La lumière de l'ampoule à filament l'éblouissait et, par contraste, épaississait les ténèbres de la rue. Le brouhaha chaotique de son pouls l'assourdissait.

Deux semaines. Dimitri.

Elle ne pouvait plus attendre. Elle ne pouvait plus se permettre d'espérer l'aide de Zéphyr et de Nathanaël, ou de craindre les représailles de Johnson. L'heure n'était plus à la prudence, elle était à l'urgence. Elle bondit dans sa chambre et tira un sac de toile de sous son lit. Fébrile, elle se couvrit de ses guenilles. Elle prit à peine le temps de brûler ses croquis d'entraînement et de ranger ses originaux sous le coffre du coin cuisine avant de s'élancer dans la nuit.

Les habitués du *Yucca's* avaient probablement entendu parler du sans-abri qui peignait dans les rues du ghetto. Zéphyr lui en avait donné une description assez précise pour provoquer des réactions.

Revêtue de sa tenue de camouflage et pieds nus, elle courut vers le ghetto.

*

— Je l'ai vue dehors !

Nathanaël déboula dans la maison de Zéphyr, les joues rouges et le souffle court. Celui-ci lui fit signe de parler moins fort en collant un index sur ses lèvres. Haletant, Nathanaël se tourna vers la fenêtre et distingua la silhouette du soldat Farrell, vaguement cachée derrière un container.

— Il est toujours là, celui-là ?

Zéphyr acquiesça, ouvertement contrarié. Depuis quatre jours, Farrell montait la garde autour de la maison, ne disparaissant que quelques heures quand il était remplacé par un autre troufion de la garde.

— Être surveillé vingt-quatre heures sur vingt-quatre, soit, grogna le tueur. Ne pas pouvoir aller au *Yucca's* sous peine de nous trahir, passe encore. Mais être en congé forcé à cause de ce débile… J'ai un contrat sur le feu, moi. Big D ne va pas apprécier *du tout*.

Nathanaël sourit malgré lui ; rares étaient les moments où son ami manifestait de telles sautes d'humeur.

— Je crois que je vais finir par régler personnellement le problème…

— On sait tous les deux que ça te serait très facile. Mais ça attirerait sur nous une attention dont... on préférerait se passer. Hein ?

— Je le sais bien. Qu'est-ce que tu disais ?

Nathanaël sembla se souvenir de ce qu'il avait de si important à raconter, et la panique envahit de nouveau ses traits. Il jeta sur la table le sac de haricots rouges qu'il était sorti acheter et enleva sa capuche.

— Je l'ai vue dans le ghetto.

— Tu rêves d'elle, maintenant ? Faut te soigner, rit Zéphyr, alors que le Lazul prenait la même teinte que les haricots.

— Je suis sûr de l'avoir vue dans Main Street ! Elle était loin, mais c'était bien elle...

Zéphyr redevint soudain sérieux.

— Naturellement, elle n'a pas su se tenir tranquille...

— Quelle imbécile ! pesta Nathanaël. Elle veut aller au *Yucca's* seule. Elle va se faire massacrer.

Il se recouvrit la tête de sa capuche.

— Je vais la chercher.

— Pas question, trancha Zéphyr. Ta dernière sortie au *Yucca's* ne t'a pas suffi, Nate ?

— On ne peut pas la laisser seule là-bas !

— C'est moi qui vais la chercher.

Nathanaël tapa du plat de la main sur la table, furieux.

— N'importe quoi ! Si tu te pointes là-bas, l'autre crétin, dehors, te suivra et te verra en compagnie de Maïa. Or, c'est précisément ce qu'on veut éviter.

Il s'empara du revolver de Zéphyr, posé entre eux sur la table, et le glissa dans sa poche. La voix froide du tueur l'interrompit alors qu'il s'approchait de la porte :

— Tu es amoureux d'elle ?

Avec une lenteur exagérée, le Lazul se tourna vers lui et lui opposa une mine éberluée.

— Pardon ?

— Tu as très bien entendu.

— Alors la réponse est « non ». T'as bu ou quoi ?

Zéphyr secoua la tête, et ce que Nathanaël lut dans ses yeux vairons ne lui plut pas du tout.

— Elle est différente, Nate. Et je suis sûr que ça ne t'a pas échappé.

— Elle veut sortir. Moi aussi. Fin de l'histoire.

— Elle a du caractère, elle est plutôt intelligente et *surtout* elle ne te regarde plus comme un Lazul. Et toi, tu te changes en écrevisse dès qu'on parle d'elle. Arrête de me prendre pour un imbécile.

Nathanaël garda le silence quelques instants puis partit d'un rire sec, sans joie.

— Zéphyr, on a déjà abordé le sujet. Je n'ai pas changé d'avis.

— Tu as toujours l'intention de mourir seul ?

— Ne fais pas comme si ça te posait un problème, rétorqua le Lazul. On sait tous les deux que tu m'as recueilli pour faire pénitence. Je t'en serai toujours reconnaissant, mais on sait aussi que tu es trop détaché pour en avoir vraiment quelque chose à cirer de ma destinée. J'ai tort ?

— Tu fuis la vraie question, Nate.

— J'ai tort ?

Nathanaël bouillonnait, dominé par une colère aussi vieille que lui et dont Zéphyr savait que c'était sa seule façon d'affronter son futur. Le tueur le contempla avec intensité, et la douceur qu'il s'efforçait d'appliquer à son visage balafré laissa place à une froideur absolue ; celle qui l'habitait depuis sa sortie de la salle des tortures de Tucumcari Center, des années plus tôt.

— Non.

— Parfait, siffla Nathanaël. Alors cesse de jouer les grands frères. Tu n'as pas besoin de faire ça.

— Ne mélange pas tout, répondit Zéphyr sans retrouver son masque avenant. Ce n'est pas parce que je ne ressens pas d'inquiétude fraternelle pour toi que j'ignore ton besoin de nouer une relation avec quelqu'un. Je ne t'y pousse pas par empathie, je t'y pousse parce qu'il faut que quelqu'un s'en charge, Nate.

— C'est de la pitié, alors ?

— C'est du bon sens.

La tension entre eux, alimentée par le silence lourd qui suivit la déclaration de Zéphyr, monta encore d'un cran. Nathanaël s'approcha de la table à laquelle son ami était toujours assis et posa les deux mains à plat devant lui, de sorte que leurs visages n'étaient plus qu'à vingt centimètres l'un de l'autre.

— Je n'éprouve rien pour elle, articula le Lazul. Et ça ne changera jamais.

Il attendit que Zéphyr réagisse, mais celui-ci avait visiblement renoncé à lui faire entendre son point de vue.

— J'ai vingt et un ans et, selon toute probabilité, je n'atteindrai pas la quarantaine. Et tu sais quoi ? Je suis mort de trouille.

— C'est normal.

— Quand j'ai ces crises où j'ai tellement mal que je pourrais en perdre la raison, la seule chose qui me garde conscient, c'est la peur. Je me demande comment ça sera quand le virus m'attaquera pour de bon, à quel point j'aurai envie de mourir pour que ça cesse. Par quoi ça commencera ? D'abord, je n'arriverai plus à marcher, ou alors mes mains deviendront si raides que je ne pourrai même plus tenir une cuillère, ou je perdrai la vue, ou l'ouïe... La grande loterie. Le virus choisira le bout de mon cerveau qui lui fait le plus envie et il le dévorera. Et après il s'attaquera au reste, jusqu'à ce que je ne sois plus capable de rien, même pas d'accrocher une pierre à mon cou et de me jeter dans ce putain de lac presque asséché. (Il reprit son souffle, surpris par ses propres mots.) Mais ça, je m'y suis fait. Je l'accepte.

— Donc ?

— Ce qui m'est insupportable, c'est l'idée qu'un jour quelqu'un arrive à passer outre à ma couleur de cheveux et à mon tatouage. Qu'on soit heureux ensemble, que tout se déroule comme dans un rêve.

— Euh... attends, je ne te suis plus, là.

Nathanaël se redressa, las.

— Si Maïa, ou n'importe quelle autre femme, arrive à ne plus me voir uniquement comme un Lazul, c'est qu'elle ne me considérera plus comme un être faible, inférieur à elle. Qu'elle me regardera droit dans les yeux, sans pitié ni mépris. Mais, le jour où je deviendrai un légume, tout ça volera en éclats. Forcément. (Il se pinça l'arête du nez, peinant à exprimer la honte et la crainte qui le tenaillaient depuis toujours.) Quand je serai cloué dans un lit, incapable de me nourrir ou de me laver, je serai faible et inférieur à elle. Et toutes ses belles convictions ne vaudront plus rien.

Il se tut un instant, toute son agressivité évaporée.

— Je refuse que quelqu'un qui aura su m'accepter en dépit des apparences pose les yeux sur moi quand je serai devenu une loque. Pas question de m'ouvrir à quelqu'un et de prendre sa pitié de plein fouet.

— Il n'y aura pas forcément de pitié...

— Bien sûr que si. Respecter quelqu'un qui a les cheveux bleus, c'est une chose. Respecter un type qu'on est obligé de nourrir à la paille, c'en est une autre.

Zéphyr haussa les épaules.

— Tu te protèges d'un écran de fumée, Nate.

Celui-ci se dirigea vers la porte et glissa la main dans sa poche, où dormait le revolver de Zéphyr.

— Peut-être, mais ça me convient très bien comme ça. Donc *non*, je ne suis pas amoureux de Maïa et ça va continuer comme ça. Et maintenant, je vais aller la chercher avant qu'on nous la renvoie en pièces détachées, parce qu'on a besoin d'elle pour sortir. Des commentaires ?

Zéphyr esquissa un sourire détaché.

— Aucun.

Nathanaël hocha la tête et sortit dans la nuit claire.

CHAPITRE 22

J-14

Le *Yucca's* était bâti sur les ruines d'une église datant d'avant la Grande Épidémie, à l'époque où les habitants de Tucumcari se préoccupaient encore de Dieu. Si le virus avait anéanti des milliers de vies, il avait aussi eu raison de l'intérêt des survivants pour la religion. La Cité n'avait pas de dieu, seulement des maîtres et une foi absolue en une liberté prochaine, promesse d'une vie meilleure.

La carcasse en parpaings de l'église avait été réparée à la terre crue. Ironie du sort, il ne restait du lieu saint qu'un vitrail brisé aux couleurs fanées représentant Marie. Juste au-dessus du visage fissuré de la Vierge, une enseigne en bois indiquait « *Yucca's – Tu n'es pas le bienvenu* ».

Maïa déglutit péniblement. Elle savait que l'avertissement s'adressait aux intrus comme elle. D'un geste décidé, elle poussa la porte du bar et se retrouva plongée dans une atmosphère lourde, enfumée. À peine eut-elle mis un pied à l'intérieur que tous les regards convergèrent dans sa direction. Et il y avait de quoi ; non seulement elle était la seule femme de l'assemblée mais en plus, malgré ses guenilles puantes, elle était probablement la plus propre.

Les murs du *Yucca's* étaient tapissés sur toute leur hauteur d'anciennes affiches de propagande déchirées ou barbouillées de messages obscènes, preuve, s'il en fallait, que l'armée se trouvait en tête dans la liste de ceux qui « n'étaient pas les bienvenus ». De fait, les militaires ne s'aventuraient jamais dans cette partie du ghetto. Maïa jeta un regard circulaire dans le bar. Dans un coin, deux anciens criminels, physiquement encore plus mal en point que Zéphyr, cuvaient au milieu de plusieurs verres vides. Il manquait ses deux mains à l'un, et l'autre était tellement défiguré qu'on peinait à discerner ses yeux au milieu de son visage ravagé. Au comptoir, une brochette de poivrots la contemplaient, l'air mauvais. Maïa n'en connaissait aucun, mais elle supposait qu'il s'agissait de l'oligarchie contrôlant le ghetto. Elle s'étonna même de ne pas voir Big D parmi eux. Marchands, propriétaires, dealers, le ghetto appartenait à une poignée d'hommes qui y faisaient régner leur loi. Et même l'armée n'osait pas trop contester leur influence, tant qu'elle n'empiétait pas sur ses plates-bandes.

Maïa vint s'asseoir tout au bout du comptoir et commanda un verre d'alcool de cactus d'une voix qu'elle espérait assurée. Pour faire bonne mesure, elle posa deux sotos devant elle. Le barman, un type d'âge indéfinissable couvert de tatouages grossiers, la toisa un moment, si bien qu'elle se demanda s'il la servirait un jour.

De fait, elle avait raison de se poser la question, puisque le barman lui demanda :

— Qui es-tu ?

Il avait soigneusement détaché ses syllabes, plein d'une animosité à peine contenue.

— Je cherche quelqu'un, répliqua Maïa avec aplomb en prenant l'accent du ghetto.

Elle perçut un mouvement dans son champ de vision périphérique. Sûrement les hommes assis à côté d'elle. Elle se raidit, prête à réagir à la moindre marque d'agressivité.

Le barman ricana, lui arrachant un frisson.

— Qui es-tu ? répéta-t-il d'un ton menaçant.

— Peu importe. Je cherche un clochard qui peint dans la rue...

Cette fois-ci, le barman manifesta sa contrariété, mais ce fut l'homme assis à la gauche de Maïa qui intervint :

— Billie, dit-il à l'adresse du barman, fous-la dehors.

Maïa sentit un filet de sueur dégouliner entre ses omoplates. L'homme, dont les yeux cruels ressemblaient à ceux d'un faucon, descendit du tabouret sur lequel il était juché et s'approcha d'elle.

— Fous-la dehors, répéta-t-il en serrant les dents. Ou c'est moi qui m'en charge.

Billie le barman sembla juger l'idée alléchante : un sourire vicieux étira ses lèvres, et il se détourna d'eux pour aller essuyer ses verres un peu plus loin.

Maïa sentit une vague de panique déferler en elle et recula de deux pas.

— Un... Un homme petit, métis. Il boite. Et il peint sur le sol...

— Elle parle du taré qui vit dans le manoir ? chuchota un homme à son voisin, juste derrière elle.

L'homme aux yeux de faucon le réduisit au silence d'un regard, puis se concentra de nouveau sur Maïa.

— Je ne veux pas causer d'ennuis, articula-t-elle en levant les mains en signe d'apaisement.

— Je crois que tu n'as pas bien compris. Ici, tu es sur notre territoire (Il désigna les autres types qui observaient la scène avec un intérêt malsain.) et tu n'es pas la bienvenue. Tu as lu l'enseigne en arrivant, non ?

Maïa hocha la tête, livide.

— Je vais m'en aller…

Elle amorça un geste vers la sortie, mais l'autre l'empoigna violemment par le col.

— Qu'est-ce qui va se passer, à ton avis, si tout le monde apprend qu'on laisse n'importe qui aller et venir au *Yucca's* comme bon lui semble ?

— Je ne le dirai à personne…

— Malheureusement, ça ne marche pas comme ça !

L'homme repoussa Maïa, qui roula sur le sol en terre battue du bar, et se jeta sur elle. Elle eut à peine le temps de dégainer son poignard.

— Shark… soupira le barman comme s'il avait l'habitude des débordements de son client.

Pour toute réponse, le dénommé Shark referma ses mains sur le cou de Maïa, allongée sur le dos.

Voyant que son intervention n'avait aucun effet, Billie se détourna de la scène. Plus par ennui que par gêne ; il avait probablement déjà vu le sang d'un imbécile couler sur le sol de son bar et ne s'en inquiétait pas. La terre aride aurait tôt fait de tout absorber.

Le cri de Shark le fit néanmoins se retourner. Surpris, il lâcha son verre : le caïd tenait son visage ensanglanté entre ses mains et vagissait comme un enfant. Maïa, elle, s'était redressée et brandissait le poignard qui lui avait servi à taillader son agresseur d'une main tremblante.

— Oh, putain… lâcha Billie.

Tous les piliers de bar, à l'exception des deux criminels, trop ivres pour se rendre compte de quoi que ce soit, se rapprochèrent jusqu'à former un cercle autour d'eux.

Deux hommes jusque-là accoudés au comptoir lui tombèrent dessus. Le premier la plaqua de nouveau au sol et lui arracha son poignard. Elle tenta de se débattre, mais il faisait près de deux fois son poids ; autant dire qu'elle ne réussit même pas à le gêner. Le deuxième caïd, un Noir presque aussi petit qu'elle, se pencha par-dessus l'épaule du premier pour la regarder avec attention.

— Mignonne, apprécia-t-il d'un ton grinçant. Beaucoup trop pour une fille du ghetto… Shark, boucle-la, nom d'un coyote !

Shark, qui continuait à gémir dans un coin, se tut instantanément. Il avait ôté les mains de son visage, révélant une balafre profonde allant de son oreille gauche à l'arête de son nez.

— Tu as eu Shark, reprit l'homme. Et ce n'est pas un débutant. Ce qui veut dire que tu n'es pas une débutante non plus…

Le souffle court, toujours écrasée par le molosse, Maïa soutint le regard du Noir, dont l'image se brouilla. Elle battit des cils pour faire le point et une larme de terreur dégringola sur sa joue.

— Or, une personne qui n'est pas du ghetto mais qui maîtrise l'arme blanche est forcément… un soldat.

Un murmure s'éleva dans le bar, jusque-là silencieux.

— Bute-la, Tony ! beugla un type à moitié saoul du fond de la salle.

— Alors, petite, reprit doucement Tony. Tu fais partie de l'armée ?

Maïa ne répondit pas. Elle essaya vainement de se dégager et ce fut le molosse allongé sur elle qui répondit à sa place :

— Bien sûr qu'elle fait partie de l'armée !

Le Noir sourit.

— Elle te plaît, Butch ?

Le molosse ricana d'un air stupide.

— Pour sûr qu'elle me plaît, Tony !

Celui-ci se releva avec souplesse et s'éloigna de quelques pas.

— Alors fais-en ce que tu veux, murmura-t-il d'une voix douce. Mais ne la tue pas. Ça, c'est moi qui m'en occupe.

— Là… chez… moi… haleta Maïa.

Le gros Butch porta une main au col de la tunique de Maïa et tira dessus, la déchirant de haut en bas. La jeune fille rua sans parvenir à se libérer. Dans le brouillard de la peur, elle trouva néanmoins l'énergie de maudire sa stupidité : comment avait-elle pu être aussi imprudente ? Elle savait pourtant que sa capacité à garder la tête froide lui serait indispensable ! Mais elle avait paniqué. Face au compte à rebours, devant son impuissance à sauver Dimitri, elle avait cessé de réfléchir et s'était rendue au *Yucca's* seule. Et elle allait le payer au prix fort.

Elle mordit l'avant-bras de son agresseur, mais celui-ci calma ses ardeurs d'une gifle. Étourdie, terrifiée, elle ferma les yeux. Une détonation assourdissante, suivie d'un hurlement perçant, la ramena à la réalité. Elle ouvrit les yeux et vit d'abord la face bouffie de Butch, figée dans une attitude de stupéfaction. Les badauds rassemblés autour d'elle regardaient tous en direction de la porte.

Debout dans l'embrasure, Nathanaël braquait un revolver sur l'assemblée de fous furieux. Sa main ne tremblait pas et, à ses pieds, le dénommé Tony gémissait en se tenant la jambe, dans laquelle une balle venait de pénétrer.

— Toi ! balbutia Billie le barman avec effarement. Putain de Lazul, c'est toi qui es venu la semaine dernière...

— Tu crois que tu vas encore t'en tirer, maintenant que Zéphyr est plus là pour te protéger ? le menaça un type en s'approchant de lui, un couteau aiguisé dans la main.

Nathanaël leva un sourcil, le mit en joue.

— Plus. Un. Geste.

L'autre se figea. Les armes à feu étaient rares dans le ghetto, où l'on réglait ses comptes à l'arme blanche. Personne, dans le bar, ne gagnait assez pour s'offrir un tel revolver – Big D et Zéphyr, le maître et son plus fidèle valet, constituant des exceptions à la règle.

Nathanaël s'adressa à Butch, toujours étalé sur Maïa :

— Écarte-toi d'elle.

L'autre mit une seconde de trop à réagir.

— Écarte-toi d'elle ! répéta le jeune homme en le visant avec son arme. Ou je te fais sauter la cervelle !

Se trouver sous la menace d'une arme à feu, symbole absolu de puissance dans le ghetto, ne plaisait déjà pas beaucoup à Butch. Mais voir cette arme dans les mains d'un Lazul, se laisser dominer par un sous-homme dévoré par un virus que tout le monde avait vaincu, c'était un supplice. Il sembla cependant juger cela préférable au fait de recevoir une balle entre les yeux et s'écarta lentement de Maïa.

Celle-ci se releva d'un bond, referma les lambeaux de sa tunique sur sa poitrine, récupéra son poignard et rejoignit Nathanaël, qui menaçait toujours l'assemblée de son revolver.

— Nous allons partir, annonça calmement celui-ci. Le premier qui essaie de nous suivre, je lui troue la peau, compris ?

Un silence pesant tomba sur le bar, seulement rompu par les halètements des deux blessés. Avec lenteur, Maïa et Nathanaël reculèrent jusqu'à la sortie. La fraîcheur nocturne les saisit à la gorge. Ils échangèrent à peine un regard, puis Nathanaël lui glissa :

— Maintenant, tu cours.

Et il l'entraîna à sa suite sans attendre de réponse. Maïa se retourna juste à temps pour voir Butch et un autre type sortir du *Yucca's* l'air hagard, comme frappés par la foudre. Puis elle s'aperçut que Nathanaël avait pris de l'avance et accéléra pour le rattraper. Il avait une foulée ample, légère ; celle de quelqu'un dont la survie avait déjà reposé sur sa capacité à courir.

Ils traversèrent le ghetto à toute allure, fendant la foule des noctambules qui erraient autour de Main Street. Épuisée, choquée, Maïa se contentait de suivre Nathanaël. Au bout de ce qui lui sembla une éternité, le jeune homme ralentit et finit par s'arrêter. Maïa l'imita, le souffle court. Lorsqu'elle leva enfin le nez, elle réalisa qu'ils n'étaient plus dans le ghetto, mais à l'entrée de son propre quartier.

Elle osait à peine poser les yeux sur son sauveur. Aussi essoufflé qu'elle, visiblement sonné, il contemplait le revolver qu'il avait emprunté à Zéphyr avec effarement.

— Je suis désolée...

— J'ai tiré sur ce type.

— Tu m'as sauvé la vie.

Le Lazul fronça les sourcils et la regarda enfin.

— Tu es stupide. Pourquoi avoir fait une chose pareille ? Si je ne t'avais pas vue dans Main Street, tu serais morte à l'heure qu'il est !

— J'ai paniqué. J'ai pensé à Dimitri et...

— Tu es sûre d'être une militaire ? s'emporta Nathanaël. Si tu n'es pas capable de te contrôler, on laisse tomber ! Tu vas tous nous tuer !

— Il ne reste que deux semaines à Dimitri, bon sang !

— Et tu crois que te mettre les caïds du ghetto à dos va changer quelque chose ? Comment crois-tu qu'ils vont réagir après s'être fait humilier par un Lazul ? La protection de Zéphyr ne suffira plus !

— Oh non... hoqueta Maïa. Je... Viens chez moi, ou... non, mieux : chez Dimitri. La maison est vide, j'ai le double des clés. Tu y seras en sécurité jusqu'à...

Elle laissa mourir sa phrase : Nathanaël ne l'écoutait pas. Son attention était de nouveau concentrée sur le revolver.

— Où as-tu appris à tirer ? demanda-t-elle avec douceur.

— Zéphyr m'a appris. Il m'a dit que j'en aurais peut-être besoin, un jour. Il ne pensait pas si bien dire...

Maïa laissa échapper un pauvre rire, à mi-chemin entre le coassement et le sanglot.

— N'empêche, un Lazul avec un flingue, c'est la chose la plus incroyable que j'aie jamais vue...

— Je ne suis pas qu'un Lazul, rétorqua Nathanaël. Arrête de me réduire à ça.

Maïa ouvrit la bouche pour répondre, mais aucun son n'en sortit. Nathanaël se mordit la lèvre avec l'air de regretter ses paroles.

— B… bien sûr, murmura-t-elle enfin. Je sais que tu es bien plus que…

— Laisse tomber. Je rentre.

— Tu ne peux pas rentrer ! Zéphyr les tiendra à distance s'il est seul. Mais, s'ils savent que tu es avec lui…

Maïa fouilla fébrilement dans les replis de son pantalon de toile et en tira un petit trousseau de clés. Elle en détacha une et la lui tendit.

— Dimitri habite au numéro 10, sur la Huitième Rue.

Nathanaël hésita.

— C'est la seule solution, insista Maïa. Je préviendrai Zéphyr dès demain. Il y a tout ce qu'il faut chez Dimitri.

Nathanaël soupira et prit la clé.

— Au fait, le type du *Yucca's*… commença Maïa.

— Quoi ?

— Il a dit que le clochard habitait un « manoir ». Tu vois de quoi il s'agit ?

Le Lazul fronça les sourcils, puis la lumière se fit dans ton esprit et il hocha la tête avec un petit sourire.

— C'est un grand squat près du lac, à la frontière ouest du ghetto.

Maïa lui rendit son sourire.

— Félicitations, souffla-t-il. Horrible tête brûlée.

— Il faut que j'y aille demain à la première heure. Comment puis-je m'y rendre ?

— Je t'y accompagnerai.

— C'est risqué.

Nathanaël joua avec les clés, désinvolte.

— Les leaders du ghetto dorment, le matin. Si on y va tôt, je ne risque rien.

— Tu es sûr ?

— Ne négocie pas. Chez Dimitri, demain à sept heures et demie.

— Merci.

Il tourna les talons et s'éloigna en silence, baigné par le blanc aveuglant de la lune. Maïa l'accompagna du regard jusqu'à ce qu'il disparaisse à l'angle d'une rue.

CHAPITRE 23

J–13

Le lendemain, alors que le soleil se réduisait à un croissant rose sur l'horizon, Maïa et Nathanaël quittèrent le quartier est, qui s'éveillait à peine. Ils croisèrent des commerçants ouvrant boutique et des travailleurs prêts à pointer, des enfants en route pour l'école et un binôme de l'armée en patrouille. Nathanaël marchait un mètre derrière Maïa, comme un domestique ; le mépris de cette convention lui aurait attiré les foudres des passants, et il n'avait aucune envie d'être agressé pour avoir osé se croire égal à elle. Pas après ce qui s'était passé la veille.

Ils prirent plein ouest pour longer le ghetto par les berges du lac, que les crues estivales rendaient inhabitables, afin d'éviter les mauvaises rencontres. Le premier kilomètre se déroula en silence ; ils ne croisèrent qu'un couple endormi sous une toile au milieu des restes d'un repas qui avait dû être frugal. Maïa supposait que ces deux-là se retrancheraient dans le ghetto dès les premières pluies mais, en attendant, ils profitaient de la sécurité relative de ce coin de la Cité. Au bout de deux kilomètres, ils retrouvèrent les ruelles misérables du bidonville. Ils se trouvaient à l'extrême ouest du ghetto, séparé des premiers champs de coton par une bande de terre en jachère qui marquait la frontière entre les deux mondes ; d'un côté, la tôle et la pauvreté, de l'autre, les hectares verdoyants destinés à vêtir les plus riches.

Maïa avait rarement mis les pieds dans cette partie du ghetto : elle fut frappée par son extrême dénuement. Le reste du quartier n'avait certes rien d'un modèle de confort et d'opulence, mais la violence et le chaos dominaient l'infortune. Ici, c'était l'inverse. Les habitations, pour la plupart dépourvues de rideau ou de porte d'entrée, se résumaient toutes à un tas de cartons agrémenté de tôle et de planches vermoulues. Ici, l'électricité et l'eau courante tenaient du mythe. Une odeur nauséabonde planait dans les rues. Des déchets s'entassaient un peu partout, mais il sembla à Maïa que la puanteur émanait des habitants eux-mêmes, des femmes assoupies sous leurs cartons et de leurs enfants jouant dans les rues, des jeunes chargés de bidons d'eau puisés illégalement dans le lac, des vieux profitant de la fraîcheur de l'aube pour combler les trous dans la toiture de leur bicoque, des chiens galeux et des rats qu'ils poursuivaient.

Maïa accéléra le pas. Curieusement, la présence de Nathanaël dans son dos la rassurait un peu, mais elle ne tenait pas à s'attarder dans le secteur. Elle sentait les regards des habitants sur elle, méfiants ; les étrangers n'avaient pas bonne presse dans le ghetto, et elle doutait qu'ici son déguisement suffise à la fondre dans le paysage. Les indications de Nathanaël, prononcées à voix basse et sans hésitation, la guidaient à travers le labyrinthe. Il connaissait le quartier comme sa poche. Avait-il vécu dans ce morceau d'enfer ? Elle ne savait presque rien du parcours du Lazul, mais elle l'imaginait tortueux, violent. Bien plus que ce qu'il lui avait confié quelques jours plus tôt.

À mesure qu'ils approchaient des hectares agricoles, les cabanes s'espaçaient. Entre elles s'élevaient quelques cotonniers rabougris semés par les vents. Le terrain devint légèrement vallonné et Maïa gravit la pente douce qui les emmenait hors du ghetto, ses pensées tournées vers le sans-abri qui peignait des animaux sur les murs.

— On est bientôt arrivés ?

Dans son dos, Nathanaël garda le silence. Elle slaloma à travers un groupe d'hommes en train d'installer les stands d'un minuscule marché où se négocieraient, au mieux, des objets rafistolés et des quantités ridicules de nourriture.

— Hé, Nathanaël, murmura-t-elle.

Un vendeur l'arrêta en l'attrapant par le bras, la gratifia d'un sourire édenté et lui proposa un bouquet d'herbes séchées qui dégageait une odeur amère. Elle déclina poliment l'offre et se retourna pour interpeller le Lazul.

Il avait disparu.

Une bouffée de panique monta en elle. Elle le chercha du regard à travers la foule qui se densifiait de minute en minute, finit par identifier sa tignasse bleue dix mètres plus bas. Il lui tournait le dos, courbé ou penché sur quelque chose. Elle voulut le rejoindre, le cœur battant, mais se figea à deux mètres de lui.

Nathanaël enlaçait une personne dont elle ne discerna d'abord que les bras, absolument blancs et accrochés à la taille du Lazul comme à une bouée de sauvetage. Puis celui-ci se dégagea de l'étreinte. Une jeune femme le dévorait des yeux ; la première réflexion de Maïa fut qu'elle aurait été très belle si elle n'avait été une Lazule.

Ses cheveux ondulés, plus clairs que ceux de Nathanaël, caressaient le creux de ses reins, dont on devinait le galbe sous la tunique sale. Le tatouage sur sa pommette semblait disproportionné pour son visage minuscule, blafard et amaigri par la dénutrition.

Maïa plissa les yeux mais ne réussit qu'à lire la dernière lettre. Un « E », comme celui de Nathanaël. Ils faisaient donc partie de la même génération. Elle réprima un haut-le-cœur. Qui était cette fille ? Pourquoi Nathanaël se laissait-il toucher de la sorte ? Une émotion d'une violence inconnue la submergea et tout, autour d'elle – le brouhaha des vendeurs et des passants, l'odeur déplaisante de la misère, les gris et les bruns du bidonville –, se fondit en une mélasse opaque d'où se détachait cette Lazule. Celle-ci dut sentir l'attention dont elle était l'objet, car elle posa les yeux sur Maïa ; des yeux immenses, d'un bleu pâle assorti à ses cheveux, qui s'agrandirent encore sous l'effet d'une peur primitive.

Maïa voulut bouger, atténuer la dureté qu'elle savait imprimée sur son visage, mais elle en fut incapable. Nathanaël pivota et lui fit signe d'approcher. Elle fournit un effort monstrueux pour se mettre en marche et arriva à leur hauteur, raide comme un piquet.

— Je te présente Maïa, déclara Nathanaël en se retournant vers la Lazule. Maïa, voici une amie de très longue date.

La Lazule hocha la tête, craintive. De toute évidence, elle ignorait si elle devait se soumettre à cette fille qui avait l'air de vouloir lui arracher les yeux pour en faire son repas. Maïa déglutit et grimaça un « bonjour » plus sec qu'une gifle, puis se tourna vers Nathanaël sans parvenir à calmer les battements de son cœur :

— Je t'avais perdu...

— Désolé. (Il désigna la Lazule.) Nous avons grandi ensemble, et on s'est pas mal serré les coudes à la sortie du Centre de Soins.

— Ah.

— 6016-E est quelqu'un de bien, dit la Lazule d'une petite voix. Je vous l'assure.

Nathanaël et Maïa froncèrent les sourcils à l'unisson, puis le jeune homme éclata de rire.

— Oh, Maïa n'est pas mon maître ! C'est une amie.

Les yeux de la Lazule s'agrandirent et un sourire sincère illumina son visage.

— C'est vrai ?

— C'est vrai, intervint Maïa avec une contrariété flagrante. Nate, il faut qu'on y aille, maintenant.

Nathanaël marqua un temps d'arrêt en entendant son surnom s'échapper des lèvres de Maïa et lui coula un regard surpris. Celle-ci se sentit virer à l'écarlate.

— Détends-toi, on a trente secondes...

— Nate ?

Le jeune homme se détourna et adressa un sourire éclatant à la Lazule ; un sourire que Maïa n'avait encore jamais vu sur ses lèvres et qui lui souleva le cœur.

— Je m'appelle Nathanaël, maintenant.

— Oh !

La Lazule plaqua ses mains sur sa bouche et regarda alentour, effarée. Puis elle se concentra de nouveau sur son ami, comme si elle s'attendait à ce qu'il soit foudroyé sur-le-champ.

— Nathanaël, répéta-t-elle timidement. C'est… euh… joli. Et, euh… Tu fais quoi, maintenant ?

— Je vis dans le ghetto. Chez quelqu'un de bien, pour qui je ne suis pas un larbin.

— Je suis contente pour toi, sourit la Lazule.

— Et toi ? Tu vis ici ?

Elle rougit et hocha la tête. Elle voulut replacer une de ses longues mèches de cheveux derrière son oreille, mais y renonça : sa main droite s'était mise à trembler violemment. Elle la plaqua contre son ventre et l'enferma dans la gauche pour stopper les spasmes.

— Avec d'autres Lazuli, fit-elle. Mais on s'en sort plutôt bien.

— Ta main…

Elle cilla. Le sourire de Nathanaël avait disparu et Maïa, restée en retrait, se figea. Le virus. Déjà ? Elle était si jeune…

— Ce n'est rien, murmura la Lazule. Ça arrive parfois, mais ce n'est rien.

— Tu as des symptômes ? demanda Nathanaël, ébranlé.

— Rarement. Et rien de grave.

— Merde…

La rumeur du marché continuait de leur parvenir, mais il sembla à Maïa qu'un silence oppressant planait entre eux et consommait leur oxygène. Avec une douceur infinie, la Lazule referma ses mains sur celle de Nathanaël. Elles ne tremblaient plus.

— Ça va, 6016… euh, *Nathanaël.* Je te promets que ça va.

Le jeune homme tenta d'effacer son désarroi, en vain. Il ferma les yeux, les rouvrit, pinça les lèvres.

— Écoute, murmura-t-il. J'habite de l'autre côté du ghetto, entre Main Street et le quartier est. Une maison en forme de dôme, c'est la seule du coin. Si jamais tu as besoin de quoi que ce soit…

— Je m'en souviendrai. Merci beaucoup.

— J'y tiens.

— Nate, il faut vraiment qu'on y aille.

La voix de Maïa avait résonné avec force. Elle ne savait pas pourquoi sa main s'était accrochée à la tunique de Nathanaël, ni pourquoi elle ne parvenait pas à détacher son regard du sol. Sa seule certitude, c'était son envie pressante de partir, de fuir loin, très loin de cette Lazule.

Nathanaël baissa les yeux sur elle, et leurs priorités du moment lui revinrent à l'esprit. Il se dégagea avec douceur de la poigne de Maïa et s'approcha de la Lazule, partagé entre affection et douleur. Il caressa sa joue.

— La maison en forme de dôme, répéta-t-il. N'hésite surtout pas.

La Lazule sourit.

— Promis. Prends soin de toi.

Il tourna les talons. Maïa suivit, le regard toujours vissé à la caillasse ocre du sol, et laissa le vacarme du marché s'interposer entre la Lazule et eux. Ils gravirent la butte en silence, perdus dans leurs pensées. Juste avant d'arriver en haut, Nathanaël prit la parole :

— Sa main… c'est le virus, hein ?

— Nate, c'est pas le moment.

— Je voudrais faire un truc pour l'aider…

— Ça suffit !

Maïa le regarda enfin, furieuse. Le Lazul inclina la tête sans comprendre.

— Qu'est-ce qui te prend ? demanda-t-il.

Elle n'en savait rien. Pourquoi cette situation la blessait-elle autant ? Cette Lazule ne lui avait rien fait et l'inquiétude de Nathanaël à son égard était légitime. Ils s'appréciaient. Il voulait la protéger, rien d'étonnant à cela. Elle-même réagissait ainsi avec Dimitri, et pourtant...

Pourtant, face à leur complicité, elle avait éprouvé un sentiment d'une violence effrayante. Un sentiment jusque-là inconnu, dont le nom lui brûla les lèvres. Ce qu'elle ressentait, c'était...

... *de la jalousie ?*

Elle réprima un haut-le-cœur. Nathanaël secoua la tête et franchit le sommet de la butte sans un mot.

— On y est, fit-il sans se retourner.

En contrebas, une ruine en terre crue, rafistolée par endroits avec d'immenses toiles en coton, était érigée au milieu des dernières cabanes du ghetto. Au-delà, le désert et les premiers champs. Maïa chassa ses réflexions pour se focaliser sur leur tâche.

— C'est le manoir ?

— Oui.

Ils descendirent la butte d'un pas vif. La porte branlante du manoir était recouverte d'une fresque représentant des serpents et des scorpions peints en noir. Le dessin, rond et enfantin, dégageait néanmoins une violence sans équivoque. Maïa se raidit. Elle ne l'avait pas encore rencontré, mais leur homme la mettait déjà mal à l'aise.

Elle échangea un regard entendu avec Nathanaël et frappa. Pas de réponse. Elle réitéra son geste, mais le même silence lui répondit.

— On entre ?

Nathanaël acquiesça. Elle poussa la porte, qui protesta avant de céder. L'intérieur était meublé d'une paillasse encombrée et de quelques possessions emballées dans des pages du *Citizen Voice*. Une entêtante odeur de waska flottait dans l'air et une toile tendue sur un trou dans un mur claquait, agitée par une brise dont Maïa n'avait pas eu conscience dehors. Elle lança un regard à Nathanaël ; celui-ci semblait aussi nerveux qu'elle et elle savait pourquoi.

Du sol au plafond, des animaux dardaient sur eux leurs yeux fous, exorbités. Il y en avait sur chaque centimètre carré de mur. Des coyotes tous crocs dehors, des serpents interminables, des faucons tenant des rongeurs dans leurs serres, des biches aux prises avec des pumas, des scorpions monstrueux et des poissons aux gueules béantes et aux nageoires pointues. Un condensé de cauchemar peint à l'encre noire.

— Très accueillant, commenta Maïa en faisant le tour du propriétaire. Je me demande comment il arrive à dormir là-dedans.

Nathanaël sortit d'un réduit séparé du reste par de vieilles planches.

— Il n'y a personne. On fait quoi ?

— On l'attend, répondit Maïa en s'appuyant à un pan de mur, entre un héron décharné et une araignée géante.

Ils attendirent. Longtemps. La température monta graduellement dans le squat sans que son habitant se manifeste. Midi approchait quand un grincement les tira de leur torpeur. Un petit homme se glissa à l'intérieur, chargé de paquets qu'il laissa tomber à la vue de Maïa et de Nathanaël.

— Bonj...

— Sortez d'ici !

Il dégaina un poignard bricolé avec un tesson de bouteille et un bout de bois. Sur son visage buriné, la surprise initiale laissa place à l'agressivité.

— Qu'est-ce que vous foutez chez moi ?

— On ne vous veut aucun mal, tenta Maïa.

— Ah ouais ? Et j'dois vous croire sur parole ?

Il agita son poignard et Maïa leva les mains en signe d'apaisement. Le sans-abri correspondait trait pour trait à la description livrée par Zéphyr : plus petit qu'elle, la peau couleur café et les doigts noirs, teintés de façon permanente par l'encre. Il claudiqua jusqu'à eux, tellement gêné par sa jambe gauche qu'il devait s'incliner sur le côté à chaque pas pour la faire avancer.

— Nous avons une question à vous poser. Une seule question.

Nathanaël sortit le carnet d'une poche de sa tunique. Le clochard leva un sourcil, puis plissa les paupières en reconnaissant le document.

— À propos de ce texte.

— J'ai pas échangé ce truc à un Lazul, je crois, sifflat-il en agitant de nouveau son arme. Tu l'as volé, déchet ?

— Non, je…

— Déchet !

Maïa eut le temps de voir de l'irritation passer sur les traits de Nathanaël avant que l'homme l'attaque avec lourdeur. D'instinct, le Lazul se mit en garde, prêt à se protéger, mais Maïa s'interposa entre eux, son propre poignard brandi à deux centimètres de l'agresseur.

— On se calme. Nous sommes désolés de nous être introduits chez vous sans votre accord.

— C'est un peu tard pour être désolé !

Elle pouvait presque entendre Nathanaël bouillir dans son dos, mais il avait assez fait parler de lui dans le ghetto pour plusieurs vies. Pas question d'en rajouter une couche en se mettant ce type à dos ; ce qui, en plus, anéantirait toutes leurs chances d'obtenir le nom inscrit au dos des *Confessions*.

— Vous allez partir d'ici sur-le-champ et quitter le ghetto, siffla le clochard. Et j'vais faire comme si rien ne s'était passé. Mais si j'vous revois dans le secteur, même dans dix ans, je vous saigne. Pigé ?

— Dix sotos.

— Quoi ?

Avec prudence, Maïa tira un billet des plis de sa tunique et le brandit.

— Si vous répondez à notre question, vous ne nous reverrez plus et vous empocherez ces dix sotos.

Le sans-abri plissa les yeux, signe d'une intense réflexion. Puis il abaissa son poignard, et Maïa se sentit soulagée d'un poids énorme.

— Vingt sotos, grogna-t-il.

— Dix.

— Quinze.

— Dix.

— Douze. Dernière offre.

Maïa plongea de nouveau la main dans sa tunique et ajouta deux pièces au billet. Sans abaisser son arme, elle posa l'argent dans la paume ouverte du clochard, qui l'empocha fébrilement. Puis elle fit signe à Nathanaël d'approcher.

Le sans-abri saisit les *Confessions* qu'il lui tendait avec un dégoût manifeste et les feuilleta.

— Ouais, j'me rappelle ce truc. (Il leva les yeux vers Maïa.) Qu'est-ce que tu veux que je te dise ?

— Il y avait un nom inscrit derrière.

— Ouais. Ça aussi, j'm'en souviens.

— Et ?

Il pinça les lèvres, l'air mauvais.

— Va brûler en enfer, Candice Amiel.

Maïa soutint son regard, avec l'impression que la hargne qu'il avait mise dans ces mots n'était pas due uniquement à son jeu d'acteur. Puis elle prit acte de la révélation d'un hochement de tête et sortit, Nathanaël sur les talons.

Une fois dehors, elle inspira une bouffée d'air qui lui brûla les poumons. Sa main tremblait à peine sur le poignard. Ils s'éloignèrent du manoir sans un mot ; elle ne reprit la parole qu'une fois au sommet de la butte.

— Candice Amiel. Je vais fouiller les bases de données de Tucumcari Center pour savoir qui c'est.

— Je suis désolé, fit Nathanaël, je n'ai pas été très utile.

Elle se tourna vers lui, perplexe. Il était dépité.

— Tu m'as sauvé la vie pas plus tard que cette nuit, rétorqua-t-elle. Mais à part ça, tu as raison : tu ne sers à rien…

— Non mais…

— Nate, tu es ridicule. Sans toi, je ne serais arrivée à rien. Alors je veux bien qu'être Lazul te pèse parfois, mais épargne-moi le couplet larmoyant. Tu me l'as dit toi-même : tu n'es pas qu'un Lazul. Quand on sera dehors, ce sera une évidence pour tout le monde.

Elle se remit en marche en espérant que ça suffise à cacher son trouble.

— Dépêche-toi, on n'a pas intérêt à traîner dans le coin si tu ne veux pas finir en hachis.

Nathanaël lui emboîta le pas.

— C'est vrai que je suis de moins en moins apprécié par ici...

— On se demande pourquoi.

— Parce qu'on m'a confié la garde d'une gamine incapable de se tenir tranquille.

— Fais gaffe. Si tu continues, c'est moi qui vais te transformer en hachis.

Il rit et elle sentit son cœur se serrer. Ils traversèrent le ghetto côte à côte, sans se toucher mais plus proches que s'ils avaient été seuls au monde, et elle espéra furtivement que cette parenthèse durerait à jamais.

CHAPITRE 24
J-13

De retour dans le quartier résidentiel, Maïa fila en direction du QG tandis que Nathanaël repartait se terrer chez Dimitri.

Une fois à Tucumcari Center, la jeune fille remonta le couloir qui menait au service du Recensement, électrisée. Si Candice Amiel avait laissé plus de traces dans l'administration que Randall Fox, leur quête avancerait enfin. Qui était cette femme haïe par Fox ? Que lui avait-elle fait ? Saurait-elle leur indiquer où le trouver ? Maïa longea l'enfilade de bureaux au bout de laquelle se trouvait la salle du Recensement, étourdie par ses interrogations.

Elle le vit à dix mètres de la salle. Placardé en lettres de cuivre sur une porte à sa droite, le nom lui sauta aux yeux. Elle se demanda comment elle avait pu ne pas le remarquer lors de ses précédents passages.

Capitaine C. Amiel, service d'Administration Judiciaire.

Maïa pila devant la porte du bureau et cligna des yeux pour s'assurer de la réalité de ce qu'elle voyait. Candice Amiel, membre du gouvernement ? Elle jeta un regard alentour et sourit. Un ponte du tribunal, en plus ! Les liens qui l'unissaient à Fox s'ébauchèrent dans l'esprit de la jeune fille, qui tourna les talons et quitta l'étage d'un pas vif.

Il fallait qu'elle rencontre Amiel. Mais, avant, elle devait préparer le terrain...

CHAPITRE 25
J-11

Candice Amiel habitait tout près du Centre de Soins, dans une maison plus grande encore que celle de Dimitri. Maïa n'avait eu aucun mal à dénicher son adresse et avait opté pour une rencontre hors de Tucumcari Center, où elle se savait presque aussi surveillée que son mentor. Compte tenu des informations qu'elle recherchait, mieux valait entourer l'entrevue de discrétion...

Elle frappa à la porte d'entrée, le cœur battant, et tomba sur une femme immense, au visage brutal encadré d'un carré de cheveux gris à la rigueur toute militaire. Maïa se composa un sourire avenant :

— Bonsoir. Madame Amiel, je suppose ?

La capitaine posa sur elle des yeux d'un bleu doux, profond, dont les cils longs et fournis donnaient de la féminité à des traits qui en étaient par ailleurs totalement dépourvus.

— C'est moi. Et vous, vous êtes... ?

— Maïa Bellman, du *Citizen Voice*.

Candice Amiel serra sa main avec fermeté, mais le doute transparaissait déjà dans son attitude. Maïa jeta un bref regard à l'intérieur, cossu et confortable, et aperçut une silhouette massive installée dans un fauteuil. Davis Amiel, éminent chirurgien à deux doigts de la retraite.

— Auriez-vous quelques minutes à m'accorder, capitaine ? (Elle baissa la voix.) À propos de Randall Fox.

Les yeux de Candice Amiel s'agrandirent, puis se réduisirent à deux fentes.

— Je ne connais pas de Randall Fox. Bonne soirée.

— Permettez-moi d'insister.

— Non.

— Est-ce votre mari, là ? Le docteur Amiel, de...

Maïa baissa de nouveau la voix, de façon à capter l'attention de la femme en restant inaudible pour son époux.

— ... de l'unité 8 ?

Candice Amiel eut un sursaut, si fugace qu'il témoignait d'une perte de contrôle inhabituelle. Puis elle se rapprocha encore de Maïa dans une attitude défensive, fermée. La jeune fille déglutit. Ses trois jours de fouille dans la paperasse du QG n'avaient pas été vains. Elle avait remporté le premier round ; il lui fallait désormais gagner le combat.

— Et si nous allions faire un tour ? suggéra-t-elle pour sortir la capitaine de sa torpeur.

— D'accord. (La femme se retourna vers son mari, qui les observait avec curiosité depuis son fauteuil.) Dave, je sors quelques minutes. Cette jeune femme a perdu son chemin, je vais la raccompagner jusqu'au Centre de Soins pour qu'elle se repère.

Le chirurgien acquiesça. Candice Amiel referma la porte, puis passa devant Maïa et s'éloigna à grands pas.

— Je ne veux pas savoir comment vous êtes au courant, pour l'unité 8, siffla la capitaine quand Maïa l'eut rejointe. Je n'ai rien à dire sur Randall Fox.

Maïa entretint un instant de silence. Ses recherches au QG lui avaient appris que Candice Amiel ne traînait pas la moindre casserole et avait eu une carrière aussi longue qu'exemplaire. Aucun blâme, aucune condamnation, aucune erreur n'était consigné dans les entrailles de Tucumcari Center. Son mari, en revanche... Une fois de plus, l'étiquette de « fouine des Renseignements » que portait Maïa lui avait été bien utile. En cherchant aux bons endroits, elle avait vite découvert les cadavres que Davis Amiel cachait dans ses placards.

Dix ans plus tôt, le médecin avait tué une jeune patiente, fille d'un propriétaire terrien de l'ouest, qu'il avait opérée pour une simple appendicite. La gamine n'avait cessé, depuis son réveil, de se plaindre de maux de ventre plus terribles encore qu'avant l'opération. Orgueilleux, Amiel avait refusé de pratiquer de nouveaux examens ou de lui ouvrir à nouveau l'abdomen, arguant qu'elle surjouait une douleur successive à la chirurgie. L'enfant était morte quelques jours plus tard, victime d'une hémorragie interne massive que l'autopsie avait attribuée à une mauvaise suture du côlon.

Le procès de Davis Amiel aurait dû se conclure par une interdiction d'exercer, assortie d'une lourde peine. Mais son dossier avait tout bonnement disparu dans les méandres de l'administration. Le chirurgien avait seulement quitté l'unité 8 de pédiatrie pour aller charcuter les victimes de fractures et les boiteux de l'aile de traumato-orthopédie. On avait étouffé l'affaire. Comme par hasard, Candice Amiel travaillait alors au service du juge, et Maïa en avait découvert suffisamment sur cette affaire pour ruiner sa carrière et celle de son mari.

— Randall Fox vous hait, dit Maïa. Je veux juste savoir pourquoi.

— Qu'allez-vous faire de cette information ?

— Je la garderai pour moi.

— Pourquoi le *Citizen* s'intéresse-t-il à Fox ?

— Ce n'est pas le *Citizen*, madame Amiel. C'est moi.

La capitaine ralentit l'allure et contempla Maïa en essayant d'analyser le danger qu'elle représentait. Celle-ci décida d'enfoncer le clou :

— Je sais, pour cette jeune fille décédée à l'unité 8. Je sais aussi que cette histoire ferait beaucoup de bruit si elle était étalée au grand jour. Je veux juste connaître le lien qui vous unit à Randall Fox et je vous promets que je garderai cette information pour moi.

— Savez-vous qui je suis, mademoiselle ? Votre parole ne vaudra rien contre la mienne.

— Ah oui ? répliqua Maïa. Vous en êtes sûre ?

Amiel pinça les lèvres. Non, de toute évidence.

— J'étais présente au procès de Randall Fox, révéla-t-elle. J'ai participé à sa condamnation.

— Son procès ?

— Il a été accusé de complicité de trahison et assigné à résidence.

Maïa marqua un temps d'arrêt. Complicité envers... envers l'Enfant Papillon ? Son rythme cardiaque s'accéléra.

— Qu'avait-il fait ?

Candice Amiel s'assombrit et continua à marcher. Les deux femmes avaient parcouru le quartier dans toute sa longueur, et la silhouette massive de Tucumcari Center se profilait à l'horizon.

— C'était un élément perturbateur, dit-elle simplement.

Autrement dit, un dissident. Maïa sentait qu'elle n'obtiendrait pas grand-chose de plus d'Amiel. Cependant, ce dont Fox s'était rendu coupable importait peu. Elle voulait juste savoir où le trouver ; elle lui demanderait des explications en personne.

— Madame Amiel, vous avez dit que Fox avait été assigné à résidence...

— Je faisais partie du jury lors de son procès, et c'est ma déclaration qui a fait pencher la balance en faveur de cette assignation. Pas étonnant qu'il me haïsse.

— Donc Randall Fox est toujours enfermé chez lui, actuellement ?

— Pour ce que j'en sais, oui. Ça fait des années et des années qu'il est surveillé par le gouvernement et a interdiction de quitter son domicile.

— Où habite-t-il ?

La femme posa sur Maïa ses yeux ridés, d'un bleu plus triste encore que celui du lac à moitié vide.

— Je ne sais pas.

— Un peu de bonne volonté, madame Amiel...

La capitaine parut soudain vieille, infiniment vieille et lasse. Elle amorça un demi-tour pour repartir vers chez elle.

— Je vous jure que je ne sais pas où il vit. Je faisais partie du jury. J'ai convaincu le juge de l'assigner à résidence, mais après je n'ai plus jamais entendu parler de lui.

— Très bien.

— Vous allez révéler ce que vous savez sur l'unité 8 ?

Une peur vieille comme le monde vibrait dans les mots de Candice Amiel et Maïa comprit à quel point protéger son mari avait dû lui coûter. C'était une femme droite et, au fond d'elle, elle avait dû penser que Davis méritait sa punition. Mais elle l'aimait et elle avait choisi de sauver leur vie au détriment de ses convictions.

— Je ne dirai rien, lui assura Maïa. Je vous remercie.

Amiel tourna les talons sans un mot. Au bout de quelques pas, elle se figea et se retourna avec lenteur, les sourcils froncés.

— Mademoiselle… je me demandais où je vous avais déjà vue. Vous étiez présente au procès de Dimitri Bielinski.

Maïa sentit une pierre tomber au fond de son estomac.

— Et vous ne travaillez pas pour le *Citizen Voice*, n'est-ce pas ?

— Oubliez cette rencontre, capitaine Amiel, et j'oublierai ce qui s'est passé à l'unité 8.

Celle-ci hésita un instant, puis s'éloigna pour de bon. Maïa attendit qu'elle ait disparu pour repartir en sens inverse, l'esprit en ébullition. Elle savait ce qu'il lui restait à faire pour débusquer Randall Fox. Elle n'avait plus une minute à perdre. Et, si elle voulait réussir à remonter jusqu'à leur homme, elle aurait besoin d'aide. Celle de Nathanaël… et celle de Dimitri.

CHAPITRE 26
J-10

— Salut !

Nathanaël esquissa un sourire et s'effaça pour laisser entrer Maïa.

— Tu te plais, ici ? demanda-t-elle au Lazul, qui verrouillait la porte derrière eux.

— C'est grand. Immense. Et confortable, aussi. Comme planque, il y a pire…

Maïa caressa le salon du regard, prise à la gorge par des souvenirs récents mais qui auraient aussi bien pu appartenir à un passé lointain. Le mobilier, coûteux et spartiate, témoignait de l'amour de l'ex-lieutenant-colonel pour la simplicité et le confort. Une table basse en fer forgé occupait un coin de la vaste pièce et une imposante bibliothèque trônait près de la porte d'entrée. Des lattes de bois recouvraient le sol, un luxe dans une ville où la plupart des habitations se contentaient d'un sol en terre battue. Aucune fioriture. Pas la moindre trace d'une présence féminine non plus ; quand Dimitri flirtait, il découchait.

La jeune fille secoua la tête pour chasser sa nostalgie et tendit un sac fermé par une corde à Nathanaël.

— Tiens, cadeau.

— Qu'est-ce que c'est ?

— Notre prochaine étape.

Le Lazul, perplexe, déplia une combinaison bleu pétrole marquée du logo rouge de Tucumcari Center.

— Un... uniforme ?

— Celui des hommes d'entretien du QG. Tu n'es pas sans savoir que le gouvernement n'emploie que des Lazuli pour ce boulot.

— Je sens venir l'embrouille...

— C'est bien, tu as l'instinct de survie, ricana Maïa.

— Tu veux que je mette ça pour m'infiltrer dans Tucumcari Center ?

— Bingo.

Nathanaël la regarda comme si elle lui avait ordonné de coller une droite au général White en personne.

— Maïa, euh...

La jeune fille lui opposa un visage imperturbable.

— Comment te dire ? Je tiens à la vie. Un peu.

— Personne ne te remarquera. Les Lazuli au QG, c'est comme ailleurs : personne ne les voit.

— Le QG, c'est ton territoire. Si tu me demandes d'y agir à ta place, ça n'augure rien de bon pour mes chances de survie...

— Tu dois aller parler à Dimitri. Moi, je n'en ai plus le droit.

— Pour quoi faire ?

— J'ai vu Candice Amiel, expliqua Maïa. Elle est capitaine au gouvernement et Fox la hait parce qu'elle l'a fait assigner à résidence.

Les yeux de Nathanaël s'arrondirent.

— Alors ça veut dire que Fox est...

— Il est vivant et enfermé quelque part depuis son procès. Mais Amiel ne sait pas où.

— Et que vient faire Dimitri là-dedans ?

— Fox a été jugé en tant qu'« élément perturbateur ». C'est comme ça qu'on appelle les dissidents surveillés par les Renseignements mais dont on n'a jamais pu prouver la culpabilité. Tous leurs dossiers se trouvent aux archives du tribunal.

Nathanaël s'arracha à la contemplation de l'uniforme et la gratifia d'une moue sceptique.

— Ah. Et... ?

— La porte de la salle des archives du tribunal est l'une des mieux gardées de Tucumcari Center. On y entre grâce à un code qui change régulièrement et que seuls certains membres du service d'Administration Judiciaire et des Renseignements connaissent.

— Dont Dimitri, c'est ça ?

— J'en suis presque sûre.

— Donc tu veux que je m'infiltre dans les geôles pour récupérer ce code ?

— Dimitri se trouve dans la dernière cellule sur la droite. Il est blond, cheveux courts, avec des yeux bleus et des lunettes...

— Maïa, c'est du suicide.

— C'est notre seul moyen de remonter jusqu'à Fox...

Nathanaël poussa un soupir et se dirigea vers la chambre de Dimitri. Maïa l'observa à la dérobée alors qu'il enlevait sa tunique. Les muscles plats, ciselés, de son dos roulaient à chaque mouvement, comme des entités dotées d'une vie propre grouillant sous sa peau blafarde. Elle discerna une cicatrice rosâtre au-dessus de sa hanche gauche et éprouva soudain l'envie de la toucher, de connaître son histoire et de comprendre sa douleur. Un peu à contrecœur, elle reconnut une grâce sans bornes à sa nuque pâle, à l'accord parfait qu'elle formait avec le bleu pur de ses cheveux, et son cœur se serra.

Elle se détourna vivement, troublée par la chaleur qui montait à ses joues. Elle savait depuis un moment qu'elle ne voyait pas qu'un Lazul en Nathanaël. Elle l'appréciait, le respectait en dépit de ses origines et en tirait même une certaine fierté. Mais là... les choses lui échappaient et elle avait peur. Peur de cette jalousie qu'elle avait ressentie face à la Lazule croisée dans le ghetto, de ce frisson à la vue des courbes sèches du jeune homme, de sa crainte grandissante à l'idée qu'il lui arrive quelque chose.

Tomber amoureuse d'un Lazul la terrifiait.

Son regard dériva vers le comptoir près de l'évier, dans le coin cuisine, et un petit sourire se dessina sur ses lèvres.

— Nate... qu'est-ce que c'est que ça ?

Elle désigna un bol en terre cuite posé à côté de l'évier. Brisé en trois morceaux, avec le fond couvert de gruau de maïs séché. Le Lazul la regarda à travers la porte entrouverte et haussa les épaules.

— Je croyais que tu l'avais compris : je suis le prédateur numéro un de la vaisselle de cette Cité.

— Irrécupérable... Tu veux une tisane ?

— Ouais.

La jeune fille se retourna sur Nathanaël, qui l'avait rejointe dans la cuisine, et émit un rire moqueur.

— Quoi ? grogna le jeune homme.

— Je me suis trompée de taille, je crois...

Nathanaël considéra les manches trop longues de l'uniforme, qui pendait sur sa carcasse étroite comme sur un épouvantail. Il pinça les lèvres, déconfit.

— Je crois aussi. Tu m'as confondu avec Zéphyr, ou quoi ?

— J'ai pris ce que j'ai pu... Tu veux bien faire infuser le pissenlit ?

Le Lazul s'exécuta alors que Maïa fouillait dans les placards à la recherche de tasses rescapées. Elle dénicha la vaisselle dans un meuble installé, en toute logique, près de la bibliothèque. Une enveloppe coincée sous une petite pile d'assiettes attira son attention. Dimitri n'était pas spécialement ordonné, mais la présence d'une missive dans un tel endroit évoquait plus un souci de discrétion qu'une allergie au rangement.

Elle saisit la lettre avec précaution et reconnut l'écriture ronde, appliquée, de Tobias. L'enveloppe, dûment cachetée, portait l'adresse de Dimitri mais pas celle de l'expéditeur, et Maïa s'étonna que les deux hommes aient utilisé un moyen si trivial pour communiquer. Alors que Nathanaël continuait de s'agiter en cuisine, elle s'assit par terre et déplia la lettre.

Les mots que son père avait adressés à son meilleur ami reflétaient sa simplicité ; à l'inverse de Dimitri, beau parleur capable de séduire à peu près n'importe qui, Tobias se distinguait par sa mesure, sa réserve. Après s'être enquis de l'humeur de son ami, il lui avait parlé d'Andy, plus turbulent que jamais, et de Maïa qui, à quatorze ans, s'interrogeait sur son futur. Entrerait-elle dans l'armée à son tour ? Elle en avait les capacités, et son tempérament de fauve augurait un beau parcours.

Maïa interrompit sa lecture, secouée par la tendresse qui émanait des mots de son père. La lettre datait de quelques mois avant sa mort, et constater que Dimitri la cachait encore comme le plus précieux des trésors la bouleversait. Pour lui aussi, le deuil avait été difficile.

La missive se terminait par des salutations chaleureuses et, sous le paraphe, on avait griffonné le numéro 17-996-B. Maïa ne doutait pas que Tobias et Dimitri aient communiqué grâce à des codes élaborés, connus d'eux seuls, et ce chiffre en était probablement un. Elle renonça à le décrypter, convaincue que toute tentative serait vaine.

— Hé, qu'est-ce que tu fais ?

Elle sursauta, surprise par la proximité de Nathanaël.

— J'ai trouvé ça en cherchant des tasses, expliqua-t-elle en désignant la lettre. C'est mon père qui l'avait écrite à Dimitri…

— Ton père ?

— Il était major dans l'armée. Et il a explosé en même temps qu'une conduite de gaz lors d'une garde à Tucumcari Center, il y a trois ans.

— Oh, désolé.

Maïa sourit et replia la lettre avec délicatesse avant de la ranger sous la pile d'assiettes.

— Ça va, j'ai appris à vivre avec… sans lui.

La remarque avait des airs de mensonge, mais elle n'y prêta pas attention. Et, si Nathanaël le sentit, il n'en laissa rien paraître. La jeune fille récupéra deux tasses dans le meuble et se releva.

— Donne-les-moi, fit le Lazul alors qu'elle se dirigeait vers la cuisine.

— Pas question ! Dimitri m'en voudrait si on réduisait toute sa vaisselle en miettes.

— T'es lourde, hein.

— Et toi, t'es un tout petit peu susceptible.

Elle remplit les deux tasses de tisane et les posa sur la table basse.

— Je ne suis pas si maladroit que ça, protesta Nathanaël. À t'entendre, je casse tout ce que je touche.

— Pas tout, Nate. Mais presque.

CHAPITRE 27
J-9

Tucumcari Center ressemblait à une fourmilière attaquée au lance-flamme ; en dépit de la chaleur atroce qui régnait dans ses couloirs, ses occupants s'agitaient en permanence. Nathanaël se demandait vaguement quelle mouche avait piqué les pontes du gouvernement pour qu'ils décident d'attribuer un uniforme bleu à manches longues à leur personnel d'entretien. Déjà l'idée d'infiltrer le QG ne le ravissait pas beaucoup, mais le fait de baigner dans son jus à cause de ces stupides vêtements le mettait d'humeur totalement massacrante.

Armé d'une pelle et d'un balai, il n'avait eu aucun mal à repérer l'escalier qui conduisait aux geôles et l'avait descendu en époussetant les marches sans conviction. Celles-ci étaient d'une propreté impeccable et, même si Maïa lui avait assuré que le passage du précédent nettoyeur datait de plusieurs jours, il craignait que le fait de récurer un escalier qui n'en avait nul besoin le fasse paraître suspect.

Un maton efflanqué aux cheveux flamboyants montait la garde devant les premières cellules. Conformément à son rôle, le Lazul le croisa tête basse, les yeux rivés au sol, et balaya le plus gros de la poussière sans comprendre l'intérêt de nettoyer de la terre battue. En avançant vers le fond des cellules, il sentit le regard des prisonniers sur lui. La plupart d'entre eux étaient trop abrutis par la chaleur pour lui exprimer leur mépris, mais l'un d'eux trouva quand même l'énergie d'exercer le sport national en l'insultant. Nathanaël repéra Dimitri dans la dernière cellule sur sa droite. Assis sur sa paillasse, les épaules voûtées et le regard lointain, celui-ci correspondait en tous points à la description de Maïa, exception faite des bleus et des écorchures visibles sur chaque zone découverte de sa peau.

Nathanaël se figea devant la grille, frappé par la prestance du prisonnier, qui, même réduit à l'impuissance, semblait intouchable, étranger au monde bancal et pourrissant dans lequel il se trouvait.

Dimitri s'aperçut enfin de sa présence et leva la tête dans sa direction. Leurs regards se croisèrent, puis Nathanaël s'absorba de nouveau dans sa tâche en veillant à faire le plus de bruit possible avec son balai.

— Je travaille avec Maïa, murmura-t-il.

La surprise et l'irritation se peignirent sur le visage de Dimitri. Il remonta ses lunettes sur son nez avant de fixer la cloison de sa cellule, l'air contrarié.

— Dis-lui de se tenir tranquille, Lazul.

— Nous avons besoin du code des archives du tribunal.

Dimitri fronça les sourcils. Nathanaël supposa qu'il avait tiqué sur le « nous », mais qu'il était assez intelligent pour ne pas en faire son problème principal.

— Dis-lui d'attendre le Châtiment, répéta Dimitri.

— Je poursuis le même but qu'elle, et ni elle ni moi n'avons l'intention d'attendre. L'Enfant Papillon est dans cette salle. Donc… le code, Dimitri.

Nathanaël sentait le regard du maton posé sur sa nuque. Dimitri garda le silence, et une nouvelle vague de sueur imprégna l'uniforme du Lazul.

— Dimitri ! souffla-t-il.

Il posa de nouveau les yeux sur le prisonnier, s'attendant à découvrir un ex-soldat aussi buté que sa protégée, mais ne vit qu'un homme ébranlé par les mots qu'il venait d'entendre. Il passa une main dans ses cheveux, sales et maculés de sang au-dessus de l'oreille.

— Je ne l'ai pas, chuchota-t-il enfin.

— Maïa est sûre du contraire. Je comprends que tu veuilles la protéger mais, là, tu nous mets tous les trois en danger.

Soudain, le maton se mit en mouvement dans son dos. Nathanaël serra les dents.

— Non… je te jure que je n'en sais rien, souffla Dimitri. Désolé.

— Hé, toi ! s'exclama le rouquin en s'approchant. Il est interdit de parler aux prisonniers !

Nathanaël se colla à la grille :

— Un peu de bonne volonté, bordel.

— J'en sais rien, je te dis !

Le soldat arrivait à leur hauteur ; il empoigna Nathanaël par le col.

— Hé, Lazul ! Je t'ai parlé !

Nathanaël se raidit, prêt à parer un coup, mais le jeune roux se contenta de le secouer comme un prunier.

— C'est bon, soldat Taylor, intervint Dimitri. C'est moi qui lui ai demandé l'heure.

Le maton le regarda avec ce que Nathanaël interpréta comme de la tristesse mêlée d'amertume. Puis il se détourna de lui et reporta son attention sur le Lazul, qu'il dévisagea longuement.

— Je ne t'ai jamais vu ici, toi. Ton matricule ?

— Euh… 6016-E, tenta Nathanaël.

Naturellement, Maïa n'avait pas pris la peine de lui parler de l'existence de matricules d'identification.

— Pas ton numéro, Lazul, je sais lire ! Ton matricule. Et vite.

— 3… 32-4147.

Nathanaël pria pour avoir visé assez juste et échapper aux soupçons, mais l'expression du rouquin anéantit ses espoirs. De toute évidence, les matricules des Lazuli n'étaient pas un numéro à six chiffres.

— Tu te fiches de moi, Lazul ? Suis-moi, je t'emmène au lieutenant McKenzie.

Nathanaël retint de justesse un soupir exaspéré et croisa le regard de Dimitri avant de suivre le maton, docile. Si celui-ci le conduisait à son supérieur et découvrait la supercherie, il aurait de très, très gros ennuis. Son pouls s'emballa alors qu'il revenait vers les escaliers sur les talons du roux, qui se retournait tous les trois mètres pour vérifier qu'il suivait. Il tenta de museler sa peur afin de garder l'esprit clair et d'élaborer un mensonge assez convaincant pour lui sauver la mise.

Mais la terreur à l'idée de se retrouver aux mains de quelqu'un de décidé à le punir, comme tant de fois auparavant, réveilla sa nature profonde : celle d'un animal traqué. Ses perceptions s'aiguisèrent. Il y avait deux, non, trois autres soldats dans les parages. L'un montait la garde à l'entrée, l'autre sommeillait derrière le comptoir de l'accueil et le dernier passait d'une aile à une autre, une montagne de dossiers dans les bras. La double porte de sortie se trouvait à droite de Nathanaël, à environ cinq mètres. Le maton regarda de nouveau par-dessus son épaule et, lorsqu'il détourna enfin les yeux, le Lazul s'élança.

En quelques foulées, il atteignit la porte vitrée : le roux se mit à hurler au moment où il se jetait dessus pour l'ouvrir. Il se rua dehors à toute vitesse, porté par son adrénaline de proie pourchassée. Il avait déjà parcouru vingt mètres quand les soldats se lancèrent à sa poursuite en beuglant ; mais Nathanaël maîtrisait mieux que personne l'art d'échapper aux prédateurs. Il emprunta les ruelles étroites du quartier résidentiel en opérant de brusques changements de cap, sans jamais ralentir. Il connaissait mal cette partie de la ville (son territoire se limitait aux zones inférieures du quartier est et au ghetto), mais s'orienta sans difficulté dans le dédale.

Les cris des soldats décrurent à l'entrée de la Première Rue et se turent quand il croisa la Rue K. Il estima les avoir semés quand un silence absolu retomba autour de lui. Il ralentit un peu l'allure, un point de côté lui déchirant le flanc, et amorça un retour vers la Huitième Rue, dont il avait pris soin de s'éloigner pour ne pas attirer l'attention sur la maison de Dimitri. Après avoir une dernière fois vérifié qu'il n'était pas suivi, il en poussa la porte et baissa tous les stores avant de s'écrouler sur la paillasse, les jambes agitées de tremblements et le cœur si affolé qu'il lui faisait mal à chaque battement. Il détestait que son corps le mette ainsi au supplice, mais se résigna ; la saison sèche lui était défavorable, et il savait que sa santé ne s'améliorerait pas avant le début des pluies et la baisse des températures.

Son pouls mit plusieurs minutes à retrouver un rythme normal, et l'ampleur de la catastrophe lui apparut enfin. Non seulement Dimitri n'avait pas pu lui donner le code de la salle des archives, mais en plus ils avaient attiré sur eux une attention dont ils se seraient bien passés.

Il se retourna sur le dos, se passa une main sur le visage.

— Et merde...

*

Je travaille avec Maïa.

Dimitri se prit la tête à deux mains alors que la panique déferlait en lui. Taylor avait embarqué le Lazul plusieurs heures plus tôt et avait repris sa place à l'entrée des geôles sans un regard pour ses prisonniers. Sa contrariété crevait les yeux et Dimitri se prit à espérer que le Lazul 6016-E avait réussi à s'en tirer ; non pas qu'il ait eut de la considération pour ceux de son espèce, mais il venait de la part de Maïa. Et Dimitri voulait plus que tout éviter qu'elle ait des ennuis.

Nous avons besoin du code de la salle des archives.

Qu'était-elle en train de faire ? Il lui avait pourtant ordonné de se tenir tranquille. En essayant de le sauver, elle se condamnait elle aussi au Châtiment, rien de plus. Il se leva d'un bond et arpenta sa cellule pour se calmer.

L'Enfant Papillon est dans cette salle.

Quand la garde l'avait emmené sous les yeux de Maïa, presque un mois plus tôt, sa première pensée avait été que jamais il ne laisserait sa protégée subir le même sort que lui. Il la savait capable de débusquer l'Enfant Papillon, dont lui-même s'approchait au moment de son arrestation, mais certainement pas de le soustraire au Châtiment sans en payer les conséquences.

C'était d'ailleurs pour cela qu'il avait accepté de pactiser avec Johnson : en se rangeant aux côtés du crotale, il trahissait Maïa et s'assurait qu'elle l'abandonnerait. En principe. Il se figea devant les barreaux, dépité. S'il en croyait le Lazul, Maïa n'avait jamais cessé de poursuivre son but, insensible à ses tentatives pour la dissuader. Peut-être n'avait-elle même pas cru à son rapprochement avec Johnson ; ou elle avait décidé de ne pas en tenir compte et de le libérer coûte que coûte.

Ce qu'elle avait accompli dépassait les espérances de Dimitri. Les archives du tribunal ? Que pensait-elle y trouver ? L'espace d'un instant, il se prit à espérer qu'elle ait vu loin, bien plus loin que lui, et qu'elle soit effectivement tout près de l'Enfant Papillon.

Tout près de lui offrir ce salut auquel il ne croyait plus.

Il referma les doigts autour de la grille et baissa les yeux vers le sol. Il voulait la protéger mais, en réalité, il avait peur. Un part de lui, profonde et irrationnelle, priait pour que Maïa le sauve, quitte à risquer sa vie ; et il se haïssait pour cela. Il fit de son mieux pour réduire cette voix au silence, pour trouver un autre moyen de la tenir à distance du drame qui allait se jouer dans la salle des tortures de Tucumcari Center dans moins de deux semaines, mais l'évidence s'imposa à lui : il avait envie de croire en elle. Il avait envie de prier pour qu'elle engendre un miracle et lui fasse quitter la Cité.

Pour cela, elle avait besoin d'un minuscule coup de pouce. Une aide qu'il pouvait lui apporter, mais qui aurait pour conséquence de la condamner au même sort que lui. Il serra le poing autour du barreau jusqu'à en avoir mal.

— Soldat Taylor ! appela-t-il d'une voix prête à se briser sous le poids de la culpabilité.

Le roux se retourna et fronça les sourcils.

— Soldat Taylor, s'il vous plaît !

D'un pas hésitant, le troufion remonta les geôles jusqu'à lui et s'arrêta devant la cellule, le regard fuyant.

— Quoi ?

— J'ai besoin de votre aide, soldat.

— Qui était ce Lazul ?

Dimitri, désemparé par le subtil mélange de colère et de chagrin dans la voix du soldat, secoua la tête.

— Je n'en sais rien, soldat Taylor.

— Qu'est-ce qu'il voulait ?

— Il n'a pas eu le temps de me le demander.

— Vous complotez encore contre le gouvernement, m'sieur Bielinski ?

Dimitri garda le silence. Mentir à Taylor n'aurait servi à rien, et il n'en avait aucune envie. Pas maintenant, alors qu'il vomissait sa lâcheté et son égoïsme.

— J'ai besoin de votre aide, répéta Dimitri. J'ai besoin que vous apportiez ça à un ami.

Il brandit un morceau d'une page du *Citizen Voice* – un exemplaire datant de plusieurs jours, qui relatait la saisie de la réserve d'armes à laquelle il avait participé. Taylor le saisit et examina le message que Dimitri avait griffonné dans la marge sans en comprendre le sens, puis contempla le prisonnier avec dégoût.

— Qu'est-ce que c'est ?

— Vous ne voulez pas le savoir. Coincez-le entre les deux panneaux de bois du plan de la Cité, à l'entrée du quartier.

— C'est... c'est pour ce Lazul ?

— Non.

— Pour qui ?

— Peu importe.

Taylor chiffonna le message et le jeta à ses pieds.

— Je ne vous aiderai pas à détruire la Cité de l'intérieur, m'sieur Bielinski. Maintenant, taisez-vous et restez tranquille si vous ne voulez pas que j'avertisse le colonel Johnson.

Et il tourna les talons pour revenir à son poste.

— Soldat Taylor, vous êtes un homme d'honneur...

Celui-ci pivota avec lenteur pour faire de nouveau face au prisonnier.

— Je vous propose d'honorer votre dette maintenant, annonça Dimitri d'une voix sourde.

Taylor n'aurait pas paru plus choqué s'il avait reçu un coup de poignard en pleine poitrine. Dimitri lui avait évité de gros ennuis lorsqu'il avait égaré des documents de catégorie 2, peu de temps après son entrée dans l'armée, et il lui en avait toujours été reconnaissant. Avant cet épisode, déjà, l'aura qui flottait autour du lieutenant-colonel avait fait naître en Taylor un sentiment proche de l'adoration. Son aide lors de la perte des documents avait achevé de ranger le jeune soldat dans son camp ; pour toujours, avait cru Taylor, qui n'avait alors eu de cesse de chercher un moyen de rembourser sa dette.

Ce moyen se présentait aujourd'hui. Alors qu'il se sentait trahi par les actes de Dimitri, alors qu'il voulait oublier l'estime qu'il avait eue pour lui et être assez loyal envers la Cité pour le voir comme un monstre. Il se baissa et enferma le bout de papier dans sa main. Il voyait flou et sa gorge le brûlait lorsqu'il plongea à nouveau dans le bleu triste des yeux de Dimitri.

— Je vous aimais, m'sieur Bielinski.

Et il repartit se poster à l'entrée des geôles, le message au creux du poing.

CHAPITRE 28

J-9

— Tu es sérieux ?

Nathanaël fusilla Maïa du regard et s'avachit sur son canapé, dans le salon de Dimitri.

— Crois-moi, c'est trop douloureux pour être une plaisanterie.

— Il t'a dit qu'il n'avait pas le code ?

— Exactement. Et je me suis fait griller et poursuivre par une meute de soldats dans tout le quartier.

— Ils ne t'ont pas suivi jusqu'ici, au moins ?

— Tu me prends pour un demeuré, ou quoi ? Je les ai semés.

Maïa lâcha un profond soupir et se laissa tomber à côté du Lazul.

— Il ne reste que neuf jours…

— Il était dans un sale état, ton Dimitri.

— Merci de me remonter le moral, Nate.

— Les archives du tribunal sont notre seule chance de retrouver Fox. On doit y aller quand même.

— Et comment on ouvre la porte, sans le code ?

Nathanaël se tourna vers elle, agacé.

— Tu ne nous aides pas beaucoup, là. Un peu de nerf.

Maïa retint une réplique assassine et ses épaules s'affaissèrent. Cet échec avait sapé toute son énergie et l'urgence de la situation la paniquait. Elle ne voyait plus d'issue ni de solution à leur problème, mais Nathanaël avait raison : gémir ne servirait à rien.

— On va attaquer de front, déclara-t-elle. On s'infiltre dans le QG pendant le créneau horaire où la porte n'est plus gardée et on la force.

— Et on meurt si ça déclenche une alarme, soupira Nathanaël. Charmant.

— Tu as mieux à proposer ?

Le Lazul secoua la tête.

— Les chances de succès sont infimes, mais on n'a que ça, reconnut-il. Et puis, Zéphyr sera ravi qu'il y ait enfin un peu d'action.

— Il va falloir qu'il s'occupe du soldat qui le surveille et qu'il nous rejoigne ici, pensa Maïa à voix haute. Ensuite, on se rend au QG...

— Une fois là-bas, on fait comment ?

— On neutralise les gardiens pour éviter de déclencher l'alarme. Il y en a deux devant les portes principales. Deux dans la salle de contrôle. Une quinzaine en patrouille et à divers postes dans tout le QG aux heures creuses. Impossible de prévoir leur position.

— C'est risqué...

Maïa acquiesça pensivement.

— Zéphyr et toi devriez rester en retrait.

— Pour venir à ta rescousse quand tu seras dans le pétrin ? grogna Nathanaël. Laisse tomber. Tu disais donc : deux hommes à neutraliser à l'entrée, et ?

— Et ceux qu'on croisera sur notre route. Les deux de la salle de contrôle ne relaieront l'alerte que si on est découverts. Si on est discrets, on n'a rien à craindre d'eux.

— Et la sortie ?

Maïa se massa la nuque, embarrassée.

— Là, ça va être compliqué. La salle est au deuxième étage, donc on est obligés de redescendre au rez-de-chaussée pour sortir. Il y a une petite porte au fond de l'aile nord. Personne ne l'utilise jamais, donc la surveillance doit y être moindre…

— Pourquoi ne pas entrer par là, alors ?

— C'est une porte blindée, fermée de l'intérieur.

— En gros, résuma Nathanaël, on entre sans se faire repérer, on récupère le dossier sur Randall Fox et on repart discrètement…

— Après ça, quoi qu'il se passe, souffla-t-elle, on ne pourra plus faire marche arrière.

— Je n'en avais pas l'intention, répliqua fermement Nathanaël.

Elle ne répondit pas tout de suite. Elle était assise si près de lui qu'elle pouvait sentir sa chaleur, son parfum. Elle ferma les yeux.

— Peut-être qu'on devrait tout arrêter…

— Qu'est-ce que tu racontes ?

La réponse avait fusé, implacable.

— Il y a trop de risques…

— Tu ne doutais pas autant, il y a quelque temps.

Elle se sentit rougir. Elle n'avait jamais autant douté, parce que…

— … avant, j'étais seule.

Le rire que lâcha Nathanaël ressemblait à un aboiement.

— Tu t'inquiètes pour Zéphyr et moi ? T'en fais pas. On est des moins que rien, tous les deux. On n'a rien à perdre. Ce n'est pas grave si on...

— Non !

Le Lazul se raidit, visiblement mécontent.

— C'est la vérité. On peut mourir demain, personne ne...

— Ce n'est pas vrai, bredouilla Maïa.

Les paroles de Nathanaël lui brisaient le cœur.

— Si tu mourais, moi je...

Les mots se coincèrent dans sa gorge. En elle, la révolte le disputait à la tristesse. Elle soutint le regard vif du Lazul et y vit le spectre du virus. Elle l'imagina dans vingt, trente ans, peut-être moins, et l'image d'un homme agonisant s'imposa à elle. Sa beauté à fleur de peau défigurée, son âme hurlante réduite au silence.

Pour la première fois, elle réalisa que la mort faucherait Nathanaël trop tôt, trop vite. À l'instar des autres Lazuli, il succomberait au virus dans la fleur de l'âge. Et la désinvolture du jeune homme face à sa propre mort la tétanisait. Comme si, au fond, il avait déjà capitulé. Comme s'il était déjà loin. Elle se leva brusquement.

— J'y vais, annonça-t-elle. Je contacte Zéphyr et je reviendrai demain, juste avant la nuit.

*

Maïa erra dans les rues jusqu'à avoir calmé les émotions dévastatrices qui l'avaient poussée à fuir la présence de Nathanaël et auxquelles elle ne voulait surtout pas penser. Quand elle eut retrouvé un peu de lucidité, elle rentra chez elle et y répéta son plan d'action en envisageant toutes les possibilités. Puis elle s'installa à sa table, étreinte par un pressentiment soudain.

Sa quête arrivait à un tournant décisif. Peu importait de quoi serait fait l'avenir ; si elle infiltrait les archives du tribunal, elle se ferait repérer. Au mieux, l'armée mettrait assez de temps à remarquer son passage pour lui laisser le temps de fuir. Au pire, elle finirait dans les geôles la nuit même de l'expédition. Dans tous les cas, elle devait prendre ses précautions. Assurer la suite pour ceux qu'elle laissait derrière.

Un poids se logea au creux de son estomac. Elle savait dès le départ que, en sauvant Dimitri, elle se condamnait à l'exil et devrait abandonner sa mère et son frère sans un adieu. Elle avait fini par accepter l'idée, pas le remords qu'engendrait sa décision. Elle devait faire en sorte que l'armée laisse sa famille en paix après son départ.

Elle tira une feuille d'une commode, reprit son crayon et inspira à fond.

Puis elle se mit à écrire.

CHAPITRE 29
J-9

Nathanaël attendit de longues minutes avant de se lever. Il voulait être sûr que Maïa était partie pour de bon. Son cœur battait à lui briser les côtes et le sang tapait dans son crâne, lui donnant la nausée.

Si tu mourais, moi je...

— Merde !

Il se leva d'un bond et frappa le mur de toutes ses forces. Une douleur fulgurante lui traversa le poing, et il se sentit stupide mais pas calmé pour autant.

— Aïe !

Il était furieux. Furieux contre Maïa, qui abattait toutes ses défenses. Ses sourires hésitants le touchaient en plein cœur sans qu'elle s'en aperçoive, et il la détestait pour ça.

Mais celui qu'il haïssait le plus, c'était lui-même.

Parce qu'il avait peur.

Il était terrifié à l'idée de lâcher prise, d'accepter un futur heureux ; la chute, quand le virus le faucherait, serait alors bien trop rude.

Les excuses qu'il donnait à Zéphyr pour ne pas s'engager n'étaient qu'à moitié vraies : il craignait la pitié, mais encore plus l'idée de goûter au bonheur puis d'en être privé.

Maïa lui montrait qu'elle pouvait déplacer des montagnes et qu'elle le ferait pour eux deux. Mais il n'avait pas le courage de la suivre. En s'enfermant dans sa solitude, il réussirait peut-être à affronter son agonie...

Sa colère retomba, laissant place à un sentiment de malaise. Seul comptait son rêve de liberté. Rien d'autre ne devait s'insinuer en lui. Ou il ne s'en remettrait pas.

*

Le sous-lieutenant Lewis Hazel trébucha dans une ornière qu'il n'avait pas vue à cause de l'obscurité. L'homme qui le guidait lui colla une gifle à l'arrière du crâne pour le faire avancer. Ils avaient atteint le désert depuis plusieurs minutes déjà et s'éloignaient toujours plus des lumières rassurantes de la Cité. Hazel réprima un frisson. Les prédateurs nocturnes rôdaient, et il n'avait aucune envie de tomber sur un serpent à sonnette ou l'un des scorpions plus gros que le pied qui traînaient dans le coin.

Le type, dans son dos, ne semblait pas inquiet. Hazel pouvait entendre son souffle régulier, paisible. L'homme l'avait surpris alors qu'il rentrait chez lui après une interminable garde à Tucumcari Center. Dissimulé par une capuche et un foulard beige, il avait collé le canon d'un Springs contre ses reins et lui avait ordonné de rejoindre le désert. Hazel avait obéi, conscient que, sans arme ni moyen d'alerter des renforts, toute tentative de rébellion serait fatale.

D'une poussée de la main, l'homme lui indiqua la direction d'un énorme cactus éclairé par la lune, à une centaine de mètres sur sa gauche. Quand ils furent devant la plante, qui mesurait plus de deux mètres et arborait de magnifiques fleurs blanches, l'homme jeta un objet à leurs pieds. Hazel plissa les yeux et reconnut une pelle.

— Maintenant, tu creuses.

— Hein ? fit le soldat. Mais…

Le Springs quitta ses reins pour venir se coller sur son crâne. Le type remonta le foulard sur son nez et sa voix retentit, étouffée par le tissu :

— Tu creuses, j'ai dit.

Hazel planta la pelle dans la caillasse alors qu'un premier filet de sueur dégoulinait entre ses omoplates.

Deux heures plus tard, il avait les bras en feu, plus une goutte d'eau dans le corps et une idée assez précise de l'usage qui allait être fait du trou qu'il venait de creuser. Et il n'avait pas l'intention de se laisser tuer comme ça. Il referma les doigts sur le manche de la pelle : l'énergie du désespoir hurlait en lui.

— C'est bon, fit l'homme dans son dos. Ça suffit.

Hazel bloqua sa respiration, prêt à frapper avant que le Springs le cueille.

— Lewis Hazel, tu viens de creuser une tombe. Et tu sais quoi ?

Encore quelques secondes, songea le soldat. Une, deux…

— Cette tombe, elle n'est pas pour toi.

Hazel relâcha instinctivement sa prise sur la pelle, alors que l'homme continuait de parler :

— Cette tombe, elle est pour ta fille. Ta fille de quatre ans qui s'appelle… mmm… Elena, c'est ça ? Si tu ne fais pas exactement ce que je te dis, si tu tentes quoi que ce soit avec cette pelle, si tu imagines un seul instant pouvoir m'échapper, je l'enlève à la sortie de l'école et je la fourre dans ce trou sans même attendre la nuit. Est-ce que tu as compris ?

— O… oui.

— Parfait. Pour commencer, tu vas me donner cette pelle.

Hazel hésita un instant, puis tendit l'outil au type qui braquait toujours son arme sur lui.

— Sous-lieutenant Lewis Hazel, je crois savoir que tu tiens le bureau des archives du tribunal.

— Oui.

— Tu quittes ton poste tous les soirs à dix-neuf heures. Tu éteins toutes les lumières, tu branches les alarmes et tu verrouilles la porte avant de rentrer chez toi retrouver ta femme et ta fille Elena. J'ai tout bon ?

— Oui.

— Bien. Voici ce que je te demande, Lewis Hazel : pendant trois jours à compter de demain soir, tu vas oublier de fermer la porte et de brancher l'alarme des archives du tribunal. Suis-je clair ?

Hazel hocha lentement la tête.

— Dis-moi ce que tu vas faire, murmura l'homme.

— Je vais oublier de fermer la porte des archives du tribunal. Et de brancher l'alarme. Pendant trois jours.

— Très bien. Maintenant, tu vas t'asseoir au pied de ce cactus et tu vas regarder la ligne d'horizon, là-bas, pendant une heure. Et ensuite, tu pourras rentrer chez toi.

Hazel obtempéra. L'homme attendit quelques secondes, puis tourna les talons pour traverser à nouveau le désert et rejoindre les rues calmes du quartier est. Il abandonna sa veste à capuche et son foulard dans le premier container qu'il rencontra. Il repassa devant le plan de la Cité placardé sur un cadre de bois derrière lequel il avait trouvé le message de Dimitri plus tôt dans la journée.

Marcus Gilmore esquissa un sourire. Il désespérait d'avoir des nouvelles de son ami, mais ne s'attendait pas à lui servir de gros bras. Les archives du tribunal... que pensait-il y trouver ?

— Surprends-moi, Dimitri, lança-t-il alors aux étoiles blafardes.

Et il s'enferma chez lui, espérant que Lewis Hazel retrouverait son chemin dans le désert et suivrait ses instructions.

CHAPITRE 30
J-8

Les étourneaux piaillaient sur le rebord de la fenêtre, témoignant d'un enthousiasme presque obscène. Marthe Freeman leur jeta un regard noir. Le temps n'était pas à la joie de vivre.

Elle s'était assise à la table en fer forgé deux heures plus tôt, à la fin de sa journée de travail. Elle n'en avait pas bougé depuis. Andy était parti jouer aux cartes chez le voisin, et elle espérait qu'il y resterait le plus longtemps possible : elle ne se sentait pas le courage de lui annoncer la nouvelle.

Devant elle, deux lettres et une boîte d'allumettes ; une vie en lambeaux, déchiquetée sans avertissement. Les deux missives lui avaient été apportées par un homme qui ne venait pas de la Transmission du Courrier. Maigre, loqueteux, il avait dû être payé pour porter le message jusqu'aux plantations, en toute discrétion.

Marthe s'empara de la première lettre, couverte de l'écriture serrée de sa fille, et laissa glisser son regard sur ses mots d'adieu. Pour la énième fois, elle lut comment Maïa s'apprêtait à trahir la Cité et signer son arrêt de mort par la même occasion. Comment, pour sauver son mentor, elle allait partir ; le nom de Dimitri revenait souvent, perdu parmi les excuses et les mots d'amour. Celui de Tobias, souvenir encore brûlant, aussi. Marthe essuya une larme vagabonde, survola les paragraphes.

Elle relut une fois de plus la fin de la lettre : Maïa lui expliquait ce qu'elle avait prévu pour assurer la sécurité de sa famille. D'une simplicité diabolique. Marthe frissonna et s'empara de la seconde lettre. Une copie serait adressée à Tucumcari Center dès le lendemain, lançant une machine qu'il ne serait plus possible d'arrêter.

En termes sobres, la missive dénonçait la trahison du sous-lieutenant Maïa Freeman. Il n'y était nullement question de Dimitri Bielinski, évidemment. Selon la lettre, Maïa voulait se révolter contre la Cité, point final. Les soupçons étaient lapidaires, le ton neutre. En bas de la page, une main avait signé « Marthe Freeman ».

Marthe s'essuya les yeux. En se dénonçant ainsi, Maïa blanchissait sa famille, la mettant à l'abri des soupçons de l'armée. Pour le reste, elle n'avait plus qu'à se débrouiller. Sauver sa peau et celle de Dimitri, et fuir à jamais.

Marthe ne savait pas exactement ce qu'elle ressentait. Au-delà du chagrin, de la colère et du désespoir, au-delà de tous ces sentiments destructeurs oubliés depuis la mort de Tobias, au-delà même de la peur, il y avait en elle quelque chose de presque doux. Au fond, elle avait pressenti ce qui était arrivé.

Elle n'empêcherait pas Maïa de poursuivre sa quête. Elle n'en avait pas le pouvoir ; tout ce qu'elle pouvait faire, c'était prier pour que sa fille chérie réussisse. Le reste importait peu.

D'une main mal assurée, elle craqua une allumette et regarda les deux lettres, ultimes souvenirs de son trésor, se consumer lentement.

— Maman, ça va ?

Marthe se retourna vers la porte. Dans l'embrasure, Andy, treize ans et une mine perplexe à l'innocence déchirante. La chair de sa chair, tout ce qui lui restait. Marthe esquissa un sourire qu'elle espérait franc, réussit juste à verser de nouvelles larmes.

— C'est Maïa, dit-elle dans un souffle. On ne la reverra plus.

*

Dimitri reposa le bol de gruau à moitié plein à côté des grilles et s'allongea sur le dos. Son angoisse enfla à mesure que la température chutait dans sa cellule, annonçant la nuit. À l'heure qu'il était, Marcus avait sûrement transmis son message à Lewis Hazel. La machine était lancée et plus rien ne l'arrêterait. Que se passerait-il si Maïa parvenait à infiltrer la salle des archives ? Existait-il une seule chance que les choses se passent bien ? Il ferma les yeux et écouta les battements de son cœur. Chaotiques, angoissés.

— Toby… murmura-t-il au silence.

Depuis la mort de Tobias, il se réfugiait dans leurs souvenirs communs à chaque moment de doute. Il aimait croire qu'en parlant à son fantôme il redonnait vie aux cendres de son meilleur ami, s'assurait son soutien. Son approbation, aussi. Car jamais, depuis sa mort, il ne s'était senti plus seul ni plus désemparé.

— Toby, Maïa devient adulte. Et je crois que je ne suis plus capable de la protéger.

Il joignit les mains sur sa poitrine, dans une attitude de prière – ridicule venant de quelqu'un qui n'avait jamais cru en personne d'autre que Tobias et lui. Un mauvais pressentiment le tourmentait, et il aurait donné n'importe quoi pour être avec Maïa quand elle s'introduirait dans le QG. Au moins, être là si les choses tournaient mal...

— Je t'en prie, veille sur ta fille, Toby. Fais en sorte qu'il ne lui arrive rien.

*

Nathanaël détailla Maïa, plantée sur le pas de la porte, et émit un sifflement impressionné.

— Waou... L'uniforme ça te... euh... vieillit.

Maïa lissa les plis de son vêtement de service, rajusta la boucle de ceinture marquée du sceau de Tucumcari Center.

— Merci du compliment, grogna-t-elle. La tenue de camouflage me semble indispensable pour ce genre d'infiltration. (Elle entra et referma la porte derrière elle.) Zéphyr n'est pas là ?

— Pas encore. Tu as pu le voir ?

— J'ai envoyé quelqu'un lui transmettre le message et j'ai reçu sa réponse dans les deux heures. Il viendra.

Nathanaël hocha la tête et s'adossa à l'évier. Maïa sentit son regard posé sur elle.

— Ça va ?

— Ça ira mieux après, murmura-t-elle. Et toi ?

— Idem. Y aurait pas une bouteille d'alcool, par ici ?

Maïa émit un rire, puis un silence pesant s'interposa entre eux. Elle promena son regard dans la pièce en essayant d'ignorer les bonds de son pouls chaque fois qu'elle s'arrêtait sur Nathanaël. Le Lazul ouvrait les placards, en quête d'une boisson alcoolisée. Maïa déglutit avec difficulté. Plus rien ne serait jamais pareil. Peut-être se feraient-ils capturer ce soir... peut-être l'un d'entre eux serait-il tué.

Il fallait qu'elle le lui dise.

— Nate...

— Mmm ?

Depuis leur discussion, la veille, elle ne pensait qu'à ça ; et elle avait la sensation qu'une plaie s'ouvrait en elle dès qu'elle se trouvait loin de lui.

— Tu te rappelles ce que j'ai dit hier ?

— Euh... quand ? maugréa le Lazul en tâtant le fond d'un placard.

— Si tu mourais, je ne m'en remettrais pas.

Nathanaël se figea. Un instant, Maïa crut qu'il ne l'avait pas entendue, mais il se retourna finalement vers elle, l'air interdit. Puis il esquissa un sourire désabusé.

— Hé, Maïa, arrête de stresser. Ni Zéphyr ni moi n'allons mourir ce soir. Tout va bien se p...

— Il ne s'agit pas de Zéphyr ! s'exclama-t-elle sans parvenir à empêcher sa voix de trembler. Ni de ce soir. C'est toi...

Le Lazul se redressa avec raideur, les sourcils froncés. Maïa s'approcha de lui tel un automate, les perceptions brouillées et la poitrine douloureuse. Il fallait qu'elle le lui dise. Pour le retenir près d'elle, pour calmer les cris de son âme chaque fois qu'il n'était pas dans les parages. Et, même si mettre des mots sur ce sentiment la terrifiait, elle ne pouvait plus le retenir. Elle tendit une main tremblante, referma ses doigts bruns autour de ceux, blafards, de Nathanaël. Il ne se déroba pas.

— Je crois que je suis tombée amoureuse de toi, Nate...

Elle s'était attendue à presque tout, mais pas à ce qu'il retire sa main aussi vite, aussi violemment. Elle décrocha son regard du sol pour déchiffrer l'expression à la fois furieuse et apeurée de Nathanaël.

— Tu crois que c'est le moment ? fit-il sèchement.

Maïa eut un rire mouillé.

— Certes non. Mais, comme on n'est pas sûrs de se revoir après ce soir, je me suis dit que c'était maintenant ou jamais...

— Je suis un Lazul, Maïa.

— Je crois que j'avais remarqué, dit-elle d'une petite voix. Mais c'est moi que c'est censé gêner, pas toi.

— C'est de la pitié ?

Maïa avait prédit la remarque, mais elle l'irrita au plus haut point.

— Allons, Nate, ne sois pas stupide...

— Je vais devenir un légume, la coupa Nathanaël d'une voix forte. Et je mourrai alors que tu seras encore en âge de faire des enfants. L'expérience te tente, Maïa ? Te fous pas de moi !

La jeune fille vacilla, comme frappée en plein visage. Elle cligna des yeux, essayant de donner du sens à ce qu'elle venait d'entendre. Elle n'y parvint pas.

— Je... je sais tout ça, balbutia-t-elle. Mais je sais aussi que tu m'obsèdes, que je suis horriblement jalouse de cette Lazule qu'on a croisée dans le ghetto, que j'ai une peur panique à l'idée qu'il puisse t'arriver un truc ce soir. Et ça me rend malade.

Nathanaël ouvrit la bouche pour répliquer, mais se ravisa. Une souffrance à vif déformait les traits si fins de son visage. Maïa comprit que sa première impression ne l'avait pas trompée : Nathanaël se trouvait déjà loin, très loin d'elle, projeté en permanence dans un futur qui le dévorait vivant. Elle refoula un sanglot.

— Je ne t'aime pas, articula Nathanaël. Et je ne t'aimerai jamais.

Maïa serra les dents. *Bouge, s'ordonna-t-elle. Fais quelque chose. Avance, recule, parle. Tue ce silence avant de t'effondrer.* Elle esquissa un pauvre sourire :

— Ce serait bien que Zéphyr arrive, là…

Une larme roula sur sa joue. Elle se serait giflée. Au lieu de quoi, elle coassa de nouveau en espérant que son gémissement passe pour un rire.

— Désolée, c'est l'angoisse à l'idée de notre infiltration de ce soir. Je fais des choses bizarres.

— Ça suffit.

La colère avait déserté la voix de Nathanaël. Seule une souffrance intense, infinie, brillait dans ses yeux ; Maïa pria pour qu'ils ne se mettent pas tous les deux à pleurer. La situation était assez pitoyable comme ça.

Des coups retentirent contre la porte et Zéphyr se glissa dans la maison. Sanglé dans son éternelle tunique noire à manches longues, au col montant fermé par un bouton, il portait un Springs et une ceinture de munitions, et probablement une ou deux armes blanches cachées contre sa peau.

— Zéphyr ! s'exclama Maïa avec un entrain forcé. Tu as pu te débarrasser de Farrell ?

Le tueur posa un regard froid sur elle, puis sur Nathanaël, qui semblait prêt à écraser son poing sur le nez de quiconque le contrarierait. Maïa supposa qu'il avait suffi d'un coup d'œil à Zéphyr pour comprendre la situation, mais celui-ci ne fit aucune remarque. Peut-être était-ce du tact, peut-être de l'indifférence.

— Il est dans les vapes, annonça-t-il. Il en a pour deux heures avant de se réveiller, et une de plus avant de se débarrasser de ses liens et du bâillon.

— Donc il lancera les troupes à ta poursuite à ce moment-là...

— Tu me prends pour un bleu ? C'est un de mes contacts qui a fait le boulot. J'étais sagement assis devant ma fenêtre au moment où il a pris un coup de gourdin derrière la tête. Nate, je suis content de te revoir en forme.

La remarque aurait pu passer pour un sarcasme, mais le Lazul n'y réagit pas.

— Allons-y, fit-il en rabattant sa capuche sur sa tête. On a du boulot.

Il sortit d'un pas vif. Zéphyr et Maïa échangèrent un regard, puis s'engagèrent dans la rue à sa suite.

CHAPITRE 31
J-8

La lune à peine voilée allongeait les ombres des bâtiments. Maïa, Zéphyr et Nathanaël se postèrent au coin d'une maison, de sorte à garder la porte à double battant de Tucumcari Center en ligne de mire. Comme prévu, deux hommes en uniforme, immobiles, y montaient la garde.

— Bon, murmura Zéphyr par-dessus l'épaule de Maïa. Tu m'as dit qu'ils avaient des armes ?

— Des Springs. Modèle 816.

Zéphyr grimaça.

— Semi-automatiques, douze balles. Mauvaise précision.

Maïa, concentrée à l'extrême, ajusta le col de son uniforme, leur meilleure arme pour cette mission d'infiltration, elle en était certaine.

— Nate, murmura-t-elle. Tu es prêt ?

— Oui.

— Zéphyr ?

— Pareil.

Elle inspira profondément et se dirigea vers les deux gardes d'un pas assuré. Toujours tapis dans l'ombre, Zéphyr et Nathanaël la regardèrent opérer en retenant leur souffle.

Arrivée à une dizaine de mètres de l'entrée, la jeune fille adressa un salut vigoureux aux deux soldats. Ceux-ci lui répondirent alors qu'elle se figeait, l'attention apparemment attirée par un objet situé hors de leur champ de vision. Elle se composa une expression intriguée plus vraie que nature, le regard toujours plongé dans une flaque d'obscurité derrière l'angle du QG. Les gardes échangèrent un regard perplexe quand elle bifurqua vers ce qu'elle avait vu ; au bout de quelques pas, elle dégaina son poignard et leur fit signe de la rejoindre. Ils hésitèrent une demi-seconde, puis quittèrent leur poste pour la suivre, la main sur leur Springs.

Nathanaël et Zéphyr profitèrent de la diversion pour courir à leur tour vers la porte à double battant et s'introduire dans Tucumcari Center. Leurs pas résonnèrent dans le hall d'entrée désert. Ils eurent à peine le temps de se cacher derrière un pilier de soutènement. La voix de Maïa retentissait déjà à l'entrée :

— Je suis désolée, soldats. J'ai vraiment cru voir quelqu'un près des portes de service.

— Vous avez bien fait, sous-lieutenant. On n'est jamais trop prudent.

Ses deux compagnons l'entendirent saluer les gardes et s'engouffrer dans le hall. Ils quittèrent leur cachette. Elle leur indiqua les escaliers d'un geste de la main. Arrivés au palier du deuxième étage, ils aperçurent une silhouette tremblant dans la lumière chiche d'une lampe à pétrole. Zéphyr attrapa Maïa par le col de son uniforme pour la tirer en arrière. Accroupis dans l'escalier, dissimulés par une nappe d'ombre, ils retinrent leur souffle.

Visiblement, le troufion n'effectuait pas un tour de ronde, mais seulement un bref passage dans le couloir. Ils attendirent plusieurs minutes, puis Zéphyr lâcha Maïa, signe qu'ils pouvaient se lancer. Sans un mot, ils filèrent le long de la volée de portes.

— C'est par là, indiqua Maïa en désignant un couloir perpendiculaire au leur. Au fond.

— Comment c'est foutu, à l'intérieur ? souffla Nathanaël dans son cou.

— Aucune idée. Il y a probablement un registre, où il nous faudra trouver...

— Taisez-vous, les jeunes.

Zéphyr avait ralenti le pas. Maïa tendit l'oreille à son tour et perçut des bruits de pas en direction du couloir principal. À ses côtés, Nathanaël se figea. Le tueur avait déjà porté la main à son Springs, mais la jeune fille stoppa son mouvement alors qu'une silhouette apparaissait à l'angle du couloir, à une cinquantaine de mètres d'eux.

— Laisse-moi faire, murmura-t-elle en s'élançant à la rencontre du soldat.

Ils ne pouvaient pas se permettre de le neutraliser. Il était certainement attendu à son poste, et son absence ne passerait pas inaperçue. C'était précisément pour ce genre de cas que Maïa avait choisi de porter son uniforme ce soir-là.

Elle intercepta l'homme à quelques mètres du couloir principal. Un simple soldat. Parfait.

Il se mit au garde-à-vous dès qu'il aperçut la jeune fille.

— Bonsoir, sous-lieutenant... Euh ?

— Sous-lieutenant Freeman.

— Soldat Lyell, répondit le troufion, nerveux.

— Vous cherchiez quelque chose ?

De près, elle put constater qu'il s'agissait d'une très jeune recrue. Probablement diplômée depuis peu. Maïa bomba le torse, dans une vague tentative pour cacher son propre trouble, et l'adolescent parut se ratatiner sur place.

— Je… j'ai entendu un bruit venant de ce couloir.

— Ce n'était que moi.

Il y eut un moment de flottement.

— N'êtes-vous pas attendu, soldat ?

— Ah. Si.

— Quel est votre poste ?

— Service d'entretien, expliqua Lyell en rougissant. On a un problème avec le condensateur du secrétariat. On m'a envoyé chercher une clé Allen ici, mais je ne trouve pas la réserve…

Maïa hésita un instant, puis déclara d'une voix assez forte pour être entendue de Zéphyr et de Nathanaël, tapis dans le noir :

— Je vous y accompagne. Suivez-moi.

— Merci infiniment, sous-lieutenant…

Et elle l'entraîna à sa suite, à l'opposé des archives du tribunal. Juste avant de perdre le couloir adjacent de vue, le soldat Lyell y jeta un regard avec une pointe de perplexité.

*

— Ils sont partis, maugréa Zéphyr lorsque le silence fut revenu. Où vas-tu, Nate ?

Le jeune homme s'aventurait déjà vers le fond du couloir, scrutant les murs nus. Il tomba sur une porte à double battant surmontée de larges lettres en cuivre poli. À droite de la poignée, un énorme cadenas soudé à la porte, fait de rouages apparents et de deux cadrans, luisait faiblement, comme s'il diffusait de l'énergie.

— C'est là, souffla-t-il. Les archives du tribunal.

Zéphyr détailla le système d'alarme, visible dans l'angle supérieur gauche du linteau.

— C'est ça qu'on est supposé désactiver ?

— Et ça (Nathanaël désigna le cadenas.) qu'on doit forcer.

— Qui a eu cette brillante idée ?

— Maïa.

— Ne la laisse plus jamais échafauder de plan, grogna Zéphyr. Plus *jamais.*

Nathanaël effleura la poignée sous le cadenas, nerveux, et l'abaissa par pur acquit de conscience. Surpris, il la lâcha lorsque la porte s'ouvrit sans opposer de résistance. Il échangea un regard effaré avec Zéphyr, et un large sourire apparut sur son visage.

— C'est Dimitri, réalisa-t-il, impressionné.

Zéphyr fronça les sourcils, mais ne demanda pas plus d'explications. Il se coula dans la salle des archives en silence. Du plat de la main, Nathanaël balaya le mur à droite de l'entrée, à la recherche d'un interrupteur.

— Tu veux qu'on se fasse repérer ? siffla Zéphyr.

— La lampe est dans la sacoche de Maïa, répliqua le Lazul. Comment on fait ?

— On fait sans lumière.

Zéphyr s'engagea entre les rayonnages.

— Cent ans de torture consignés dans cinquante mètres carrés... Pas mal, hein ?

Son apparente légèreté cachait mal son amertume. Nathanaël passa devant lui en inspectant les étagères pleines de dossiers de condamnés.

— On peut chercher ton classeur et le faire cramer, si tu veux.

Le tueur, radouci, esquissa un sourire.

— Elle t'a dit comment ils sont classés ?

— Elle n'en sait rien, répondit le Lazul en saisissant un épais porte-document au milieu d'une étagère. D'après elle, il y a quelque part un index répertoriant tous les dossiers.

Il souffla sur la couverture cartonnée, soulevant un nuage de poussière. Le titre apparaissait à peine dans la semi-obscurité.

— *D. Zar.*, déchiffra-t-il. *17 et 18 novembre, an 36.* Ça date...

— Et, juste à côté, un dossier datant de 88. Avec un accusé dont le nom commence par « T ». Comment c'est rangé, ce bordel ?

— Aucune idée.

— Regarde, appela Zéphyr à voix basse en désignant une étagère plus petite, au fond de la salle.

Nathanaël approcha tandis que le tueur s'emparait d'un dossier relié en cuir, de bien meilleure facture que ceux des grandes étagères.

— *Répertoire des infractions, délits et crimes, an 6-an 29,* lut-il sur la couverture abîmée.

— Bingo, murmura Nathanaël par-dessus son épaule.

Zéphyr ouvrit le registre à une page au hasard et plissa les yeux. Dans l'obscurité presque totale, déchiffrer les lettres minuscules des listes de condamnés relevait de l'exploit.

— J'y vois rien...

— Je vais essayer de trouver une lampe, annonça Nathanaël en reculant de quelques pas.

Il allait se retourner, mais un son métallique en provenance de la porte le figea.

— Oh, merde...

— Viens par là, souffla Zéphyr en l'entraînant entre deux rayonnages.

Le cœur de Nathanaël battait à tout rompre. Ils n'avaient pourtant pas fait de bruit, comment avait-on pu les repérer si vite ? Et, avec Maïa disparue dans les étages, ils étaient désavantagés. Il serra les dents alors que Zéphyr tirait son revolver de son holster.

— Vous êtes là ? chuchota la voix fluette de Maïa à l'autre bout de la pièce.

Une lampe à pétrole dans la main droite, elle s'approcha.

— Tu nous as fait peur, lança le Lazul en sortant de sa cachette.

— Comment avez-vous réussi à entrer ?

— La porte était ouverte.

Les yeux de Maïa s'arrondirent.

— C'est... c'est Dimitri ?

Nathanaël acquiesça avec un petit sourire.

— Je le savais, murmura-t-elle. Dépêchons-nous. Le soldat de tout à l'heure ne va pas tarder à parler aux autres. Leur expliquer que je l'ai aidé à trouver sa clé Allen. Or, je ne suis pas censée me trouver ici en ce moment.

— Le registre est juste là, viens voir. « An 62-an 87 »... Les *Confessions* de Fox datent de 72, c'est ça ?

Nathanaël approuva et ouvrit le registre. La même écriture en pattes de mouche que dans le précédent y avait consigné les noms des condamnés, classés par ordre alphabétique. En regard des nom et prénom du criminel se trouvaient la date du jugement, la nature du crime ou du délit dont il s'était rendu coupable et les numéros de rang et d'étagère où était rangé son dossier personnel.

— F... F..., trépigna Maïa en fixant les pages qui défilaient sous ses yeux. Là. Follet. Foster. Freu... Freuling ?

— Où est Fox ? grogna Nathanaël.

— Pas là, de toute évidence.

Zéphyr rangea le registre à sa place et prit celui qui se trouvait à sa gauche et couvrait les quinze années précédentes. Là non plus, pas la moindre trace de Randall Fox. Nathanaël et Maïa lâchèrent une bordée de jurons tandis que Zéphyr s'emparait du dossier regroupant les années postérieures à 87. Il arrivait à la lettre « F » quand la porte s'ouvrit de nouveau.

Maïa et Nathanaël échangèrent un regard stupéfait. En un quart de seconde, Zéphyr avait dégainé et s'apprêtait à faire feu sur les intrus.

— Qui est là ? demanda une voix autoritaire de l'autre côté des étagères.

— Pas de Fox dans ce registre non plus, chuchota Nathanaël, qui avait pris le registre des mains du tueur. On est plantés, Fox n'est pas répertorié ici.

Maïa sentit son cœur dégringoler dans sa poitrine. Les pas – deux paires, à ce qu'elle entendait – se rapprochaient dangereusement.

— Impossible, souffla-t-elle. Amiel m'a dit qu'il avait été jugé. Son dossier est forcément là...

Mue par une intuition, elle s'empara du registre qui couvrait les premières années de vie de la Cité. D'un geste sec, elle l'ouvrit à la première page et le feuilleta rapidement. Une détonation retentit dans la salle des archives.

— Maïa ! s'écria Nathanaël. On doit y aller !

Malgré l'urgence, elle esquissa un sourire triomphal qui fondit lorsqu'elle tourna une page. Elle déchira une partie des feuilles du registre et les glissa dans sa ceinture avant de s'élancer à la suite de Nathanaël. Un hurlement retentit. L'un des soldats s'écroula, fauché par Zéphyr, alors que le second tirait en hurlant comme un dément. Maïa dégaina à son tour son poignard, mais le tueur avait déjà neutralisé le second soldat. Trop tard pour la discrétion, il fallait désormais faire en sorte de survivre.

— Vite, lança-t-il en enjambant les corps pour sortir.

Maïa jeta un bref regard en arrière et une nausée l'assaillit. Elle reconnut l'un des morts, avec lequel elle avait fait ses classes. Elle n'eut cependant pas le temps de s'appesantir sur l'horreur de la situation : Zéphyr et Nathanaël étaient déjà loin devant elle.

Son poignard brandi, elle essaya de ne pas prêter attention à l'alarme qui s'était déclenchée et lui vrillait les tympans. Dans moins de deux minutes, tout le QG serait réuni dans ce couloir, et elle ne donnait pas cher de leur peau. Il ne restait que quelques balles à Zéphyr, qui aurait besoin d'être couvert pour recharger. Et, si elle se débrouillait plutôt bien au corps à corps, elle ne pouvait pas grand-chose contre des armes à feu. Quant à Nathanaël, il avait les mains vides.

Arrivés dans le couloir principal, ils entendirent des beuglements en provenance de l'escalier ouest.

— Par là, indiqua Maïa en se dirigeant vers la direction opposée.

Ils dévalèrent les deux étages pour tomber nez à nez avec trois soldats affolés au pied des marches. On n'avait pas l'habitude de ce genre de débordement entre les murs de Tucumcari Center ; les gardes étaient payés à somnoler les trois quarts du temps. Aussi, quand Maïa bondit sur le premier, celui-ci tomba à la renverse avant d'avoir pu réagir.

Maïa lui asséna un coup de poing dans le nez, mais l'homme répliqua et l'envoya valser sur le dallage. Étourdie, elle tenta de se relever. Un nouveau coup à la tempe la sonna pour de bon. Elle resta étendue quelques instants et, lorsqu'elle rouvrit les yeux, le soldat avait disparu de son champ de vision brouillé.

Elle se redressa péniblement et aperçut Nathanaël, étranglant son agresseur avec son bras. Il le relâcha quand il tomba inconscient et aida Maïa à se relever.

— Zéphyr, hoqueta celle-ci en découvrant le tueur.

Il se trouvait dans le viseur de deux armes à la fois, mis en joue par les deux soldats encore debout. Maïa brandit son poignard, l'esprit encore brumeux. Une voix familière la frappa comme la foudre :

— Sous-lieutenant Freeman…

Alors seulement, Maïa reconnut l'un des hommes qui menaçaient Zéphyr. Le soldat Taylor, qui avait quitté son poste aux geôles au déclenchement de l'alerte, la contemplait avec effarement. Dans ses yeux humides brillait l'incompréhension la plus totale. Son revolver, braqué vers la poitrine de Zéphyr, tremblait.

— P… pourquoi, sous-lieutenant ? bégaya-t-il en regardant successivement Maïa, Zéphyr et Nathanaël. Pourquoi nous faites-vous cela ?

Maïa inspira à fond. L'adrénaline ne l'empêchait pas d'éprouver du remords. Elle appréciait Taylor et s'en voulait de le mettre dans une telle situation.

— C'est pour le lieutenant-colonel Bielinski, lui soufflat-elle. Je suis sûre que vous comprenez, Taylor.

Celui-ci pinça les lèvres. S'il comprenait, il n'en laissa rien paraître.

— Je suis désolée, poursuivit Maïa en faisant un pas vers lui.

— Plus un geste ! s'écria Taylor.

Il braqua son revolver sur Maïa. Elle leva les mains en signe d'apaisement.

— Nous voulons juste partir.

— Ce n'est plus possible, sous-lieutenant Freeman.

Il était tellement nerveux qu'il ne vit pas Nathanaël s'agiter dans son champ de vision périphérique. L'autre soldat ne lâchait pas Zéphyr des yeux.

— Ce n'est pas vrai. Nous n'avons rien volé, nous cherchions simplement une information...

— Où sont les hommes qui ont été envoyés ici en premier ?

— D... dans la salle des archives du tribunal.

On aurait dit que Taylor allait se mettre à pleurer.

— Ils sont morts, sous-lieutenant ?

— Taylor, boucle-la, nom de Dieu ! hurla l'autre soldat, quittant Zéphyr des yeux une seconde. Oh put...

Il eut à peine le temps de voir une tignasse bleue se jeter sur Taylor : Zéphyr lui asséna un coup de crosse dans la mâchoire. Il s'écroula, inconscient. Nathanaël avait ramassé le Springs du premier garde, qu'il avait étranglé, et le collait à présent sur la tempe de Taylor.

— Lâche ton arme, lui glissa-t-il, les dents serrées.

Taylor hésita un instant, partagé entre la prudence et un élan de bravoure suicidaire. Nathanaël abaissa le chien du Springs, achevant de le convaincre.

— Ne me faites pas de mal, supplia Taylor à l'adresse de Maïa.

Celle-ci baissa les yeux, incapable de soutenir plus longtemps le regard de celui qui avait été son ami. Zéphyr se baissa vers le soldat qu'il avait assommé, le retourna sur le dos et lui prit son arme. Puis il la tendit à Maïa, qui annonça :

— On sort. Nathanaël, c'est par là. Dépêchons-nous.

Le Lazul poussa Taylor dans la direction indiquée par Maïa. Il leur restait encore le rez-de-chaussée à traverser avant d'être dehors. La sirène d'alarme était assourdissante et brouillait leurs perceptions. Ils parcoururent moins de trois cents mètres avant d'être de nouveau bloqués par un petit groupe de soldats descendus du poste de contrôle et qui se figèrent à la vue de Taylor.

— Ils ont un otage ! beugla l'un d'eux, comme si c'était utile.

Pour le confirmer, Nathanaël appuya encore le Springs sur la tempe de Taylor.

— Laissez-nous passer et il ne lui arrivera rien.

Les soldats abaissèrent instantanément leurs armes, témoignant une fois de plus de leur inaptitude à réagir en situation de crise. En l'absence de gradés à qui obéir, ils étaient démunis. Ce qui ne tranquillisait pas Maïa pour autant ; l'alerte n'avait été déclenchée que cinq minutes auparavant, mais on avait déjà dû prévenir les pontes et le service de Maintien de l'Ordre. En effet, ces personnes comptaient parmi les rares à posséder un téléphone privé à domicile, spécialement prévu pour ce genre de situation. C'étaient eux, les vrais ennemis, et Maïa savait que Nathanaël, Zéphyr et elle ne s'en tireraient que s'ils quittaient Tucumcari Center avant leur arrivée.

À petits pas, ils remontèrent le couloir vers la porte de sortie, Nathanaël entraînant Taylor avec lui. Maïa et Zéphyr pointaient toujours leurs armes sur la garde.

— Nous allons sortir, annonça Maïa lorsqu'ils furent arrivés à la porte.

Restés à distance, les soldats ne bougèrent pas d'un poil.

— Vous n'allez pas nous suivre, reprit-elle. Nous allons partir et relâcher le soldat Taylor. Il attendra un peu avant de revenir ici, pour nous laisser le temps de fuir. Si vous tentez quoi que ce soit pendant ce laps de temps, nous l'abattrons. Est-ce clair ?

Pas de réponse. Les troufions échangeaient des regards perdus.

— Est-ce clair ? tonna Nathanaël, dont le revolver provoqua une vague de « oui » paniqués dans l'autre camp.

— Très bien, murmura Maïa en ouvrant la porte de service.

Ils s'y glissèrent sans un bruit et prirent soin de la refermer derrière eux.

Trois minutes plus tard, des coups frappés à la porte retentirent dans le couloir du QG. L'un des soldats se précipita pour ouvrir et se trouva nez à nez avec un Taylor tremblant de tous ses membres. Livide, terrorisé, celui-ci manqua de lui tomber dans les bras.

— Ils… ils sont partis vers le nord, balbutia-t-il. Par la Dixième Rue, qui va jusqu'aux berges du lac…

Et il perdit connaissance.

CHAPITRE 32
J-8

La sirène d'alarme hurlait toujours. À ce rythme, toute la Cité sortirait bientôt dans les rues, en proie à l'inquiétude. Tapis dans l'ombre à quelques dizaines de mètres à peine au sud du QG, Maïa, Zéphyr et Nathanaël observèrent le jeune Taylor envoyer la garde dans la mauvaise direction.

Les soldats encore opérationnels s'élancèrent en troupeau vers le nord, leur laissant un peu de répit. Le temps pour eux de réaliser la supercherie, le trio serait déjà loin.

— Où on va, maintenant ? interrogea Zéphyr, qui n'avait pas rengainé son arme.

— Chez Randall Fox, dit Maïa.

Devant l'air médusé de Zéphyr et de Nathanaël, elle tira de sa ceinture les feuilles chiffonnées arrachées au registre.

— Qu'est-ce que c'est ? demanda le Lazul.

— Une sorte de sous-dossier qui s'appelle « surveillance des éléments perturbateurs »... Juste ce qu'on cherche. Et l'adresse de Fox est là.

— Fox, Randall, affaire 84-210-G, lut Zéphyr par-dessus son épaule. Assigné à résidence. Pavillon 37, secteur 22.

— Comment as-tu su ? demanda Nathanaël, sidéré.

— Il y avait les initiales « S.E.P. » sur la tranche du registre, sous les dates, expliqua Maïa. « S.E.P. » pour « Surveillance des Éléments Perturbateurs »… J'ai trouvé ce sous-dossier. Comme il n'était pas très gros, j'ai tout pris.

— On y va, murmura Nathanaël. Le secteur 22, c'est dans le ghetto, c'est ça ?

— Oui, approuva Zéphyr. Tout près du lac, à la frontière ouest. Mais, ce qui m'intrigue, c'est le numéro de pavillon…

— C'est vrai. Il n'y a pas de noms de rue ni de numéros de maison, dans le ghetto.

— L'armée a dû répertorier la maison de Fox et lui attribuer un numéro pour se repérer. Je suppose que les autres personnes assignées à résidence sont dans le même cas.

— Allons-y. Maïa ?

Seul le hurlement de l'alarme lui répondit. Nathanaël inclina la tête vers la jeune fille, dont les mains tremblaient sur le registre.

— Maïa ?

— Pourquoi… pourquoi ce numéro figure-t-il ici ?

Le jeune homme baissa les yeux sur les feuilles jaunies sans comprendre. Maïa leva vers lui des yeux exorbités par la détresse et balbutia de nouveau :

— 17-996-B. Ce dossier porte le numéro 17-996-B, et il est rangé dans l'index de surveillance des éléments perturbateurs…

— Et ?

— C'est le numéro qu'il y avait dans la lettre de mon père, chez Dimitri. Et c'est le numéro de *son* dossier. Oh, mon Dieu…

Une première larme roula sur sa joue alors que Nathanaël s'emparait de la liasse et que Zéphyr se penchait sur son épaule pour comprendre à son tour. Lapidaire, le paragraphe sur le père de Maïa ne portait que des informations neutres, obscures : *Major Freeman, Tobias, affaire 17-996-B. Date d'ouverture : 13 mars, an 94. Élément sous haute surveillance, étude d'une possibilité de procès. Dossier classé le 7 juin, an 94.*

— Ce n'était pas un hasard, murmura Maïa d'une voix brisée. Cette conduite de gaz qui a explosé, ce n'était pas un hasard...

Elle poussa un long gémissement et tomba à genoux, secouée par les sanglots. La date d'ouverture du dossier correspondait au jour où son père avait découvert le cobaye mort à Tucumcari Center – et la date de clôture, à celui où il avait péri dans l'explosion de la conduite. Le gouvernement savait qu'il avait pris connaissance d'éléments secrets mais ne l'avait pas condamné ; peut-être par crainte qu'il parle malgré tout, peut-être pour éviter d'attirer l'attention du peuple sur le sujet par un procès. Peut-être, aussi, pour d'autres raisons que Maïa ne saisissait pas tout à fait.

Et puis Tobias avait envoyé une lettre à Dimitri, celle qu'il gardait précieusement dans son armoire. Le dernier souvenir de son meilleur ami, sur lequel Tobias avait noté le numéro de son dossier gardé aux archives du tribunal. Il savait qu'on le surveillait, et la missive apparut soudain à Maïa pour ce qu'elle était réellement : une lettre d'adieu. Tobias était mort dans le mois qui avait suivi et elle refusait de croire à une coïncidence.

— Ils... Ils l'ont tué...

Elle secoua la tête, dévastée, indifférente à l'urgence de la situation et aux deux hommes penchés sur elle. On avait assassiné Tobias. Pourquoi n'avait-elle jamais envisagé cette possibilité ? Pourquoi avait-elle cru à l'accident alors qu'elle possédait presque toutes les variables de l'équation ? Parce qu'elle savait, inconsciemment, que cette vérité l'écraserait. Et elle ne s'était pas trompée. Une voix sourde lui parvint, mais elle était trop loin pour y prêter attention. En l'espace d'un instant, elle était redevenue l'enfant endeuillée, terrorisée à l'idée qu'on porte le cercueil de son père en terre, et elle n'arrivait pas à endiguer sa peine.

— Maïa...

— Ils ont tué mon père, hoqueta-t-elle sans savoir qui, de Zéphyr ou de Nathanaël, avait prononcé son nom. Il... il savait trop de choses, alors ils l'ont tué.

— Maïa, il faut que tu te lèves.

— Ils l'ont tué...

Les larmes brouillaient sa vue, la sirène d'alarme l'assourdissait, le chagrin et la révolte la pétrifiaient. Lourde, froide, son humanité entière réduite à la souffrance qu'elle éprouvait, elle tenta de bouger mais n'y parvint pas. Elle haïssait cette Cité depuis des années et, en représailles, celle-ci lui révélait qu'elle lui avait aussi pris Tobias.

— Ils l'ont tué, répéta-t-elle, comme si ces seuls mots résumaient désormais toute son existence.

Deux mains encadrèrent son visage, la forçant à décrocher son regard du sol. Dans leur prolongement, deux bras nus, d'une pâleur maladive et aux muscles délicatement sculptés. Tout l'inverse de Tobias.

— Maïa, il faut aller chez Fox maintenant. Il faut sauver Dimitri.

Ce Lazul qu'elle aimait à en pleurer et qui ne voulait pas d'elle constituait son seul ancrage dans la réalité. Elle saisit sa main, la décolla de sa joue humide et tira dessus pour se relever. Elle chancela, sentit que Zéphyr lui prenait le registre et la poussait avec douceur pour la faire avancer. Un bruit inhabituel en provenance du QG leur fit lever la tête. C'était une sorte de vrombissement que Maïa n'eut aucun mal à identifier.

— Merde, lâcha-t-elle en essuyant ses joues. Ils ont sorti les V-15.

Avec les camions d'extraction de minerai, les V-15 étaient les seuls véhicules motorisés de la Cité. Issus des automobiles d'avant la Grande Épidémie, ils possédaient un moteur à explosion perfectionné par des années de recherche et un réservoir à pétrole permettant de rouler plusieurs centaines de kilomètres. Bien plus qu'il n'en fallait pour ratisser la Cité en cas de besoin. Il n'en existait qu'une cinquantaine et ils appartenaient tous à l'armée, qui les abritait jalousement dans un grand hangar attenant à Tucumcari Center.

Même si la conduite des V-15 constituait une part du savoir-faire de chaque soldat, l'armée en faisait rarement usage. Ils servaient principalement aux équipes chargées des rondes le long des Murs et qui devaient intervenir loin du QG. Seul un cas de force majeure justifiait leur utilisation en dehors de ce contexte.

Et, vu le nombre de moteurs que Maïa pouvait entendre depuis sa cachette, ils représentaient précisément un cas de force majeure. Elle inspira à fond, chassa ses derniers sanglots et se mit en marche.

*

Candice Amiel courait aussi vite que ses vieilles jambes le lui permettaient. Elle avait rejoint le QG dès qu'elle avait entendu l'alarme, audible jusqu'aux confins du quartier est, où se trouvait sa maison. Les couloirs de Tucumcari Center grouillaient de soldats et elle avait appris, en interrogeant l'un d'eux, que ses craintes étaient fondées : le sous-lieutenant Maïa Freeman venait de cambrioler les archives du tribunal. Le gouvernement avait besoin d'elle.

Elle voulut monter au deuxième étage, où étaient regroupés les bureaux des têtes pensantes du QG, mais n'eut pas à le faire : elle croisa un visage familier – et furibond – dans la cage d'escalier du premier étage.

— Colonel Johnson ! appela-t-elle en se fendant d'un salut vif.

Celui-ci fronça les sourcils et lui rendit son salut sans s'arrêter vraiment, comme pour lui signifier qu'il était pressé et qu'elle avait intérêt à avoir quelque chose d'important à lui dire.

— Capitaine Amiel, merci pour votre présence. C'est le colonel Twain, au deuxième, qui s'occupe de distribuer les tâches pour sécuriser le périmètre.

— Je crois que je sais où est allé le sous-lieutenant Freeman, mon colonel.

Ce dernier plissa les yeux, et l'étincelle qui y brilla arracha un frisson à Amiel.

— Je vous écoute.

Elle pinça les lèvres en se remémorant les menaces de la jeune fille. Parlerait-elle de Davis et de l'unité 8 si la garde l'arrêtait ? Probablement. Mais Candice était fatiguée. Fatiguée d'étouffer son sens de la justice à cause de cette affaire. Elle avait déjà piétiné ses convictions une fois, et elle refusait de réitérer.

— Elle est allée chez Randall Fox, mon colonel.

CHAPITRE 33

J-8

Le secteur 22 se trouvait à la lisière du ghetto, à quelques dizaines de mètres du manoir couvert de peintures d'animaux. Bordé à l'ouest par des friches caillouteuses et au nord par les berges fertiles du lac, il aurait pu paraître accueillant, mais ses rues exhibaient les mêmes cabanes puantes et insalubres qu'ailleurs dans le quartier sud.

Maïa, Zéphyr et Nathanaël avaient longé le lac à travers le bidonville. Ils n'avaient croisé qu'un V-15 sur leur trajet (et s'étaient jetés derrière un tas d'ordures pour ne pas être repérés) mais n'espéraient pas que ça dure : l'armée finirait bien par ratisser le secteur 22.

Ils errèrent dans les rues étroites, croisant quelques fantômes à l'air hagard, jusqu'à ce qu'une bâtisse attire leur attention. Plus grande que ses voisines, faite en briques, elle était pourvue d'une porte en bois gravée du numéro 37. Une lumière chaude s'échappait de l'unique fenêtre du bâtiment.

— Je crois que c'est là, lança Nathanaël.

Maïa sentit sa gorge se nouer. Randall Fox habitait là, juste devant elle. Et il détenait le secret de l'Enfant Papillon, cette chimère devenue sa raison d'être.

— Allons-y.

Zéphyr passa devant eux et frappa à la porte. Derrière lui, Maïa et Nathanaël osaient à peine respirer. Il y eut un silence interminable. Au moment où Zéphyr allait réitérer son geste, la porte s'ouvrit enfin.

Maïa s'attendait à découvrir un homme âgé, mais Randall Fox était bien plus abîmé que dans son imagination. Ses *Confessions* avaient presque trente ans ; lui, au moins le double, et il en paraissait le triple. Son visage avachi, creusé de rides profondes, disparaissait sous une barbe drue et blanche. La lassitude et le poids des années avaient rougi ses yeux tombants. Il portait des vêtements rapiécés plusieurs fois, et une forte odeur d'alcool de cactus émanait de lui.

— Qui êtes-vous ? demanda-t-il d'une voix rauque.

— On doit vous parler, monsieur Fox. De ça, indiqua Nathanaël en lui tendant son texte.

Le vieil homme fronça les sourcils : c'était probablement la première fois de sa vie qu'un Lazul s'adressait à lui de la sorte. Il s'empara des feuilles, les contempla avec méfiance et, peut-être, une pointe de nostalgie.

— Où avez-vous trouvé ça ?

— Peu importe, répartit Zéphyr. On doit vous poser des questions. À propos de l'Enfant Papillon.

Soudain, le visage de Fox se décomposa.

— Je ne vois pas de quoi vous parlez. Partez d'ici.

Et il referma la porte, mais Zéphyr la bloqua du pied.

— Laissez-nous entrer, s'il vous plaît, demanda-t-il.

Fox se raidit, visiblement effrayé. Même si Zéphyr n'avait mis aucune animosité dans ses paroles, se faire forcer la main par un criminel balafré n'avait rien de rassurant. Maïa prit les devants :

— Nous voulons savoir qui était celui que vous nommez
« Enfant Papillon ».

— Comment avez-vous retrouvé ma trace ?

Maïa hésita, puis décida de jouer franc jeu.

— Nous avons fouillé dans les registres de l'armée.

— Pourquoi ?

— Je vous l'ai dit. Nous avons besoin de savoir qui était
l'Enfant Papillon.

— Pourquoi faire ?

Maïa lui adressa un regard entendu.

— Vous le savez très bien.

Fox recula de quelques pas : la jeune fille n'aurait su
dire si c'était en signe de capitulation ou pour essayer de
refermer la porte.

— C'est important, insista Maïa.

Zéphyr retenait toujours la porte du bout du pied. Fox
hésita longuement et, enfin, s'effaça pour les laisser passer.

Le trio s'aventura à l'intérieur en silence. La demeure de
Fox était, comme partout dans le ghetto, meublée de bric
et de broc. Elle semblait toutefois luxueuse en comparaison
de ses voisines, à en juger par les ampoules électriques qui
pendaient au plafond et l'empilement de livres sur un
coffre à côté du lit. Fox les invita à s'asseoir autour d'une
table fabriquée à partir de planches vermoulues avant de
réaliser qu'il ne possédait qu'une seule chaise.

— Excusez-moi, maugréa-t-il. Euh…

— On va rester debout, ne vous inquiétez pas, lui
assura Maïa.

— Dans ce cas, vous m'excuserez aussi de m'asseoir. Je
n'ai plus vingt ans, vous comprenez.

— Bien sûr.

Joignant le geste à la parole, Fox s'assit en grimaçant.

— Ces rhumatismes, râla-t-il. Bon ? L'Enfant Papillon, hein ?

Maïa et Nathanaël, appuyés contre le mur, échangèrent un regard nerveux, mais Zéphyr répondit pour eux :

— Vous êtes surveillé par l'armée, monsieur Fox ?

Le vieillard souleva le bas de son pantalon rapiécé, révélant un petit dispositif rattaché à sa cheville par un bracelet en cuir.

— Une balise radio, reconnut Maïa.

Elle avait déjà vu ce type d'appareil, grâce auquel l'armée pouvait localiser un individu à n'importe quel moment.

— Tout ce qu'ils surveillent, c'est que je ne quitte pas le secteur 22. Ne vous inquiétez pas.

— Cette surveillance, intervint Nathanaël, c'est à cause de votre lien avec l'Enfant Papillon ?

Fox l'ignora et se tourna vers Maïa, comme si c'était elle qui avait posé la question. Même au fin fond du ghetto, les Lazuli avaient juste le droit de se taire.

— Oui.

— Et...

— À moi de poser une question. (Il désigna la liasse de feuilles contenant ses écrits.) Où avez-vous trouvé ça ?

— Je l'ai échangé à un clochard dans Main Street, expliqua Nathanaël sans se laisser démonter. Contre un kilo de farine.

Fox passa une main dans sa barbe broussailleuse, pensif. Puis il daigna enfin s'adresser au jeune homme :

— Toi, le Lazul... tu cherchais ce texte ?

— Oui.

Les yeux chassieux du vieil homme passèrent de Nathanaël à Zéphyr, puis à Maïa.

— Un Lazul qui n'a l'air soumis à personne, un criminel assez sain d'esprit pour mener une conversation et une militaire pour les accompagner... voilà qui n'est pas courant. Qui êtes-vous ?

Il y eut un bref silence.

— Des dissidents, dit finalement Zéphyr. Qui veulent savoir qui est cet « Enfant Papillon » et comment il a réussi à franchir les Murs.

— C'est un souhait tout à fait vain, rétorqua Fox. On ne peut pas sortir.

— Vous n'écriviez pas ça, il y a trente ans.

Une profonde lassitude affaissa le visage ridé de Fox. Il joignit les mains sur la table, prisonnier de souvenirs trop lourds pour lui.

— C'est vrai, je n'écrivais pas ça. Voyez où ça m'a mené.

— Où est l'Enfant Papillon, monsieur Fox ?

Le vieil homme esquissa un rictus amer.

— Il est mort il y a presque trente ans.

Les épaules de Maïa ployèrent. Leur seule piste... morte depuis des décennies. Cela ne l'étonnait pas vraiment, mais elle avait espéré une petite faveur du destin, pour une fois.

— Il est sorti, n'est-ce pas ?

— Oui.

— Racontez-nous son histoire, demanda doucement Maïa. Racontez-nous qui était l'Enfant Papillon.

CHAPITRE 34
J-8

— Il s'appelait Greyson Wheeler. Il avait seize ans quand il est sorti. Quel âge avez-vous ? demanda Fox en désignant Maïa et Nathanaël.

— Dix-sept.

— Vingt et un.

— Quel malheur...

Maïa n'aurait su dire si la souffrance de Fox était dirigée vers eux ou vers le spectre de l'Enfant Papillon ; Greyson Wheeler, comme il l'appelait.

— Greyson appartenait à l'élite. Comme vous, demoiselle. Il voulait devenir enseignant, mais...

— Mais pas dans la Cité, compléta Nathanaël en écho aux écrits de Fox. Il voulait sortir.

Le vieil homme acquiesça d'un hochement de tête.

— Je l'ai rencontré en 71. Il venait d'avoir quinze ans et il voulait entrer dans notre groupe.

— Votre groupe ? intervint Zéphyr.

— Nous étions une dizaine. Tous des intellectuels, tous promis à une destinée brillante. Moi-même, j'étais chercheur au Centre de Soins ; c'est peut-être notre amour pour l'élévation de l'esprit qui nous a rapprochés, Greyson et moi...

Fox marqua une pause, envahi par la nostalgie.

— En secret, nous poursuivions des recherches sur l'Extérieur, reprit-il. Nous pensions que l'armée cachait des choses au peuple, qu'il était possible de sortir sans l'aide du gouvernement ou des gens de l'Extérieur. Un beau jour, Greyson est venu nous trouver. Nous étions méfiants, extrêmement méfiants. Qui était cet enfant sorti de nulle part ? L'armée pouvait nous soupçonner à tout moment, et notre discrétion était notre seul atout…

— Mais vous l'avez intégré au groupe.

De nouveau, Fox hocha la tête en regardant ses mains parcheminées.

— Il nous a fourni des informations précieuses sur la surveillance des Murs. Nous n'avions jamais réussi à nous procurer de tels documents…

— Que s'est-il passé, ensuite ?

Le regard de Fox se voila et Maïa le vit s'abîmer dans ses souvenirs, dans un monde plus doux où l'Enfant Papillon vivait encore.

La réunion prit fin dans un silence préoccupé. À l'autre bout du bar, le serveur empilait les verres vides, coiffés de rondelles de citron pressées, sur un plateau. Ils se levèrent et quittèrent le bouge à tour de rôle. Fox attendit de se retrouver seul avec Wheeler, comme souvent ces derniers temps ; le jeune homme quittait toujours la salle en dernier, et Fox appréciait les moments passés en sa seule compagnie. Peut-être espérait-il, ce faisant, se gorger de sa lumière.

— *Greyson, appela-t-il quand le silence retomba sur leur table. Tu penses quoi des nouveaux plans de Dolph ?*

L'adolescent reposa son verre d'eau, dont il contemplait les reflets avec attention, et caressa Fox de ses yeux gris.

— L'expédition jusqu'aux Murs ? C'est une bonne idée.

— Moi, je pense que c'est stupide. Le périmètre à couvrir est bien trop grand.

— Pourquoi tu ne l'as pas dit ? demanda Wheeler en souriant.

— Parce que je n'ai rien de mieux à proposer.

C'était une demi-vérité. En réalité, il avait aussi gardé le silence par lâcheté, parce qu'il n'avait pas envie d'affronter Dolph sur un débat perdu d'avance. Il ne voulait pas que Wheeler le sache mais, à la façon dont il le regardait, d'un air tendre et presque amusé, il devina que c'était peine perdue.

— Tu es plus intelligent que les autres, Randy. Tu devrais t'affirmer.

— Et toi, alors ?

La réplique avait fusé, presque agressive. L'adolescent avait souri, tranquille.

— Tu veux que je te dise un secret, Randy ? J'ai trouvé le moyen de sortir.

Pendue aux lèvres du vieil homme, Maïa sentit son cœur faire un bond dans sa poitrine.

— Quel est ce moyen, monsieur Fox ?

— Je ne sais pas. Il ne me l'a jamais dit. Notre conversation s'est arrêtée là et nous n'avons plus abordé le sujet.

— Comment ça ?

— Il voulait protéger ses informations. Et... surtout, nous protéger d'elles.

— Si l'armée vous capturait, mieux valait ne rien savoir ?

— C'est ça. Il ne voulait pas nous compromettre. Il est sorti seul.

Maïa avait beau connaître la fin de l'histoire, elle attendait chaque nouveau mot de Fox avec impatience.

— Il est sorti et… une semaine plus tard, environ, il est revenu. Il disait qu'il fallait à tout prix libérer la Cité et qu'il allait s'en charger. Il n'était plus le même qu'avant son départ. Métamorphosé.

— Qu'avait-il vu, dehors ? le pressa Maïa.

Le visage de Fox s'assombrit.

— Il ne me l'a jamais dit.

— Quoi ?!

— Il n'en a pas eu le temps… (Le vieillard leva vers elle un regard humide, las.) L'armée lui est tombée dessus avant qu'il ait pu témoigner de ce qu'il avait vu. Il n'a même pas bénéficié du délai habituel entre le procès et la sanction. Le Châtiment lui a été appliqué le lendemain.

Maïa secoua la tête, dégoûtée.

— Il avait commis le pire crime possible. Il avait ramené de quoi faire sombrer la Cité dans le chaos, l'armée ne pouvait pas le laisser en liberté…

— Alors elle l'a brisé, compléta Zéphyr en regardant les cicatrices sur ses mains. C'est tellement plus simple.

— Elle l'a littéralement massacré. Il était à moitié mort quand on l'a relâché. Je l'ai recueilli, je l'ai soigné, mais il n'était plus que l'ombre d'un homme.

Chacune de ses cellules asphyxiées criait son martyre, mais rien, absolument rien, n'aurait pu détourner Fox de sa tâche. Deux jours avaient passé depuis la fin théorique du Châtiment et il n'avait toujours pas retrouvé Wheeler. Deux jours qu'il mangeait à peine et ne dormait quasiment pas, ratissant plus de terrain que tous les autres réunis. L'idée que le gouvernement

ait dérogé à sa règle absolue et ait finalement tué son prison-
nier l'avait effleuré, mais il avait décidé de croire que Greyson
vivait toujours quelque part dans cette maudite ville. Et il
redoutait l'état dans lequel il allait le retrouver.

Ce qu'il fit, au bout d'une heure de course dans le sud
du ghetto.

Il le trouva dans une ruelle saturée par des relents de viande
pourrie. Il ralentit l'allure avant même de remarquer le corps
roulé en boule sous une étoffe sanguinolente, et ses yeux se
gorgèrent de larmes lorsqu'ils croisèrent ceux, complètement
éteints, de l'enfant qu'il aurait aimé pouvoir protéger.

— Greyson...

Le regard gris perle cilla sans le reconnaître.

— Greyson, qu'est-ce qu'ils t'ont fait ?

— Pour être sûrs qu'il ne parlerait pas de ce qu'il
avait vu, les bourreaux lui ont coupé la langue et les deux
mains, expliqua Fox d'une voix sourde. Je suppose que
vous imaginez la suite...

Maïa et Nathanaël n'osaient plus regarder Fox, dont la
souffrance crevait les yeux.

— Je l'ai soigné. J'ai essayé de le sortir de là, mais...

Sa voix se brisa.

— Hé... tiens, je t'ai apporté de l'eau. Tu en veux ?

Wheeler mit plusieurs secondes à intégrer la question et,
lorsqu'il y parvint, il cligna des yeux sans que Fox parvienne
à déterminer s'il s'agissait d'un oui ou d'un non. Dans la
pénombre de la chambre, les blessures à vif de l'adolescent
ressemblaient à des taches d'encre sur un dessin inachevé.

D'une main qu'il espérait ferme, Fox porta le verre d'eau, dans lequel il avait pris soin de diluer un puissant antalgique, aux lèvres de l'adolescent. Celui-ci grimaça quand le liquide atteignit sa langue mutilée et il se détourna après une gorgée seulement.

— Tu voudrais manger quelque chose, Greyson ? J'ai fait de la purée, ce sera assez doux. Qu'en dis-tu ?

Nouveau regard mort. Fox renonça à obtenir une réponse et effleura les moignons de Wheeler. Coupe nette, cautérisation immédiate. Il veillait à changer les pansements tous les jours et à guetter l'infection, mais sans réelle inquiétude ; tout ça guérirait. Ça, au moins. Il ferma les yeux pour échapper à ceux, à la fois vides et intenses, de Wheeler.

— Je vais aller en chercher, décida-t-il en se levant. Il faut que tu manges un peu.

Il se redressa et un fouissement attira son attention. Sous ses draps, Wheeler s'était redressé. Et Fox réalisa avec horreur que Greyson Wheeler, l'enfant qui avait quitté sa chrysalide pour sauver la Cité, celui qu'il avait choisi de suivre, d'aimer et d'estimer, était mort dans la salle des tortures de Tucumcari Center. Ne persistait de lui qu'une âme en morceaux, muette à jamais.

L'adolescent leva les yeux vers lui et Fox y lut les mots que Greyson ne pourrait plus jamais prononcer.

« C'était une mauvaise idée, Randy. »

Une larme acide perla sous les paupières de l'homme.

— J'ai tout essayé, mais j'ai échoué à le sauver.

Un silence poisseux, désespéré, emplit la petite maison de Fox. Maïa et Nathanaël regardaient leurs pieds. Seul Zéphyr eut assez de cran pour énoncer la question que tous se posaient :

— Et ensuite ?

— Ensuite, je... Il a suffi que je le laisse seul une heure. Une minuscule heure... et...

— Il s'est suicidé, n'est-ce pas ?

Fox acquiesça lentement.

— J'aurais aimé qu'il ait votre force, murmura-t-il à l'adresse de Zéphyr.

Celui-ci ne répondit pas. Parce qu'il n'y avait rien à dire.

— Pourquoi « l'Enfant Papillon » ? demanda finalement Maïa d'une petite voix.

— Pardon ?

— Pourquoi avoir donné un tel nom à... à Greyson Wheeler ? À cause de sa « métamorphose » ?

Fox, prisonnier de ses souvenirs, brisé par les regrets, esquissa un pauvre sourire. La simple évocation du nom de l'Enfant semblait le secouer jusqu'au tréfonds de son âme.

— C'est à cause des cicatrices.

— Hein ?

— Mets-toi sur le ventre. Oui, comme ça. C'est bien.

La bande tachée de sang coagulé coula entre les doigts de Fox, interminable. Le dos étroit de Wheeler disparaissait sous les croûtes et les ecchymoses. Avec d'infinies précautions, Fox nettoya les plaies à l'alcool. L'adolescent ne frémit pas sous la morsure. À mesure que la peau dévastée apparaissait sous le tissu, Fox discerna le dessin parfait qu'avaient formé les lames et les tisons sur le jeune corps. Tout, absolument tout y était ; les nervures régulières des coups de lame ; les écailles aux teintes variées dues à la pointe d'un tison ; le motif tortueux qui ressemblait à des yeux menaçants, rencontre d'un hématome et de profondes écorchures.

— J'ai trouvé que ces blessures ressemblaient à des motifs sur les ailes d'un papillon, alors c'est devenu son nom, murmura Fox. Mais...

Sa voix se brisa. Fox était tellement fragile, chétif, qu'un courant d'air aurait suffi à le casser en mille morceaux.

— ... mais je ne pouvais pas parler de ses blessures. Parce que l'enfant suicidé, misérable, mutilé, ce n'était pas lui. Dans mes écrits, je souhaitais lui rendre hommage... alors il est devenu un papillon magnifique.

Fox s'essuya brièvement les yeux avant de poursuivre :

— Peu après sa mort, l'armée m'a assigné à résidence dans ce pavillon. Tout comme trois autres membres de notre groupe, ceux que l'armée a réussi à identifier.

— D'autres membres sont actuellement en liberté ? demanda Nathanaël.

— Probablement. Je ne sais pas ce que sont devenus les autres, mais au moins une personne n'a pas été arrêtée.

— Qui ça ?

— Je ne sais pas comment il se fait appeler aujourd'hui. Il vit dans le ghetto, je suppose. Il n'y a que là qu'un singe peut passer inaperçu.

Maïa sentit son cœur dégringoler dans sa poitrine. Elle jeta un regard en biais à Zéphyr et à Nathanaël.

— Un singe, vous dites ? murmura le tueur.

— Greyson lui en a ramené un de son voyage. Il s'entendait bien avec ce type...

Ainsi, Kingston avait été ramené de l'Extérieur par l'Enfant Papillon lui-même... Maïa se tourna vers ses compagnons, parlant pour eux trois :

— On doit aller voir Big D. Tout de suite.

— Big D ? répéta Fox. C'est donc comme ça qu'on l'appelle, à présent ? Son vrai nom est...

Maïa, Zéphyr et Nathanaël ne surent jamais comment s'appelait réellement Big D, parce que Randall Fox ne finit pas sa phrase.

Une balle de fusil d'assaut logée entre les deux yeux le fit taire.

TROISIÈME PARTIE

CHAPITRE 35
J-8

L'écho de la détonation résonna dans la petite maison. Le corps sans vie de Fox s'écroula sur le sol, dont la terre battue pompa le sang, comme assoiffée. Avant que Maïa ait pu comprendre la situation, Zéphyr l'attrapa par le col de son uniforme pour la jeter à terre, où elle ferait une cible moins facile.

La fenêtre vola en éclats sous l'impact des balles. Maïa se protégea tant bien que mal des bris de verre alors que Zéphyr ripostait déjà à l'aveuglette, accroupi près de la porte. Au bout de quelques secondes – une éternité –, les coups de feu cessèrent.

— Nous sommes les Forces d'Intervention ! Sortez immédiatement, les mains sur la tête !

Allongée par terre, la main tremblant sur son Springs, Maïa sentit le sang quitter son visage. Les Forces d'Intervention. Des hommes triés sur le volet, armés de fusils d'assaut à la précision inégalable. Avec des monstres pareils aux trousses, leur seul moyen de s'en sortir était…

— Nous ne voulons pas faire de blessés ! brailla de nouveau l'un des soldats dehors. Rendez-vous sans opposer de résistance !

Maïa soupira de soulagement. Si l'équipe d'intervention voulait les capturer vivants (pour les soumettre au Châtiment, sans aucun doute), ils pouvaient encore s'en sortir. Elle leva le nez vers Zéphyr. Celui-ci observait les tireurs en train de se déployer autour de l'entrée depuis sa cachette.

— Ils sont quatre, murmura-t-il. Plus que six balles. Maïa, Nate, combien vous en reste-t-il ?

— Je dirais dix pour moi, répondit la jeune fille.

— Donne-moi ton flingue.

Elle fit glisser l'arme volée au QG sur le sol. Zéphyr s'en empara et lui renvoya la sienne ; mieux valait confier le chargeur le plus plein au meilleur tireur.

— Nous allons entrer ! Au moindre geste, nous tirons.

— Venez, lâcha Zéphyr sans bouger de sa cachette. Je vous attends.

Il y eut un moment de flottement. De toute évidence, la milice ne les tuerait qu'en dernier recours. Fox était un dommage collatéral.

— Planquez-vous, souffla le tueur alors que les tireurs échangeaient des signaux silencieux.

Maïa recula à couvert et jeta un regard circulaire à la recherche de Nathanaël, mais il avait disparu.

— Nate ?

Elle enjamba prudemment le corps de Fox et sentit ses jambes se dérober sous elle.

— Nate !

Celui-ci était allongé derrière une commode branlante, replié en position fœtale. Son torse se soulevait au rythme affolé de son souffle court et sa peau blême luisait, recouverte d'une pellicule de sueur. Maïa plongea vers lui au moment où Zéphyr tirait sur le premier soldat à pénétrer chez Fox, déclenchant une nouvelle salve de balles.

Dans un brouillard confus, Maïa se pencha sur Nathanaël, qui pressait ses mains osseuses sur son estomac. Un sang noir s'échappait de ses doigts, gouttant sur le sol pour se mélanger à celui de Fox.

— Oh non... Nate...

Désespérée, elle promena un regard embué autour d'elle. Elle vit vaguement les corps de soldats sur le pas de la porte et Zéphyr qui s'était emparé du fusil d'assaut ; l'odeur prégnante du sang et de la poudre la prenait aux tripes.

Un soldat passa par la fenêtre pour les prendre à revers. Il aperçut Maïa une seconde trop tard ; elle vida son chargeur sur lui et il s'écroula. Zéphyr sortit de la maison comme un spectre, abandonnant deux cadavres derrière lui. Celui qu'avait fauché Maïa gisait près d'elle. Le silence retomba : elle souleva doucement la tête de Nathanaël.

— Nate, regarde-moi...

Le Lazul obéit, mais ses yeux bruns se troublaient déjà. Maïa eut vaguement l'impression que Zéphyr revenait vers eux en lâchant quelque chose qui ressemblait à « Le fumier, il s'est enfui avec le V-15 ! ». Puis il vit Nathanaël. Ses yeux s'agrandirent. Il le souleva comme un fétu de paille avant de le charger sur ses épaules. Ils quittèrent le secteur 22 avant l'arrivée des renforts.

*

— Colonel Johnson !

Celui-ci se retourna, à deux pas de la salle de contrôle de Tucumcari Center. Solomon White, vêtu de son uniforme de mission, plus léger et pratique que celui d'apparat, fonçait vers lui.

— J'ai reçu le rapport radio du major Birnes, fit le général en saluant son subordonné. Ils ont effectivement localisé Freeman et ses acolytes dans le secteur 22, pavillon 37.

Johnson acquiesça en silence. La capitaine Amiel avait vu juste. L'alarme s'était remise à hurler et le QG bouillait, au bord de l'implosion.

— J'envoie des renforts, décida Johnson. Il y a un dangereux criminel avec elle. Un certain Brian Stevenson…

— Suivez-moi dans mon bureau, colonel. Je convoque le Conseil en urgence. C'est un cas de force majeure et des mesures radicales s'imposent.

White tourna les talons pour s'éloigner d'un pas vif. Un sourire mauvais passa sur les lèvres de Johnson et il s'élança à sa suite, noyé dans le vacarme et l'agitation.

*

Le nez collé à la porte de sa cellule, Dimitri essayait d'apercevoir le soldat planté au pied des escaliers. Lors du déclenchement de l'alarme, près d'une heure plus tôt, c'était Taylor qui montait la garde. Il avait quitté son poste pour prêter main-forte aux autres et n'était pas redescendu. Son remplaçant avait débarqué longtemps après son départ, l'air paniqué, et faisait depuis des allers-retours entre le palier des geôles et le rez-de-chaussée, apparemment frustré d'être cantonné au sous-sol.

Dimitri ferma les yeux. L'alarme lui donnait mal à la tête et l'inquiétude lui retournait les tripes. Un mauvais pressentiment lui étreignait le cœur. Un peu plus loin dans le couloir, le seul autre prisonnier hurlait comme un damné.

— Hé ! s'écria Dimitri afin de couvrir le vacarme. Hé, garde !

Le soldat, trop occupé à lorgner les escaliers en espérant qu'il s'y passe quelque chose d'intéressant, se retourna à peine.

— Tais-toi, le traître...

— Qu'est-ce qui se passe, là-haut ? Hé !

Visiblement agacé, le garde fit volte-face et se planta devant la cellule de Dimitri.

— Qu'est-ce qui se p...

Il abattit rageusement sa matraque sur les barreaux. Dimitri bondit en arrière juste assez vite pour sauver ses doigts.

— Boucle-la, traître.

— Quelqu'un s'est introduit dans le QG ? devina-t-il alors que le soldat repartait déjà.

Il attendit d'être hors de portée du bourreau pour se rapprocher de nouveau des grilles, nerveux.

— Maïa, murmura-t-il, que fais-tu... ?

*

Le soldat Taylor était sur le point de défaillir. À peine était-il remis de ses émotions qu'on l'avait catapulté devant le Conseil au grand complet pour lui demander des comptes. Il essayait désespérément d'accrocher le regard de l'un des gradés présents dans la salle de réunion, en vain.

— Soldat Taylor...

La voix gutturale du général White lui arracha un frisson. Jusqu'à ce jour, il ne l'avait jamais entendu parler qu'au cours de la cérémonie de remise des uniformes, quelques années plus tôt. Et il avait alors espéré ne jamais avoir à l'entendre de nouveau, persuadé que la meilleure façon d'être heureux était de vivre caché.

— ... je vous le demande une dernière fois : êtes-vous sûr de ce que vous avancez ?

Taylor déglutit péniblement. Il ne parvenait pas à réaliser la trahison de Maïa et se sentait blessé dans sa loyauté vis-à-vis du gouvernement comme dans ses sentiments propres. Il avait sincèrement aimé cette jeune fille, et elle n'avait pas hésité à menacer sa vie.

— Oui, mon général.

— Répétez-le, s'il vous plaît.

— L... lorsque le sous-lieutenant Freeman m'a... (Il s'interrompit, submergé par l'émotion.) Elle a dit : « C'est pour le lieutenant-colonel Bielinski. »

Un murmure parcourut l'assemblée.

— C'étaient ses mots précis ?

— Oui.

Silence de plomb. White se leva, pareil à une statue de marbre.

— Merci, soldat Taylor. Vous pouvez disposer.

Il ne se le fit pas dire deux fois.

*

Dimitri était prostré, perdu dans ses pensées, quand l'alarme cessa enfin. Il entendit quelqu'un beugler le nom du garde en haut des escaliers et se précipita vers les barreaux juste assez vite pour le voir disparaître. L'autre prisonnier continuait de hurler.

Au bout de quelques instants, le garde redescendit et se dirigea vers la cellule de Dimitri. Méfiant, celui-ci recula de quelques pas, mais le visage empâté du soldat ne reflétait qu'une satisfaction sadique.

— Bonne nouvelle, le traître, gargouilla-t-il en collant son nez à la grille.

Dimitri se raidit, nerveux.

— Quoi ?

— Tu seras châtié demain.

Dimitri laissa échapper un hoquet. D'un bond, il revint se coller aux barreaux.

— Il reste huit jours avant le Châtiment, rétorqua-t-il. C'est le protocole.

Le garde esquissa un sourire et s'éloigna en lançant :

— Plus maintenant. Tu peux remercier ta petite copine.

CHAPITRE 36
J-1

Maïa et Zéphyr, qui portait Nathanaël sur ses épaules, se réfugièrent dans un squat en bordure du désert, à la pointe sud du ghetto. Zéphyr y avait eu ses habitudes, juste après le Châtiment, et estimait la planque sûre. Il s'agissait d'une minuscule cabane en bois dépourvue du moindre meuble et dont les planches mal ajustées laissaient filtrer la lumière du soleil. Et celle de la lune quand, comme cette nuit-là, elle ressemblait à un œil révulsé.

Zéphyr entra le premier et désigna une trappe dans le sol. Maïa l'ouvrit et ils descendirent un escalier raide qui grinça sous leurs poids cumulés. Le tueur déposa doucement Nathanaël sur le sol caillouteux. La cave était plongée dans l'obscurité, mais il semblait la connaître comme sa poche.

— Elle est encore là, murmura-t-il avec un soupir de soulagement.

Soudain, son visage apparut dans le halo vacillant d'une antique lampe à pétrole.

— J'espère qu'elle tiendra assez longtemps. Nate…

Il s'approcha de lui alors que Maïa restait en retrait, paralysée. Le jeune homme ouvrit un œil vitreux et baragouina :

— Il… il est mort ? Fox, je veux dire. Il…

— Oui. Et si tu continues, toi aussi ; alors tais-toi. (Zéphyr souleva la tunique de Nathanaël pour évaluer les dégâts.) La balle a dû toucher la rate. C'est pour ça que ça saigne autant. Et peut-être l'estomac. Maïa, viens là.

La jeune fille dut faire un effort monstrueux pour forcer ses jambes à bouger. Zéphyr déchira un large pan de la tunique, le roula en boule et le colla contre la plaie.

— Appuie là-dessus, ordonna-t-il à Maïa. Et ne lâche pas. Compris ?

— Oui… Zéphyr, où vas-tu ?

Le tueur était déjà presque en haut des escaliers.

— Je vais chercher un médecin.

Et il referma la trappe derrière lui. Maïa posa une main tremblante sur le linge déjà imbibé de sang et appuya sur le ventre de Nathanaël. Celui-ci gémit.

— Ça… ça va aller, bredouilla-t-elle. Nate, tu m'entends ?

Le jeune homme ouvrit de nouveau les yeux pour signifier que oui, puis il les referma, comme si ce simple mouvement l'avait vidé de ses forces.

— Zéphyr est parti chercher un médecin… il…

— J'ai entendu, souffla-t-il dans un râle. Calme-toi.

— Comment veux-tu que je me calme ? Tu es en train de te vider de ton sang et… et je ne peux rien faire… Nate, ouvre les yeux, bordel !

— Arrête de crier… Je suis fatigué…

De grosses larmes inondèrent le visage de Maïa. Le souffle de Nathanaël s'accéléra encore, ultime tentative pour résister. Son visage livide, jusque-là crispé par la douleur, se détendit un peu et Maïa y lut une résignation qui lui souleva l'estomac.

— Nate, je t'en supplie, regarde-moi… Tu ne vas pas mourir. Zéphyr va revenir, tiens bon.

Le Lazul serra les mâchoires.

— Arrête de pleurer, réussit-il à murmurer. Ce… ce n'est pas si grave. Mieux vaut ça que de crever à cause du virus qui…

— Non !

La souffrance et la panique occultaient toutes ses réflexions. Ses mains pleines de sang glissaient sur le linge. La seule pensée capable de se frayer un chemin dans son esprit affolé était « je vous en supplie ».

Je vous en supplie, ne me prenez pas cet homme.

Sans savoir à qui elle s'adressait ni ce qu'elle pourrait bien donner pour qu'on l'exauce, elle répéta mentalement sa prière, bouclier dérisoire brandi pour la protéger d'une éventualité à laquelle elle ne survivrait pas. Cette Cité lui avait pris son père et voulait lui ravir Dimitri. Elle ne supporterait pas qu'on lui enlève aussi Nathanaël.

— Nate, tu n'écoutes vraiment rien de ce qu'on te dit…

Même s'il ne voulait pas d'elle, même si ses sentiments ne trouvaient grâce aux yeux de personne, même si – et cette pensée la terrifiait – Dimitri et Tobias eux-mêmes auraient désapprouvé cet amour, elle n'y pouvait rien. Elle aimait Nathanaël à la folie. Et la blessure qu'il avait ouverte en la rejetant ne ressemblait en rien à celle qu'il provoquerait s'il mourait là, dans cette cave.

Elle acceptait l'idée qu'il ne partage jamais son amour, mais elle voulait rester à ses côtés. Coûte que coûte.

— Je t'ai déjà dit que, si tu mourais, je ne m'en remettrais pas.

Le regard trouble du Lazul croisa celui de Maïa et s'assombrit sous le coup d'une souffrance qui n'avait rien à voir avec l'impact de balle.

— Tu es butée.

— Moins que toi, coassa-t-elle en s'essuyant le nez avec son avant-bras. Mais, pour cette fois, fais-moi plaisir : tiens bon.

Le flot de sang se tarit légèrement et elle appuya de plus belle sur la plaie, en priant pour que cette évolution soit la preuve qu'elle avait réussi à endiguer l'hémorragie et non le signe que le cœur du Lazul rendait les armes. Nathanaël grimaça et referma les yeux. Sa voix s'éleva entre eux, plus ténue qu'un murmure :

— Je ne voulais surtout pas mourir dans tes bras…

*

— Merci de te déplacer jusqu'ici, Ted. Je te revaudrai ça.

— Pas de problème, Zéphyr… Tu es un ami, tu le sais.

Zéphyr n'en croyait pas un mot, mais ne dit rien. Ted Little, le meilleur médecin clandestin de la Cité, n'avait pas d'amis ; il avait simplement des contacts utiles, qu'il sélectionnait avec soin. Et Zéphyr, parmi les plus riches et les plus influents du ghetto, était un contact qu'il convenait de caresser dans le sens du poil.

Pour autant, le tueur n'allait pas cracher dans la soupe. Ancien chirurgien condamné pour d'innombrables délits mineurs, Little avait fini par comprendre qu'il valait mieux exercer ses talents dans le ghetto, où personne ne se préoccuperait de son passé de petit délinquant. Véritable génie du bistouri, il pouvait se permettre de pratiquer des tarifs prohibitifs sans craindre de perdre sa clientèle.

— C'est pour quoi, au fait ?

Zéphyr marchait d'un pas vif à travers les rues. Il avait pris soin de couper par les petites voies, si étroites et encombrées de détritus que les V-15 de l'armée auraient du mal à y pénétrer. Il comptait aussi sur les habitants du ghetto, peu ravis de voir leur territoire envahi par leurs ennemis de toujours, pour retarder leurs poursuivants.

Derrière lui, Little suivait difficilement le rythme, traînant sa mallette et ses kilos en trop.

— Blessure par balle, expliqua le tueur. Au niveau de la rate.

— On a quoi pour opérer ?

— Rien. Une lampe à pétrole, au mieux.

Lorsqu'ils arrivèrent devant la cabane, Zéphyr se retourna vers le médecin.

— Je compte sur toi, Ted.

Et il l'entraîna à sa suite. Au bas des escaliers, Little se figea en apercevant Maïa penchée sur le corps inerte de Nathanaël.

— Cet uniforme...

— Ne t'inquiète pas. Elle est avec nous. (Zéphyr désigna Nathanaël.) Voici le blessé.

Little fronça les sourcils en détaillant le jeune homme à moitié conscient.

— C'est une blague, Zéphyr ?

— Pas du tout.

— Désolé, rétorqua le médecin avec une mimique de dégoût. Je ne soigne pas les Lazuli.

Zéphyr se passa une main sur le visage pour s'exhorter au calme.

— Écoute, Ted...

— Non. Je ne toucherai pas à cette vermine. C'est contre mes principes.

— Je te donnerai dix mille sotos s'il s'en sort, avança le tueur.

Le médecin hésita, des billets plein les yeux. Puis il tendit une main avec un sourire vicieux peint sur le visage.

— D'accord. L'argent d'abord.

— Je n'ai rien sur moi, Ted. Je te l'ai dit : on sort d'une fusillade. Je te donnerai ça quand on sera sortis d'affaire…

— Tant pis pour lui, rétorqua le médecin. Il ne mérite pas mieux, de toute façon.

— Ted, tenta Zéphyr, tu me connais. Tu sais que je possède cet argent. Fais un effort…

Le tueur se tenait toujours au pied des escaliers. Little tenta de forcer le passage, mais Zéphyr ne bougea pas d'un poil.

— Dix mille sotos, Ted. Tu sais comme moi que c'est plus que ce qu'on t'a jamais proposé.

— Je suis libre de soigner qui je veux ! tonna le médecin.

— Et tu vas soigner cet homme, gros lard.

La voix de Maïa glaça Little. Il tenta de se retourner vers elle, mais le canon du Springs de la jeune fille, collé à l'arrière de son crâne, l'en dissuada.

— Tu vas le soigner, reprit-elle d'une voix que la fureur rendait stridente. Parce que, s'il meurt dans cette cave, je te fais un trou dans la cervelle. Compris ?

Il y eut un silence. Zéphyr contemplait la scène avec effarement puis, au bout d'un moment, un sourire éclaira ses traits meurtris. Little était aussi pâle que Nathanaël, à cela près que le premier semblait à deux doigts de s'uriner dessus et que son sentiment d'orgueil bafoué avait quelque chose de presque comique.

— Hoche lentement la tête si tu as compris.

Le médecin s'exécuta, gratifiant Zéphyr d'une mimique furieuse qui ne lui fit ni chaud ni froid.

— Bien, maintenant tu vas te retourner, doucement, et venir l'examiner.

De mauvaise grâce, Little fit demi-tour et s'approcha de Nathanaël. Zéphyr eut un nouveau sourire satisfait et dit :

— Je crois que Nate est entre de bonnes mains. Maïa, je te confie la suite des opérations.

— Aucun problème, grogna celle-ci en gardant Little en joue.

Et le tueur disparut de nouveau alors que le médecin se penchait sur le ventre de Nathanaël.

— Oh, nom d'un coyote, articula-t-il en découvrant la blessure.

Maïa se laissa glisser contre le mur en face de lui, le revolver toujours pointé dans sa direction.

— N'oublie pas, l'avertit-elle. S'il meurt, tu meurs avec lui.

— Il… il a perdu beaucoup trop de sang. Même si je retire la balle et que je suture la plaie, il risque d'y rester…

Il y eut un silence pendant lequel Little se demanda si Maïa allait lui tirer dessus tout de suite ou réfléchir un peu avant. Puis il sursauta quand un sourire étira les lèvres de la jeune fille. Sans cesser de le viser, elle remonta sa manche gauche avec les dents et dit :

— Ça tombe bien, je suis O négatif. Donneur universel. Tu viens de gagner quelques heures de vie et t'as plus d'excuse, maintenant.

CHAPITRE 37
H-9

Dimitri, assis comme toujours au fond de sa cellule, traçait des cercles dans la poussière. Les heures s'égrenaient sans fin depuis l'annonce. Il avait cru qu'au dernier moment le compteur s'affolerait, les minutes défileraient à toute vitesse sans qu'il parvienne à les retenir, et qu'il se retrouverait sur l'échafaud avant d'avoir pu seulement y penser.

Mais là, là... C'était l'enfer. Il était seul, sans aucun repère temporel, depuis que le garde lui avait annoncé qu'il ne lui restait que vingt-quatre heures avant le Châtiment. Combien de temps encore avant de subir la pire des tortures ? Combien d'heures, de minutes avant la fin, avant de connaître d'horribles souffrances sans pouvoir en mourir ?

Son doigt tremblait un peu sur ses figures géométriques. Il ne savait plus vraiment s'il avait peur, s'il avait des regrets ou s'il était en colère. Peut-être un peu des trois, ou peut-être rien de tout cela. Il aurait peut-être dû passer ses derniers moments en tant qu'être humain à faire le deuil de sa vie, son introspection ou quelque chose de ce genre. Mais il était vide. Complètement vide. Une enveloppe corporelle, rien de plus.

Il leva le nez vers le plafond ocre, qui lui apparut, comme tout le reste, barré d'une fissure oblique. Il retira ses lunettes et en regarda le verre droit, fendu par le poing furieux du colonel Johnson lors de son interrogatoire. Un vague sourire passa sur ses traits et il rechaussa ses lorgnons. Mieux valait ça que rien ; sans eux, il était myope comme une taupe. Et, même s'il n'avait rien à regarder dans sa cellule lugubre, il préférait les avoir sur le nez.

Il rit. Disserter sur sa mauvaise vue à moins d'une journée du Châtiment... Il devenait dingue. Complètement barjot.

— J'ai envie de parler...

Sa voix résonna dans le silence pesant des geôles, lui arrachant un sursaut. Elle était rauque, détachée, à des kilomètres de son habituel gazouillis enjôleur.

— Pitoyable...

Au-delà de la peur ou des regrets, sa solitude lui pesait terriblement. Elle avait toujours été là, certes – pas de femme ni d'enfant à choyer, une vie tout entière passée dans l'hédonisme et l'instant présent –, mais, à quelques heures du Châtiment, elle devenait intolérable. Que faisait Maïa en ce moment ? Il priait pour qu'elle soit sauve et qu'elle le reste, mais il en doutait.

Tu peux remercier ta petite copine.

Elle s'était donc introduite dans la salle des archives du tribunal, dont il lui avait ouvert la porte sans sourciller. Il savait que, ce faisant, il la mettait en danger, mais il avait cru qu'elle le sauverait. L'espace d'un instant, il avait nourri l'espoir d'échapper au Châtiment.

La bonne blague.

Tout ce qu'il avait réussi à faire, c'était condamner sa protégée au même supplice.

— Quel con…

Il aurait voulu la voir. Lui demander pardon et la serrer contre elle, parce qu'elle aurait peur. Et qu'il avait désespérément besoin de quelqu'un à qui se raccrocher. Il contempla les ronds qu'il avait dessinés dans la poussière, puis ferma les yeux en espérant que le temps s'arrêterait.

*

QUATRE ANS PLUS TÔT, QUELQUES MOIS APRÈS LA MORT DE TOBIAS FREEMAN

Faire vite. Sans bruit. Dimitri s'agitait devant les étagères du colonel Wurst, l'œil le plus perçant de tout le service des Renseignements. Il avait forcé la porte de son bureau, et son supérieur pouvait revenir à tout moment. Le cœur battant, il passait en revue les innombrables dossiers alignés contre les murs, à la recherche d'une trace, d'un indice. D'un signe que son intuition ne l'avait pas trompé.

L'idée lui était apparue quelques jours après l'enterrement de Tobias, quand le choc s'était dilué et que ses méninges étaient parvenues à faire du chagrin un moteur et non plus un frein. Il avait alors pensé à la dernière missive de son ami, celle qu'il avait agrémentée du numéro de son propre dossier aux archives du tribunal. Les Renseignements, et plus particulièrement le colonel Wurst, le surveillaient de près ; Dimitri et lui n'en avaient jamais discuté, mais le lieutenant-colonel supposait qu'il l'était depuis sa découverte du cobaye mort dans les couloirs du QG. L'armée n'envoyait personne à l'Extérieur pour faire avancer les recherches sur le vaccin et ne tenait probablement pas à ce que cela se sache.

Un procès et une punition expéditive auraient pu régler le problème, mais cette option aurait attiré l'attention sur un sujet que le gouvernement préférait occulter ; sans compter qu'accuser un major efficace et populaire demeurait risqué. La mort accidentelle de Tobias semblait être la solution idéale. Et Tobias avait effectivement perdu la vie de façon « accidentelle » peu après sa découverte. Il fallait être aveugle pour n'y voir qu'une coïncidence, et Dimitri avait fini par recouvrer la vue. Une fois acquise la certitude que Tobias avait été assassiné, il avait formulé la promesse la plus douloureuse de sa vie. La plus salutaire, aussi. Il s'était juré de faire éclater la vérité sur la mort de son ami et, par la même occasion, sur le sort réservé aux cobayes supposés aider à éradiquer le virus.

Restait à trouver une preuve de la machination. Et Dimitri comptait bien y parvenir en fouillant le bureau du colonel Wurst. Il renonça à explorer les étagères après s'être assuré qu'aucun dossier ne touchait Tobias de près ou de loin et s'attaqua aux tiroirs du bureau. Un énorme verrou de cuivre fermait celui du bas. Il le fit céder grâce à une pince coupante et dénicha le sésame au cœur d'une pile de transmissions diverses. La note, griffonnée sur un papier jauni, portait une date antérieure de deux jours à celle de la mort de Tobias, ainsi que les signatures du colonel Wurst en expéditeur et celle d'un gradé qu'il ne connaissait pas en destinataire. Le message disait simplement : *Le major Freeman fera des heures supplémentaires pendant deux jours à compter d'aujourd'hui. Il s'agit de la conduite supérieure du réduit du couloir principal de l'aile est, deuxième étage. Rouillée et dangereuse depuis plusieurs années déjà. Le soldat chargé de l'entretien ce soir-là sera prévenu demain. Aucun risque de fuite. Pas de victimes collatérales.*

Une goutte tomba sur la feuille et y imprima une tache. Dimitri la replia prestement et la glissa dans sa poche. Puis il s'essuya les yeux. Il n'avait pleuré qu'une fois depuis la mort de Tobias : il s'était réveillé dans la nuit qui avait suivi l'enterrement, les yeux pleins d'un rêve où son ami vivait encore. C'étaient des larmes de désespoir, celles d'un homme amputé d'une part de lui-même et qui ne sait que faire du vide en lui.

Les larmes qu'il versait désormais, le poing serré sur sa preuve, charriaient sa fureur. Il sécha de nouveau ses joues et quitta le bureau du colonel Wurst, électrisé par son désir de vengeance. Les yeux rivés au sol, il remontait le couloir quand une voix glaciale l'arrêta :

— Il me semble que vous avez oublié quelque chose, lieutenant-colonel Bielinski.

Dimitri se retourna sur le colonel Johnson, et sa colère monta d'un cran. Il les haïssait, lui et sa dévotion aveugle envers leur Cité. Et l'air supérieur avec lequel l'homme le regardait lui donnait des envies de meurtre. Il s'obligea néanmoins à le saluer ; pas question d'attirer l'attention alors qu'il venait de dévaliser le bureau de son supérieur.

— Que je ne vous reprenne plus à faire fi du respect que vous devez à votre hiérarchie, grimaça Johnson.

Dimitri était conscient que la colère obscurcissait son jugement. Il était aussi conscient de la nécessité de faire profil bas en cet instant, mais la fureur lui fit lever les yeux pour les planter dans ceux de Johnson.

— Attention, lieutenant-colonel.

Ils avaient tué Tobias. Jamais il n'avait éprouvé une telle souffrance, une telle révolte.

— On a les crocs, Johnson ?

Le poing du colonel le heurta à la mâchoire. Il vacilla, se redressa tant bien que mal. Et sa riposte avait déjà des airs de vengeance.

*

Zéphyr souleva le rideau bariolé d'un geste vif et pénétra dans la maison. Les carcasses d'animaux pendaient toujours au plafond, répandant une odeur âcre qui le prit à la gorge, et une petite ampoule brillait faiblement au-dessus de sa tête.

— Big D ! s'exclama-t-il.

Pas de réponse. Son patron semblait absent. Il jura entre ses dents et, au moment où il allait partir à sa recherche (il était probablement au *Yucca's*, ce qui ne plaisait guère à Zéphyr), le vieil homme sortit de l'ombre d'un paravent, nimbé par la lumière agonisante de l'ampoule.

— Zéphyr ! s'exclama-t-il d'une voix doucereuse en ouvrant les bras. Cela faisait longtemps, dis-moi.

Le tueur ne répondit pas. Kingston, le singe décrépit, apparut derrière son maître, ses yeux jaunes dardés avec méfiance sur le nouvel arrivant.

— Où étais-tu, depuis le temps ? reprit Big D. Je ne suis pas content que tu m'aies fait faux bond pour le contrat sur Maggie Beans, tu sais. (Il s'assit derrière son bureau.) Pas content *du tout*.

Zéphyr leva un sourcil méprisant.

— Big D, j'ai deux ou trois questions à te poser.

— C'est moi qui ai des questions à poser, rectifia le mafieux, délesté de toute amabilité.

Zéphyr fit un pas en avant et vint poser ses deux mains sur le bureau, dominant son patron d'une tête.

— Tu connaissais Greyson Wheeler, non ?

Les yeux du vieil homme s'agrandirent de surprise, puis la colère remplaça l'effarement.

— Ne me parle pas sur ce ton, Zéphyr…

— C'est lui qui t'a rapporté cette horrible bestiole. J'ai parlé à Randall Fox, tu vois qui c'est, je suppose ? Eh bien, Fox est mort. Et j'ai besoin de savoir comment Wheeler est sorti.

— Ça suffit ! Je n'ai pas de comptes à te rendre !

— Dis-moi. Comment. On. Sort.

Big D lança un regard affolé autour de lui et s'attarda une seconde de trop sur son Springs 416, posé sur un meuble près du paravent. Le tueur le surprit, s'empara du revolver et esquissa un sourire mauvais.

— C'est ça que tu veux ? Pour t'en servir contre moi ? Allons, Big D…

Il rangea l'arme dans sa ceinture et asséna un violent coup de poing à son vis-à-vis. Big D tomba de sa chaise, étourdi par le coup, mais le tueur ne lui laissa pas le temps de se relever. Il lui fondit dessus comme un rapace sur sa proie.

— Alors ? demanda le tueur sans se départir de son calme.

— Fumier, éructa Big D, le nez en sang et la fureur la plus pure au fond des yeux.

Zéphyr esquissa un sourire cruel et s'approcha de lui. Le vieil homme se tassa dans le coin de mur où il avait été acculé, mais encaissa le premier coup à l'estomac sans broncher. Le deuxième lui arracha un gémissement et, au troisième, la bile envahit sa gorge. Il tenta de se défendre, en vain. Son homme de main frappait plus vite, plus fort, déjouant ses moindres parades. Kingston, visiblement effrayé, se tenait en retrait.

— Tu es sûr ? siffla le tueur en levant une nouvelle fois son poing ensanglanté.

La peur se fraya un chemin sur le visage tuméfié de Big D. Il sembla réaliser que Zéphyr était prêt à tuer pour obtenir ce qu'il voulait et eut tôt fait d'évaluer ses chances.

— OK, gargouilla-t-il finalement en crachant un mélange de sang et de salive. Je… je vais tout te dire.

Zéphyr hocha la tête. Big D se ratatina contre le mur. Kingston, ragaillardi, se colla à lui dans une attitude vaguement protectrice.

— Il… il y a une faille dans les Murs, révéla le mafieux en s'essuyant le nez. Une porte. Qui n'apparaît sur aucun plan. Se… selon Greyson, elle n'est pas verrouillée. Simplement recouverte de grillage électrifié, comme le reste.

— Où est-elle ?

— Entre les postes de veille N66 et N67. Plein nord depuis la grande carrière de cuivre.

Zéphyr plissa les yeux et empoigna Big D par le col pour le forcer à se relever. Kingston lâcha un cri perçant, mais n'osa pas intervenir.

— Tu sais que, si tu me mens, grinça Zéphyr, je me ferai capturer par la garde. Et châtier. Pour la deuxième fois. Et que je ne manquerai pas de parler de toi aux soldats qui m'interrogeront. Autant te dire qu'ils seront ravis d'attraper un aussi gros poisson que toi, dans l'armée...

— C'est la vérité. En tout cas, c'est ce que Greyson m'a dit quand il a ramené Kingston.

Zéphyr le relâcha et il s'écroula de nouveau, les jambes en coton.

— Et le courant électrique ?

— Quoi ?

— Si la porte est électrifiée, comment Wheeler a-t-il pu sortir ? Le générateur se trouve à l'Extérieur, non ?

Un long silence plana entre eux. Peu à peu, la peur laissa place à un large sourire sur le visage de Big D et un rire nerveux, hystérique, s'échappa de ses lèvres.

— Mon pauvre Zéphyr, tu as tout faux...

— Comment ça ?

— Ils se foutent de nous, murmura le mafieux. Depuis le début.

Zéphyr retint son souffle.

— Le générateur se trouve à l'intérieur des Murs depuis cent ans. Jalousement gardé à Tucumcari Center.

CHAPITRE 38
H-4

— Le générateur qui alimente le courant électrique des Murs se trouve dans le QG de l'armée ? répéta Zéphyr d'une voix blanche.

— Exactement.

Le tueur sentit ses jambes flageoler et se laissa tomber dans le fauteuil de Big D. Les habitants de la Cité étaient retenus prisonniers par leurs propres dirigeants. Leur maintien en captivité n'avait jamais été un choix de ceux de l'Extérieur. Mais, dans ce cas...

— Pourquoi ? murmura-t-il.

— Je vais te raconter une petite histoire, mon cher Zéphyr.

Big D tenta de se relever, mais le tueur dégaina son Springs et le pointa en direction de son cœur.

— Pas un geste.

Le mafieux leva les mains en signe de capitulation et se rassit dans la poussière.

— Alors ?

— Il y a cent ans, pendant la Grande Épidémie, on a confié le générateur au général des armées alors en place. Il devait libérer les survivants à la fin de l'épidémie. S'il succombait au virus, ces instructions étaient consignées, en sécurité, pour être remises à son successeur.

— Pourquoi sommes-nous toujours enfermés, dans ce cas ?

Big D eut un rire sans joie.

— C'est là que ça devient drôle. Reprenons au début. Il y a cent ans, donc, la Grande Épidémie a tué une grande partie de la population de la Cité.

— Jusque-là… merci pour le cours d'histoire.

— Mais, ce que personne ne sait, c'est que le virus a filtré hors des Murs. La quarantaine n'a servi à rien, puisque la maladie s'est propagée à l'Extérieur.

— Et qu'elle a fait un carnage dehors aussi, compléta Zéphyr, tentant d'assembler les pièces du puzzle.

— Exactement.

— Nom d'un cactus…

Zéphyr se sentit soudain vidé de son énergie, écrasé par le poids d'une vérité qu'on avait passé un siècle à cacher.

— La seule chose que Greyson m'a dite quand il est revenu, c'est « Il n'y a rien, dehors ». La plupart des gens sont morts, terrassés par le virus. S'il y avait des survivants, ils ont plié bagage et sont partis très loin.

— Mais… et Kingston ?

Big D caressa le singe avec une tendresse étrange.

— Greyson l'a trouvé dans une ville non loin d'ici. Beaucoup d'animaux sauvages vivaient sur les ruines de notre civilisation. Beaucoup d'espèces inconnues dans la Cité. Mais pas le moindre humain. Nous sommes des survivants, Zéphyr…

— Et cette histoire de virus en nous, qui décime ceux du dehors… Un mensonge de plus ?

— Apparemment, oui.

Le tueur sentit son cœur dégringoler dans sa poitrine pour venir se loger quelque part entre ses reins.

— Attends, objecta-t-il. Ça ne colle pas. Les Lazuli meurent du virus atténué, non ? C'est bien la preuve qu'il est toujours là...

— Ça aussi, c'est un mensonge.

Le visage de Nathanaël, pétri des souffrances occasionnées par la maladie, s'imposa à lui. Il secoua la tête.

— Mais les Lazuli meurent de cette maladie, c'est un fait ! Cinq pour cent de la population, depuis la Grande Épidémie, développe les mêmes symptômes que...

— Des symptômes similaires à ceux du virus, concéda Big D. Un malheureux hasard, si je puis dire...

Le mafieux esquissa un petit sourire.

— La plus grande méprise de notre histoire, mon cher Zéphyr.

— Raconte-moi.

— Quand les premiers symptômes sont apparus chez les Lazuli, on a immédiatement cru à une résurgence du virus. A suivi la stigmatisation que tu connais, amenant à la création de ton petit protégé aux cheveux bleus et de ses comparses. Seulement... plusieurs années après la politique de ségrégation du gouvernement, les activités du Centre de Soins ont repris. Et, après quelques analyses, les chercheurs se sont rendu compte qu'il n'y avait pas la moindre trace de virus dans notre sang. Pas plus que dans celui des Lazuli, d'ailleurs.

— Leur mal, alors ? Il n'a aucun rapport avec le virus ?

Big D haussa les épaules, fataliste.

— Je ne sais pas exactement ce qu'ils ont. Les rapports du Centre de Soins feraient état d'une maladie auto-immune dont les symptômes ressemblent à ceux du virus. Les Lazuli sont dévorés par leurs propres anticorps. À part ça… je ne suis pas sûr que les scientifiques aient cherché plus loin. Après tout, qui se soucie des Lazuli, hein ?

Zéphyr ignora la pique, ses méninges tournant à plein régime.

— Une maladie qui apparaît au même moment que le virus mais qui n'est pas le virus… Drôle de coïncidence, non ?

— Pas vraiment, si on y réfléchit. Nos organismes ont été très perturbés par la quarantaine : changement de notre mode de vie, carences alimentaires, dérèglements hormonaux… assez de chamboulements pour en déséquilibrer certains de façon aléatoire et continue. Ce genre de choses existait déjà avant la Grande Épidémie.

Zéphyr essaya de répondre, mais aucun son ne s'échappa de ses lèvres. Quatre générations de Lazuli brimées au nom d'un mensonge absurde. Il y avait eu une erreur de jugement dans le feu de l'action, soit. Mais pourquoi avoir entretenu le mythe du virus atténué après la découverte de la méprise ? La réponse lui vint avec une montée de bile :

— C'était une erreur, mais l'armée n'a pas pu la reconnaître car elle aurait perdu toute crédibilité.

— Exactement, approuva Big D. Les Lazuli se seraient révoltés, à raison, et le reste de la population aurait perdu toute foi envers ses dirigeants. Pire, même : les tensions causées par l'enfermement, qui retombaient jusqu'alors sur les Lazuli, auraient pu changer de cible…

— Et mener à une vraie guerre civile. On a délibérément sacrifié les Lazuli pour maintenir la paix dans la Cité.

Un bref silence tomba entre eux.

— Comment sais-tu tout ça ? demanda finalement le tueur.

— Greyson, indiqua Big D. Il avait mis la main sur des résultats d'analyses sanguines révélant l'absence de virus chez les habitants de la Cité. Un gamin incroyable, hein ?

Zéphyr essuya une perle de sueur sur son front. Il se doutait que l'armée avait caché des choses à la population, mais n'en imaginait pas l'absurdité. Peu à peu, les pièces s'emboîtaient dans son esprit, soulevant plus d'interrogations qu'elles n'en résolvaient.

— Mais, s'il n'y a plus de virus, poursuivit-il, pourquoi l'armée n'a pas ouvert les Murs, depuis le temps ? Si nous ne sommes pas un danger pour l'Extérieur...

— On raconte qu'un groupe d'exploration est sorti de la Cité après la fin de l'Épidémie. Dehors, tout n'était que désolation. Les soldats sont rentrés pour témoigner de ce qu'ils avaient vu, et il a été décidé de ne rien révéler à la population. Les messages en provenance de l'Extérieur que l'armée prétend relayer, les promesses de libération ne sont que des mensonges visant à confiner la population à l'intérieur des Murs.

— Je ne comprends pas, l'arrêta Zéphyr. Que l'armée ait pris peur en voyant que tout avait été dévasté dehors, soit. Mais pourquoi interdire aux habitants de sortir ?

Big D eut un sourire méprisant auquel Zéphyr ne réagit pas. Il anticipait la réponse, mais avait besoin de l'entendre pour y croire.

— Je te croyais plus futé que ça, mon cher Zéphyr. Le calcul est pourtant très simple.

— Éclaire donc ma lanterne...

— Les élites de l'armée ont créé une société à partir de rien. Ça a été dur, au début, mais cette société a fini par fonctionner en totale autarcie. Chacun à son poste, des usines au Centre de Soins, et tout allait pour le mieux dans le meilleur des mondes.

Zéphyr leva les yeux au ciel, agacé.

— Comme utopie, on a vu mieux. Mais passons.

— Pour les élites de cette Cité, la vie est des plus agréables, expliqua Big D. Dans ces conditions, difficile pour eux de faire mieux...

— Or, si cette même élite se résout à ouvrir les portes de la Cité, poursuivit Zéphyr en comprenant où le vieil homme voulait en venir, adieu le paradis. Si la main-d'œuvre fuit, ils ne pourront plus assurer le fonctionnement de la Cité. La dictature volera en éclats.

— Tout à fait. Et ceux qui ont choisi de garder les portes fermées pensent que c'est mieux pour eux, certes, mais aussi pour le peuple.

— Ah bon ? Épate-moi, pour voir.

— Comme je te l'ai dit, il n'y a rien dehors. Que se passerait-il si un péquenot voulait tenter l'aventure dans le désert, loin du confort de la Cité ? Il mourrait dans les trois jours. Rien à boire, rien à manger...

— C'est n'importe quoi, cracha Zéphyr, dégoûté. Quel cynisme !

— Peut-être, concéda Big D. Mais je pense que c'est le meilleur moyen pour nous tous de survivre... Même si, dans ma bouche de truand, ça sonne peut-être un peu faux.

Zéphyr recula d'un pas, ébranlé. Cent ans de manipulations, de mensonge, de misère… pour une élite qui détenait au creux de ses mains la vie de milliers d'hommes et qui pensait savoir mieux qu'eux ce qui leur convenait. Il avait envie de vomir.

— Soyons honnêtes, continua le mafieux en reprenant de l'assurance. Je me doute que tu leur en veux à cause de ce qu'ils t'ont fait, mais, sans eux, sans le berceau de civilisation qu'ils ont entretenu depuis la fin de la Grande Épidémie, on ne serait même pas en vie…

— Tais-toi, le coupa Zéphyr. Ça suffit.

Il coinça le Springs dans sa ceinture, s'empara d'un chargeur qui traînait à côté du coffre et amorça un mouvement pour partir.

— A… attends ! s'exclama Big D en se relevant. Où vas-tu ?

La main sur le rideau coloré qui faisait la fierté de son ex-patron, dévasté par une nausée terrible, le tueur ne se retourna même pas.

— Je vais crever dans le désert, asséna-t-il. Et tu devrais faire la même chose.

Et il quitta le bureau du vieil homme, l'abandonnant à ses démons. Avec pour seule compagnie un vieux singe, témoin muet d'une rébellion étouffée dans l'œuf.

CHAPITRE 39
H 0

Les gardes lui avaient passé les fers. Comme s'il avait l'intention de s'enfuir, à présent. Encadré par quatre soldats à l'air grave, Dimitri gravit les marches qui montaient vers le rez-de-chaussée et aperçut, à travers la grande porte vitrée du hall, la nuit claire baignée par la lumière voilée de la lune.

Après trois semaines passées dans les geôles, il aurait aimé voir la lumière du jour.

Comme un automate, il se laissa guider à travers les couloirs jusqu'à la salle des tortures. L'un des gardes en déverrouilla la petite porte métallique dépourvue de la moindre inscription, qui aurait aussi bien pu passer pour celle d'un placard à balais, et le poussa entre les omoplates pour le faire entrer. Les trois autres gardes restèrent dehors ; pas besoin d'un grand comité pour le Châtiment, puisque le condamné était ligoté du début à la fin. Et puis, ce qui se passait en salle des tortures était secret et le restait autant que possible.

Sonné, presque détaché, Dimitri leva le nez et découvrit la pièce. Contrairement à ce que laissait penser la porte, elle était assez vaste et le sol, recouvert d'une chape de métal oxydé légèrement en pente, convergeait vers une bonde chargée d'absorber le sang et les autres liquides que le condamné de manquerait pas de perdre au cours du Châtiment.

Une lumière crue, éblouissante, tombait des ampoules pendues au plafond. Rien à voir avec les loupiotes jaunâtres qu'on trouvait ailleurs dans la Cité.

Dimitri jeta un regard autour de lui, mais la vue des outils du supplice, pinces, lames et tisons, le laissa froid. Il n'arrivait pas à concevoir que c'était à lui qu'on allait faire subir ces atrocités.

Le garde se posta devant la porte alors que le bourreau, un homme deux fois plus large que Dimitri, lui faisait enlever sa tunique, le laissant torse nu. Sans un mot, avec des gestes presque doux, il le coucha sur la table en cuivre. Dimitri se laissa faire. Il perçut à peine la morsure du métal sur sa peau frissonnante, la texture rêche des liens en cuir qu'on lui passa autour des poignets et des chevilles. Il contempla le plafond en pierre, le cœur battant à ses tempes et l'esprit vide.

Soudain, la porte grinça derrière lui et une silhouette se profila dans son champ de vision. Le colonel Johnson se pencha sur lui, un sourire carnassier aux lèvres.

— Tu as peur ? susurra-t-il à cinq centimètres de son visage.

Le règlement stipulait qu'un gradé devait être présent lors du Châtiment, et Dimitri ne doutait pas que Johnson avait dû se porter volontaire. La fêlure sur ses verres de lunettes faisait comme une balafre en travers du visage torve du colonel. Dimitri esquissa un petit sourire.

— Ça te ferait plaisir, hein ?

— Je ne vais pas tarder à être exaucé, crois-moi, traître. Mais d'abord, finissons-en avec les formalités administratives.

Il brisa le sceau qui fermait une chemise cartonnée, en tira un document et s'éclaircit la gorge. Puis il lut, d'une voix solennelle, le résumé du dossier de Dimitri.

— Voilà, murmura-t-il lorsqu'il eut fini. Maintenant...

Il s'éloigna d'un pas et fit signe au bourreau d'approcher. Celui-ci s'empara d'un tison chauffé à blanc planté dans un poêle à charbon et l'appliqua sans ménagement sur le torse de Dimitri. La douleur l'électrisa. Il serra les dents à s'en briser les mâchoires. Sous le bout de métal, sa peau brûla et avec elle la chair de sa poitrine, laissant planer une désagréable odeur de viande grillée. Au bout de ce qui lui sembla une éternité, le bourreau retira le tison, mais la douleur dura de longues secondes. Les yeux pleins de larmes, couvert d'une pellicule de sueur froide, Dimitri lâcha malgré lui un gémissement et releva un peu la tête pour apercevoir un trou fumant de la taille d'une pièce d'un soto juste au-dessus de son mamelon gauche.

Johnson revint se poster au-dessus de lui.

— Savais-tu que Maïa Freeman avait cambriolé la salle des archives du tribunal ?

Dimitri ne répondit pas. La douleur lui brouillait les idées, mais pas assez pour lui faire perdre le sens des priorités. Johnson essaierait de lui tirer les vers du nez jusqu'au bout. Il n'obtiendrait rien.

— Elle est recherchée par tous les soldats de cette Cité, poursuivit-il. Bientôt, elle subira le même sort que toi, mais...

Il prit un air doucereux qui lui allait à merveille.

— Si tu réponds à mes questions, je m'engage à réduire la durée de son Châtiment de huit heures.

— Crève. Je n'en crois pas un mot.

— Était-elle de mèche avec toi pour les documents sur l'Extérieur ?

Dimitri serra les dents. Si Maïa parvenait à se taire sur ce point et à faire passer son cambriolage pour un acte de désespoir, elle obtiendrait peut-être la clémence des juges. Pas question de la trahir maintenant.

— Dis-le, insista Johnson sans se départir de son calme.

Pour toute réponse, Dimitri lui cracha au visage. Johnson, surpris, s'essuya le nez avec dégoût. Puis il recula jusqu'à sortir du champ de vision de Dimitri, qui n'entendit de sa haine que le sifflement furibond qu'il adressa au bourreau :

— Je te le laisse. Qu'il souffre au point de devenir fou, qu'il implore ta pitié et veuille mourir mille fois.

Pour confirmer, le bourreau approcha de nouveau le tison de Dimitri mais le posa cette fois sur le mamelon. Dimitri hurla si fort qu'il eut peine à croire qu'il s'agissait de sa propre voix. Une larme de douleur glissa sur sa joue – et alors seulement il réalisa ce qui l'attendait pour les vingt-quatre heures les plus longues de sa vie.

*

Lorsque Zéphyr descendit dans la cave de sa cabane, il poussa un soupir de soulagement. Nathanaël reposait sur le dos. Son abdomen, ceint d'une bande serrée, s'élevait à un rythme paisible, régulier. L'irruption de Zéphyr ne lui fit pas lever une paupière. Ce qui ne fut pas le cas de Maïa, assise contre le jeune homme, dont elle serrait fermement la main dans les siennes. Elle jeta un regard furtif vers le nouvel arrivant, esquissa un geste vers le Springs coincé dans sa ceinture et se détendit lorsqu'elle reconnut le tueur.

— Ça va aller, chuchota-t-elle en désignant Nathanaël. Le médecin a fait ce qu'il fallait.

— Merci, Maïa.

— Tu n'as pas à me remercier. Tu sais très bien que je tiens autant à Nate que toi. Tu as vu Big D ?

Zéphyr s'assombrit instantanément. Il n'était pas sûr de vouloir raconter à Maïa et à Nathanaël ce qu'il avait appris. Leur dire qu'elle et les autres n'avaient été que des pantins maintenus dans l'ignorance pour leur « bien », que la vérité était pire que tout ce qu'ils avaient pu imaginer, lui était pénible. Mais le plus difficile serait de leur annoncer que ce monde extérieur dont ils rêvaient n'était en fait qu'une terre stérile et désertée.

Maïa le sentit ; l'inquiétude de Zéphyr se transmit à ses traits juvéniles.

— Il y a un problème, Zéphyr ?

CHAPITRE 40
H + 1

— De toute façon, on n'a plus le choix, dit Maïa après avoir entendu le récit de Zéphyr. On doit sortir cette nuit.

Elle avait encaissé la révélation sans broncher. Pas de questions, pas de commentaires. Souligner l'absurdité de la situation n'aurait rien changé. N'aurait pas effacé les blessures du corps et de l'âme de Zéphyr, pas plus que les brimades subies par Nathanaël et quatre générations de Lazuli avant lui. Des choix différents auraient peut-être évité la violence et le totalitarisme, mais elle était assez sage pour se tourner vers l'avenir. C'était tout ce qu'il leur restait à faire, à défaut d'accepter leur passé...

— Le seul problème, poursuivit Maïa, c'est Nate. Il est trop faible pour...

Sa phrase mourut au bord de ses lèvres. Elle resserra son étreinte sur les doigts du Lazul, dont le visage endormi traduisait un apaisement qui ne durerait pas.

— Il suivra, trancha Zéphyr. Pas le choix. Laissons-le se reposer jusqu'au dernier moment. Tu sais quel est le vrai problème ? Les centaines de soldats disséminés dans la Cité et prêts à nous faire la peau. Nous sommes plein sud et, selon Big D, la porte est au nord des carrières.

— Et le générateur à Tucumcari Center. Avec Dimitri.

Ils se turent, écrasés par l'ampleur de la tâche qui les attendait. Si ce n'était pas du suicide, ça y ressemblait furieusement. Zéphyr rompit le silence en déballant le contenu d'un sac qu'il avait rapporté de son escapade :

— Pour les armes, on a trois Springs et le fusil d'assaut que j'ai récupéré chez Fox. Et un silencieux. (Il le vissa au canon de son revolver, puis tira le chargeur de Big D du sac.) Combien de balles en tout ?

Maïa retira le chargeur de chacun des Springs.

— Dix-huit. Plus le chargeur que tu as pris chez Big D : douze balles.

— Plus le fusil d'assaut, compléta le tueur en examinant l'arme. Quatorze balles. Ce n'est pas si mal. Et on a ça en plus.

Maïa lâcha un sifflement admiratif devant la dizaine de petites grenades que Zéphyr lui montra.

— Ma réserve personnelle, expliqua-t-il. Elles sont artisanales et assez peu puissantes, mais c'est déjà ça. Pour le reste…

Zéphyr étala ses trouvailles sur le sol poussiéreux. Une lampe à pétrole, une couverture, trois gros pains complets, un sac plein de lamelles de viande séchée et six litres d'eau. Maïa écarquilla les yeux.

— C'est ce qu'on aura pour survivre dans le désert. De quoi tenir deux jours, dans le meilleur des cas. Après…

— Après, on trouvera de l'eau et de la nourriture, décréta Maïa.

Elle se pinça le menton, nerveuse.

— Quant aux soldats… Il y en a cinq cents en tout dans la Cité. Supposons qu'ils aient tous été appelés ce soir…

À vue de nez, disons que les deux tiers ont été envoyés à notre recherche. Cent cinquante soldats montent donc la garde à Tucumcari Center. C'est le pire scénario possible, mais cent cinquante, c'est beaucoup trop. On n'a pas une chance de tirer Dimitri de ce bourbier, même s'ils sont un peu moins nombreux.

Elle laissa échapper un soupir, puis sursauta quand elle remarqua le sourire malicieux peint sur le visage de Zéphyr.

— Pour les soldats, j'ai fait le nécessaire en revenant de chez Big D, annonça-t-il avec une pointe de fierté.

Devant l'air médusé de Maïa, il ajouta :

— Je me suis dit qu'on aurait besoin de diversion ce soir. J'ai donc fait appel à deux ou trois contacts qui sont ravis de mettre des bâtons dans les roues de l'armée. Je les ai payés pour qu'ils mettent la Cité à feu et à sang. L'agitation va se répandre comme une traînée de poudre dans le ghetto, et les soldats ne sauront plus où donner de la tête...

— Chapeau, lâcha Maïa avec un rire mal assuré.

La perspective de la soirée à venir lui donnait le vertige. Soudain, le souvenir de sa mère et de son frère l'assaillit. Le cadran ouest, perdu au cœur des plantations, serait à l'abri ; elle ne s'inquiétait pas vraiment. La suite des événements la rassurait moins, mais elle espérait que sa lettre suffirait à assurer la sécurité des siens. Il ne faisait aucun doute, désormais, qu'elle ne les reverrait pas. Et, même si elle ne regrettait pas sa décision, ces adieux la déchiraient. Le jour de l'enterrement de son père, elle avait juré, un peu naïvement, de protéger Marthe et Andy.

Mais Dimitri... Dimitri représentait le prolongement de l'âme de Tobias, et bien plus encore. Dimitri, la flamme dans son obscurité, son éternel pilier ; celui qui valait plus que la promesse faite à son père. Le choix avait semblé cornélien, mais s'était finalement imposé. Pas sans culpabilité pour ceux qu'elle laissait derrière. Pas trop. Elle refoula une montée de bile. Zéphyr la tira doucement de ses pensées.

— Et pour les véhicules ?

— On n'a qu'à prendre un V-15 aussi, répondit Maïa. Ils sont rangés dans un garage près de l'aile ouest. Les clés sont sur le contact, on n'a qu'à se servir…

— Tu sais conduire ? voulut savoir Zéphyr, conscient que ce genre de compétence était réservé à une petite partie de la population.

Maïa balaya la remarque d'un geste.

— On m'a donné quelques cours de conduite lors de ma formation. Je connais les bases. Mais Dimitri, lui, sait conduire. Donc il n'y aura pas de problème.

Zéphyr la considéra avec inquiétude, et elle vit bien qu'il doutait de leur capacité à soustraire Dimitri à son sort. Elle détourna le regard.

— On va sortir Dimitri de là, lança-t-elle, farouche.

Zéphyr ne répondit pas. Son regard bicolore se perdit dans les cicatrices tourmentées qui couvraient ses mains. Maïa perçut le souvenir du Châtiment dans son silence et se demanda s'il regrettait l'homme qu'il était avant d'être brisé par l'armée. Probablement. Elle se demanda aussi combien de fois il avait prié, pendant son supplice et après, quand il lui avait fallu se reconstruire à partir de rien, pour que quelqu'un vienne l'aider à se relever. Un nombre incalculable, sans doute.

— Bon, reprit le tueur. Il nous faut donc pénétrer dans le QG, désactiver le générateur, récupérer Dimitri au vol et s'enfuir au volant d'un V-15. On s'y prend comment ?

Maïa aplanit le sol entre eux et y traça un polygone à la forme complexe.

— Voilà, dit-elle. Ça, c'est Tucumcari Center.

Elle fit un effort pour se rappeler avec exactitude les plans appris par cœur au fil des ans.

— L'entrée est là, fit-elle en désignant la façade sud du bâtiment. Au premier étage, dans l'aile est, se trouve la salle de contrôle. On doit absolument neutraliser les soldats qui y seront pour déverrouiller les portes jusqu'au garage.

— Comment fait-on ?

— Les portes sont activées par des interrupteurs. Il suffit de les actionner pour tout ouvrir.

— Bien. Ensuite ?

— Ensuite, Dimitri. Les geôles sont là, au sous-sol.

— Un cul-de-sac, donc. Dangereux. Et pour le générateur ?

Maïa se gratta la nuque, nerveuse.

— Je n'ai aucune idée de l'endroit où il se trouve. Pas au rez-de-chaussée, c'est certain… je connais toutes les salles. Le premier étage…

Elle en dessina rapidement le plan dans la poussière et fronça les sourcils.

— Là, indiqua-t-elle en montrant un point entre la salle de contrôle et une rangée de bureaux. Là, il n'y a rien sur le plan. Je n'y avais pas vraiment fait attention, je pensais que c'était une salle inoccupée. Par contre, vu qu'elle contient vraisemblablement le secret le mieux gardé de la Cité, elle doit être blindée. Et verrouillée. Comment y pénétrer ?

— Il doit y avoir une trappe pour l'entretien du générateur, supposa Zéphyr. Soit dans ce bureau, là. Soit dans la salle de contrôle, de l'autre côté.

— Donc, si on résume, reprit Maïa, on entre et on file au premier étage. On court-circuite la salle de contrôle, on bousille le générateur, puis on descend au sous-sol récupérer Dimitri. Ensuite on file vers le garage, au sud du QG. Le tout sans se faire descendre.

Zéphyr ne répondit pas immédiatement et, lorsqu'il le fit, ce fut avec une nervosité qu'elle ne lui connaissait pas.

— Ça ne marchera pas, maugréa-t-il. Aller dans l'aile est pour la salle de contrôle, puis descendre au sud, près de l'entrée, pour les geôles, avant de repartir dans la portion ouest pour le garage, ça fait trop de trajets. Et trop de temps perdu. On n'a pas la moindre chance. Sans compter qu'ils sont beaucoup plus nombreux que nous...

— Tu as mieux à proposer ? demanda Maïa avec une pointe de désespoir.

— On peut déjà compter sur la diversion pour réduire le nombre de soldats présents, mais ça ne suffira pas. On doit se séparer en deux groupes pour gagner du temps. L'un qui s'occupe de la salle de contrôle, l'autre de Dimitri. Et on se retrouve au garage.

— Dans ce cas, Nathanaël et toi vous occupez de la salle de contrôle pendant que je vais chercher Dimitri.

— Non. S'il est trop affaibli par sa détention et qu'il ne peut pas se déplacer, tu auras besoin de l'un de nous pour le porter.

— Nathanaël vient avec moi, dans ce cas...

Sa voix vacilla. Elle savait où Zéphyr voulait en venir et elle savait aussi qu'il avait raison. Sa solution ne lui plaisait cependant pas le moins du monde.

— Les pontes se douteront que tu essaieras de sauver Dimitri. Il y aura beaucoup de monde autour de lui et... tu auras besoin de moi pour les neutraliser.

— A... alors pars avec Nate, essaya-t-elle en désespoir de cause. Et je m'occupe de la salle de contrôle...

Zéphyr secoua la tête, désolé.

— Et j'ai besoin de toi pour me repérer. Je ne connais pas assez bien les lieux.

Maïa sentit son pouls s'accélérer. Laisser Nathanaël seul était de la folie. Même s'il savait se servir d'une arme, il n'avait pas l'habitude du combat et sa blessure l'avait beaucoup trop amoindri pour qu'il espère s'en sortir vivant. Zéphyr la couva d'un regard qu'il essaya de rendre rassurant, mais qui cachait mal sa propre inquiétude.

— On va monter tous les trois à la salle de contrôle. On neutralisera tous les soldats et on laissera Nate s'occuper des portes et du générateur. Pendant ce temps, on redescend chercher Dimitri. Nate nous rejoint ensuite dans le hall d'entrée et on file vers le garage. Maïa... ?

La jeune fille s'était retournée vers le Lazul, qui dormait toujours. Sa peau diaphane ressemblait à celle d'un cadavre et de larges cernes soulignaient ses yeux clos. Elle sentit une boule se coincer dans sa gorge.

— D'accord, dit-elle finalement. Il refusera toute autre stratégie, de toute façon. Ce crétin obstiné !

CHAPITRE 41

H + 3

La première explosion mit le feu au dispensaire accolé aux carrières de fer. Bâti à partir de planches de récupération, il flamba comme un ballot de paille, délogeant le médecin de garde et l'infirmière qui veillaient là. Les troupes alertées par l'incendie relayèrent l'information aux autres V-15 par l'intermédiaire de leurs talkies-walkies.

Un autre feu débuta à la lisière du ghetto, un troisième le long des berges est du lac Tucumcari. Plus tard, les renégats mirent à sac le quartier résidentiel ; les vitrines des boutiques volèrent en éclats sous les cocktails Molotov, les habitants furent traînés hors de chez eux et passés à tabac, la panique se répandit comme une traînée de poudre. Aux hommes payés par Zéphyr – une dizaine, plus efficace qu'un bataillon entier – s'ajoutèrent une grosse partie des illuminés du ghetto, trop heureux de profiter de l'agitation pour déverser leur rancœur et leur folie. Une réaction en chaîne prévisible, mais qui dépassa de loin les espérances de Zéphyr.

Bien vite, l'armée fut débordée. Les cris emplirent les rues, convoyant la peur et la haine, et s'envolèrent dans le ciel brouillé par des fumées âcres ; et leurs échos se perdirent dans le désert, bien au-delà des Murs.

*

L'alarme de Tucumcari Center avait tiré Marcus Gilmore de son sommeil. Encore à moitié endormi, il s'était précipité à la fenêtre de sa chambre pour voir le ciel nocturne éclairé par les incendies qui avaient éclaté un peu partout. Les habitants fuyaient en hurlant, les détonations pleuvaient, et un horrible pressentiment l'avait étreint. Il avait enfilé son uniforme, empoigné sa boîte à outils et filé vers le QG. Aucun des soldats présents dans le hall, au bord de la panique, ne lui prêta attention.

Marcus hésita un instant. Il était venu sans réfléchir, porté par une drôle d'intuition. Et l'intuition, chez les Gilmore, c'était sacré. Il dégaina une clé à molette, mima l'affolement et se dirigea vers l'escalier qui menait aux geôles. Il voulait juste croiser le regard de Dimitri. S'assurer, d'un bref coup d'œil, que les directives n'avaient pas changé. Il descendit les marches, salua le geôlier, qui n'était pas l'habituel rouquin, et montra sa clé pour lui signifier qu'il avait à faire. Le soldat, trop occupé à guetter le haut des escaliers, ne pipa mot.

Marcus trottina jusqu'au fond des geôles et son cœur eut un raté quand il atteignit la cellule de Dimitri, vide. Il veilla à ne pas marquer un arrêt trop prolongé et se jeta sur l'armoire électrique fixée au mur du fond, qu'il fit mine de réparer pendant quelques minutes. Puis il retourna vers la sortie, en adoptant l'air le plus dégagé possible au moment de croiser le maton. Il ne reprit son souffle qu'arrivé en haut des marches, alors que l'évidence s'imposait à lui : Dimitri avait rejoint la salle des tortures plus tôt que prévu. L'espace d'un instant, son cœur se serra, puis il concentra ses pensées sur la tâche qu'il devait accomplir. Les consignes que lui avait livrées Dimitri lors de leur dernière discussion étaient claires. Une fois le Châtiment entamé, Marcus devait considérer Dimitri comme mort.

Après le Châtiment, raye-moi de ta mémoire, mais avant fais-moi plaisir. Laisse-moi vivre à travers toi.

Ils avaient convenu de ce code des années plus tôt, quand Dimitri avait réalisé que, à l'instar de celle de Tobias, sa vie ne tenait qu'à un fil et qu'il ne pourrait peut-être pas mener ses projets à bien. Marcus, qui, au-delà des idéaux, avait aimé l'homme qui les portait, avait toujours craint que ce jour arrive. Et ce jour était finalement arrivé. La seule chose qui réconfortait Marcus, c'était la perspective de porter à bout de bras les dernières volontés de Dimitri et d'avoir la possibilité de les accomplir.

Il se fit aussi discret que possible et gravit les étages sans que personne remarque sa présence. Arrivé au dernier palier, il déverrouilla une porte de service et se hissa sur le toit du QG grâce à une échelle branlante. Un air frais balayait la toiture en métal poli, percée de dizaines de cheminées et de ventilateurs dispersant des fumées toxiques dans la nuit claire. Marcus effectua un tour sur lui-même pour s'enivrer du panorama – l'un des plus époustouflants de la Cité. L'un des plus privés, aussi, puisque seuls les techniciens y avaient accès. La vue embrassait le ghetto, où naissaient des gerbes de feu, la majeure partie du quartier résidentiel et la surface paisible du lac, pareille à un morceau de néant au cœur de l'enfer.

La terreur et le chaos possédaient chaque parcelle de la Cité, des chiens rendus fous jusqu'aux murs des maisons, fugacement éclairés par les explosions puis replongés dans une obscurité emplie des cris des habitants. Marcus ignorait qui avait initié une telle débandade et pourquoi, mais il se prit à espérer que Dimitri n'y soit pas étranger. Comme un ultime pied de nez à sa destinée, un cadeau d'adieu flamboyant.

Il traversa le toit d'un pas assuré, insensible aux vingt mètres de chute libre qui l'attendraient s'il dérapait, et contourna la plus grosse bouche d'aération, obturée par un ventilateur dont chaque pale avait la taille d'une jambe humaine. Une fumée blanche s'en échappait, en provenance directe de la salle des machines. Marcus traversa l'épais brouillard sans respirer et trouva les caisses à leur place habituelle. Au nombre de trois, elles étaient constituées de planches serties par des baguettes de cuivre. Marcus s'accroupit pour ôter le couvercle de l'une d'elles. Les liasses de tracts ficelés reposaient au fond de la boîte. Il saisit la première pile, qui contenait un bon millier de feuilles, et la posa précautionneusement devant l'énorme ventilateur. Puis il lut le message imprimé en grosses lettres. Sous un slogan appelant à la révolte, une photo officielle de Tobias Freeman accompagnait une copie du message du colonel Wurst prévoyant un assassinat. Une phrase achevait de décrire les raisons de la mort du major.

Dimitri avait rédigé ces tracts des années auparavant et les avait dissimulés sur le toit, devinant qu'ils y seraient mieux cachés que n'importe où ailleurs dans la Cité. Marcus admira l'alignement de piles disposées devant le ventilateur. Puis il s'accroupit et sectionna les ficelles. Les milliers de feuilles s'envolèrent aussitôt, propulsées par le souffle violent du ventilateur et transportées au loin par la brise.

Marcus esquissa un sourire, rangea ses outils et quitta le toit avant que les premiers tracts atteignent le sol.

*

Rejoindre Tucumcari Center s'était révélé plus simple que prévu. Ainsi que l'avait anticipé Zéphyr, la panique avait envahi les rues de la Cité. Maïa, Nathanaël et lui avaient donc traversé le ghetto et le quartier ouest incognito, coupant par les ruelles tandis que l'armée bataillait pour rétablir le calme dans les artères principales. Les provisions pour les jours à venir avaient été réparties en trois, dans des sacs à dos ou des besaces qu'ils portaient accrochés à leur ceinture.

Arrivé en vue de la carcasse métallique du QG, Zéphyr jugea plus prudent de créer une ultime diversion ; juste manière d'attirer dehors les rares soldats qui se trouvaient encore à l'intérieur de la forteresse. Il avisa un bâtiment abandonné à une centaine de mètres de là.

— Attendez-moi ici, souffla-t-il à Maïa et à Nathanaël, qui ressemblait à un cadavre déterré depuis peu.

Il ne disparut que quelques minutes. Lorsqu'il revint d'un pas rapide, il leur fit signe de se boucher les oreilles. Au moment où Maïa enfonçait ses index dans les siennes, une énorme détonation retentit. Le bâtiment désaffecté s'écroula dans un vacarme assourdissant et de hautes flammes s'en échappèrent, éclairant la zone comme en plein jour.

Quelques secondes plus tard, Tucumcari Center vomit une première flopée de soldats. D'autres suivirent, comètes beiges éclairées par le brasier, et se précipitèrent vers les habitants du secteur, qui sortaient de chez eux en hurlant.

Maïa, Zéphyr et Nathanaël se dirigèrent alors vers la gueule béante de Tucumcari Center.

*

Les explosions et les cris traversèrent le lac et finirent par atteindre les champs endormis du quartier ouest. Andy Freeman avait réussi à échapper à la surveillance de Marthe (la chose n'avait pas été difficile, compte tenu de l'apathie dans laquelle elle se trouvait depuis la réception de la lettre de Maïa) et s'était installé sur les berges du lac en compagnie d'Israel, son meilleur ami. Ils avaient contemplé les gerbes de lumière sur la rive opposée, subjugués par le feu d'artifice autant que par la conscience d'assister à un événement exceptionnel. Puis, n'y tenant plus, ils avaient contourné le lac à pied par le nord pour se rapprocher du tumulte.

Dans les premières rues du quartier résidentiel, le spectacle d'apocalypse les avait saisis à la gorge. À la fois effrayés et grisés par l'adrénaline, ils avaient observé les bataillons de soldats armés de Springs faire face aux rebelles qui propageaient le feu et la terreur. C'était comme si la Cité avait de nouveau succombé à une épidémie meurtrière, sauf que le virus, cette fois, répandait la folie et le chaos. Ils n'avaient pas osé prendre part aux échanges, incapables de décider pour quel camp se battre et effrayés par la violence des affrontements, ni même approcher du cœur du brasier. En termes d'émotions fortes, les deux adolescents avaient déjà plus que le nécessaire.

Ils déambulaient dans les rues les plus épargnées par le tumulte à la recherche d'un point d'observation surélevé quand le premier tract leur parvint. Andy crut d'abord qu'il s'agissait de cendres portées par le vent, puis la forme et la taille de la feuille de papier lui apparurent. Il l'attrapa avant qu'il touche le sol, et la vue du portrait imprimé dessus figea le sang dans ses veines.

Il sentit la présence d'Israel derrière son épaule plus qu'il n'entendit son juron, puisque même les détonations et les cris ne lui parvenaient plus. Lorsqu'il parvint enfin à décoller son regard de la photo de son père, il avait l'impression de découvrir sa ville pour la première fois.

*

Le premier soldat à les remarquer, dans le hall, n'eut pas le temps de donner l'alerte : un coup de crosse sur la tempe lui fit perdre conscience. Une poignée de secondes plus tard, Zéphyr l'avait ligoté, bâillonné et jeté dans un placard. Maïa, Nathanaël et lui gravirent les escaliers à pas de loup et, arrivés au premier étage, remontèrent le couloir de l'aile est. Ainsi qu'ils l'avaient prévu, ils ne croisèrent personne. Maïa prit la tête du convoi, son Springs braqué devant elle, et poussa la porte de la salle de contrôle.

Ils tombèrent sur cinq soldats, certains affairés autour des énormes paquets de câbles chargés d'alimenter en courant tout le QG, d'autres près des tableaux de contrôle couverts d'interrupteurs. Le premier à tourner la tête dans leur direction ouvrit une bouche ronde comme une assiette et se mit à hurler. Maïa le mit en joue, mais une fleur de sang bourgeonna sur son uniforme avant qu'elle ait pu poser le doigt sur la détente.

La balle de Zéphyr, inaudible grâce au silencieux vissé sur son Springs, le tua sur le coup.

— Le prochain qui ouvre la bouche y passe, annonça-t-il calmement. Si vous avez compris, jetez vos armes par terre.

Les quatre survivants obéirent sous l'œil noir des Springs. Zéphyr les garda en joue alors que Maïa et Nathanaël attachaient les poignets des troufions avec des colliers de serrage et leur fourraient du tissu roulé en boule dans la bouche.

— Si vous restez sages, il ne vous arrivera rien.

Maïa ouvrit la porte d'un placard à balais attenant à la salle de contrôle.

— Là-dedans, ordonna-t-elle.

Trois prisonniers se tassèrent tant bien que mal dans le réduit ; Nathanaël retint le quatrième en lui collant le canon de son arme entre les omoplates.

— Toi, tu restes avec moi. J'aurai peut-être besoin d'un coup de main. Assieds-toi là.

Le soldat se laissa tomber contre le mur, l'air mauvais. Nathanaël le gratifia d'un regard méprisant et lui retira son arme de service, puis il se tourna vers Maïa et Zéphyr.

— C'est bon pour moi. On se retrouve en bas.

Maïa hésita un instant, mais la main de Zéphyr, posée sur son épaule, la rappela à l'ordre. Elle lança un regard entendu à Nathanaël et sortit à la suite du tueur. Le Lazul verrouilla la porte derrière eux et attendit une poignée de secondes. Sa plaie au côté le lançait et son regard se troublait par moments. Pas question cependant de flancher. Il inspira un grand coup et se tourna vers son otage avec un petit sourire.

— Bon, à nous maintenant...

*

Maïa et Zéphyr se précipitèrent vers les escaliers, traversant l'aile est à toute allure. Arrivés à l'intersection avec l'aile sud, ils descendirent les premières marches et stoppèrent net en entendant des pas en provenance du rez-de-chaussée.

D'un même geste, ils remontèrent sur le palier et attendirent que les pas se rapprochent. Maïa se posta à couvert derrière un angle de mur et dégaina son poignard : ils avaient réussi à rester relativement discrets jusqu'à présent, autant éviter les détonations intempestives.

Mais, à la vue des deux intrus, le premier soldat dégaina son arme en criant. Zéphyr lui logea une balle en pleine poitrine ; le second en profita pour tirer à son tour. Maïa lui bondit dessus au même moment, déviant la trajectoire du projectile, et ils dévalèrent les escaliers, soudés l'un à l'autre comme des amants passionnés.

La tête de Maïa heurta violemment un guéridon au bas des marches et le soldat, désarmé par la chute, lui sauta à la gorge. Elle répliqua par un crochet du droit qui lui broya les phalanges ; l'homme, qui avait une stature de taureau, broncha à peine et écrasa son poing sur le nez de la jeune fille.

— Traîtresse, éructa-t-il, les traits déformés par la fureur.

Il leva de nouveau son poing pour frapper et se figea. La surprise passa dans ses yeux, se communiqua à ceux de Maïa, et il s'écroula sur elle. Zéphyr apparut dans son champ de vision, tenant son Springs par le silencieux. Apparemment, assommer ses victimes d'un coup de crosse était sa spécialité. Maïa se dégagea et se releva avec peine.

— Ça va ? voulut savoir le tueur.

Bouger les doigts confinait au supplice, mais elle n'avait rien de cassé. Elle hocha la tête, livide.

— Alors on y va. Le bruit va attirer les renforts.

Maïa s'élança à sa suite, non sans un regard pour le soldat mort en haut des marches. Son cœur se serra, mais elle se mit à courir.

— Par là, souffla-t-elle.

Elle descendit les marches de l'escalier menant aux geôles à pas de loup, couverte par Zéphyr qui guettait depuis le palier. Les cellules étaient vides, à l'exception d'une seule. Elle serra les dents pour s'empêcher de hurler et remonta comme une furie, le cœur coincé dans la gorge. Elle se rua vers la salle des tortures, dont elle ouvrit la lourde porte à la volée. Elle ne vit pas Zéphyr, dans son dos, hésiter un instant avant de pénétrer dans la pièce où sa vie, quinze ans plus tôt, avait été brisée. Elle ne vit pas non plus la fureur déferler en lui, exutoire à la souffrance.

Maïa fit un pas dans la pièce et fut immédiatement assaillie par l'odeur de peur qui y régnait. À sa gauche, un garde pointait son arme vers sa tête, mais elle ne s'en rendit pas compte. Son regard passa furtivement sur le bourreau, figé comme une proie ridicule dans le viseur d'un fusil, puis sur le colonel Johnson, qui la contemplait, sidéré. Enfin, elle s'arrêta sur le corps sanglé sur la table de cuivre et réprima un haut-le-cœur.

Un torse nu, mince, à la peau dorée. Une chevelure d'un blond pâle veiné de mèches grises. Un regard bleu acier perdu dans le vague, conscient mais plus vraiment là. Et surtout, surtout…

Le sang. Du rouge, partout. Sur la peau, dans les cheveux, sur le visage. Sur la table et qui gouttait sur le sol, nourrissant une flaque pourpre aux proportions ahurissantes.

— Dimitri !

CHAPITRE 42
H + 5

— Tu sais comment marche ce truc ? demanda Nathanaël au soldat qu'il avait ligoté.

Il s'approcha du tableau de contrôle où s'alignaient des dizaines d'interrupteurs.

— Alors ?

Son prisonnier lui opposa une moue peu amène. Le Lazul leva les yeux au plafond et lui colla son Springs sous le nez.

— C'était une question rhétorique. Je *sais* que tu sais comment ça fonctionne. Et tu vas déverrouiller les portes pour moi.

L'autre poussa un borborygme haineux, étouffé par le bâillon, et tenta de se défaire de ses liens. Nathanaël attendit qu'il ait fini de s'agiter et porta machinalement une main à sa blessure. La douleur rôdait, sournoise. Il devait à tout prix éviter que la situation dégénère : en cas de combat, il ne ferait pas le poids.

— Écoute, reprit-il calmement à l'adresse du militaire, si tu coopères, tu sauves ta vie et celle de tes potes enfermés dans le placard à balais.

Nouveau grognement, dans lequel Nathanaël crut entendre quelque chose comme « Crève, sale Lazul de mes deux ». Il plaqua de nouveau le Springs sur sa tempe, et le soldat réalisa enfin qu'il n'avait pas le choix. Il sautilla jusqu'au tableau de contrôle, gêné par ses entraves, et attendit les ordres.

— Déverrouille la porte d'accès au garage, ordonna Nathanaël dans son dos.

Le soldat hésita, actionna un interrupteur de ses mains liées par le collier de serrage.

— Maintenant, la porte qui permet de sortir du garage.

Il abaissa un autre interrupteur.

— Bien, maintenant, la p... Attends, marmonna Nathanaël, j'ai oublié de te préciser un truc, je crois. Quand je sortirai, tu sortiras avec moi. Et, si tu t'es foutu de moi en actionnant les mauvais interrupteurs, je te descends. Je reviens ici et je fais la même chose avec un de tes potes enfermés dans le placard... jusqu'à ce que j'arrive à bon port. (Il devança un nouveau feulement de son otage.) Ne sois pas stupide. Tu sais qu'il y a des émeutes en ville. L'armée est débordée, le QG est presque vide. Personne ne viendra à ta rescousse. Tu n'as aucun intérêt à jouer les héros, crois-moi.

Un bref silence s'installa. Nathanaël attendit que l'idée fasse son chemin chez le soldat, puis :

— Alors, t'es toujours sûr pour la porte du garage ?

L'otage hésita, manifestement déchiré entre sa raison et son dévouement pour la Cité. Il choisit finalement la première option, remonta les interrupteurs qu'il avait baissés et en actionna deux nouveaux.

— Parfait, apprécia le Lazul.

Il lui fit ensuite verrouiller les portes d'accès à tout le deuxième étage et au réfectoire, puis aux ailes sud et ouest du rez-de-chaussée, ainsi qu'à l'aile est du premier étage, où il se trouvait. Une fois le chemin jusqu'au garage tracé de la sorte, il poussa un soupir de soulagement. La moitié du travail était accomplie. Mais le plus difficile restait à venir...

Il ordonna au soldat ligoté de s'asseoir dans un coin, puis il explora la salle jusqu'à trouver ce qui l'intéressait : sur le mur supposé mitoyen avec la salle contenant le générateur, cachée derrière une machine dont il ignorait la fonction, se trouvait une trappe boulonnée. Assez large pour permettre à quelqu'un de s'y glisser, mais discrète. Probablement la trappe d'entretien du générateur relié aux Murs.

— Parfait, sourit-il.

Il se retourna vers son otage.

— Bon. Tu sais où il y a une clé à molette, dans le coin ?

*

Maïa sentit ses jambes fléchir sous le poids du désespoir. Dimitri lui lança un regard en biais, mais rien n'indiquait qu'il l'avait reconnue. Il n'y avait que du vide dans ses prunelles.

— Johnson... siffla-t-elle en se retournant vers le colonel. Sale ordure...

Le garde à sa gauche arma le chien de son revolver, mais le crotale l'arrêta d'un geste de la main.

— Laissez. Je la veux en vie. (Il sembla s'apercevoir de la présence de Zéphyr, derrière Maïa.) Lui, en revanche...

Il n'eut pas le temps de finir sa phrase : Zéphyr se jeta sur le garde et lui trancha la gorge avec un poignard sorti de sa tunique. La haine la plus pure transpirait de ses traits balafrés. Le garde écarquilla les yeux, tenta d'articuler quelque chose tandis que son sang giclait de sa blessure au rythme de ses battements cardiaques.

Maïa entendit Johnson hurler, mais ce fut le bourreau qui réagit. Il s'empara d'une énorme pince coupante et se précipita sur Maïa dans un élan de bravoure qui lui coûta très cher : deux balles plus tard, il gisait sur le sol, un trou béant dans le ventre et un autre dans le cœur. Maïa tremblait comme une feuille. Cependant, elle n'eut pas le temps de s'appesantir sur son état émotionnel. Zéphyr se dirigeait déjà vers Johnson, son Springs dans la main et une vengeance à assouvir au fond des yeux.

Le colonel se redressa, prêt à faire face, son poignard dégainé. Il avisa les balafres du tueur avec mépris. Sa voix s'éleva dans un sifflement funeste :

— Viens, sale déchet. Je t'attends.

Zéphyr inclina la tête, pareil à un hibou jaugeant une proie.

— Amusant, murmura-t-il.

D'un bond, il fondit sur Johnson. Les deux hommes tombèrent à la renverse sous l'œil sidéré de Maïa. Tétanisée, la jeune fille suivit le corps à corps, et sursauta quand un cri bref, animal, s'échappa des lèvres de Zéphyr.

La main de Johnson ne tremblait pas sur son couteau. Du sang gicla de la gorge de Zéphyr. Il répliqua instantanément ; d'un geste brusque, il plaqua le crotale au sol. Sa blessure gouttait sur l'uniforme clair de Johnson.

— Tu m'as surpris, reconnut le tueur. Mais c'est fini.

D'un geste lent, presque suave, Zéphyr lâcha son arme à feu et dégaina son poignard alors que Johnson se débattait sous lui. Maïa ne parvenait pas à bouger le moindre muscle. Elle savait ce qui allait suivre et n'était pas sûre d'en assumer les conséquences. Pour autant, elle se savait incapable d'affronter Zéphyr. Ce dernier s'était déconnecté de la réalité. Il réglait ses comptes avec son passé et tuerait quiconque se mettrait en travers de sa route. Elle frissonna.

— Ce n'est pas toi qui m'as torturé, hein ? demanda-t-il, le visage à cinq centimètres de celui de Johnson.

— J'aurais bien aimé, feula le colonel.

Le rire de Zéphyr figea le sang de Maïa dans ses veines.

— T'es un bon chien, toi. (Johnson lui décocha un regard haineux.) Tu vas payer pour les autres. Mais, avant, je vais te raconter une petite histoire…

Johnson se débattit comme un beau diable, mais Zéphyr était plus grand et plus musclé que lui. Et, détail non négligeable, il lui appuyait la lame de son poignard sur la trachée, prêt à lui ouvrir le gosier s'il bougeait un peu trop. Le colonel se glaça aux premiers mots du récit de Zéphyr. Les lèvres du tueur bougeaient à peine, déversant la terrible vérité comme de l'acide.

— Tes supérieurs tiennent la population enfermée depuis la Grande Épidémie, conclut-il.

Johnson serra les dents.

— Foutaises !

— Est-ce que j'ai l'air de plaisanter ?

— L'armée protège la population en attendant la libération.

— Tu sais très bien que j'ai raison.

— Non ! Non, j'ai confiance en le général White. Je…

Le doute se fraya un chemin dans l'esprit du colonel. Zéphyr eut un sourire triomphant.

— Tu n'étais pas au courant de leurs petites magouilles, lut-il sur son visage. Ils t'ont manipulé du début à la fin.

— Non…

— Et tu vas mourir pour réparer les erreurs de tous ces monstres. Parfait. Le désespoir au seuil de la mort, c'est parfait…

Pour la première fois, la peur apparut sur le visage de Johnson.

— Non, non, non…

— Si.

Et, pour appuyer ses dires, il enfonça son poignard dans l'abdomen de Johnson, qui lâcha un hurlement perçant. Au bout d'interminables minutes, le tueur se releva et se tourna vers Maïa, qui n'avait pas bougé d'un centimètre.

Son regard vairon n'exprimait rien, et son visage était maculé du sang de ses deux victimes. Il porta une main à sa blessure au cou pour évaluer les dégâts ; la plaie saignait beaucoup, mais semblait peu profonde.

— Allons-y, murmura-t-il en recouvrant sa voix douce.

Il s'approcha de Dimitri, qui cligna des yeux en l'apercevant, sans comprendre.

— Je suis avec Maïa, expliqua-t-il calmement. On vient te sortir de là. Tu peux parler ?

Le torse de Dimitri, écorché, couvert de brûlures et de sang, ressemblait à un champ de mines. On ne voyait plus la couleur originelle de la peau. Le bourreau ne s'était pas encore attaqué à ses jambes et à ses bras, mais une profonde balafre verticale courait de son front à sa joue gauche. Son œil était fermé, mais il ne faisait aucun doute qu'il avait été crevé.

Zéphyr ramassa les lunettes tombées par terre et les rangea délicatement dans la poche de sa tunique.

— Dimitri, appela-t-il de nouveau. Tu m'entends ?

Enfin, celui-ci hocha faiblement la tête.

— Bien. On va t'aider à te relever. Maïa, viens là.

Pas de réaction. La jeune fille ne pouvait détacher son regard de la blessure terrible sur le visage de Dimitri.

— Maïa ! insista Zéphyr.

Elle sursauta, s'approcha pour aider Zéphyr et tressaillit au contact de ce qui restait de la peau de son mentor. Dimitri esquissa un semblant de sourire en la reconnaissant.

— Ça… ça va aller, Dimitri, bredouilla-t-elle. C'est fini.

— On va te mettre debout, annonça Zéphyr. Prêt ?

D'un même geste, Maïa et Zéphyr le mirent sur ses pieds. Il tangua un instant, manqua de flancher mais resta miraculeusement debout, porté par sa volonté de vivre. Zéphyr passa le bras de Dimitri par-dessus ses épaules pour le soutenir et fit un pas, puis un second.

— On y va. Maïa, tu nous couvres.

La jeune fille acquiesça en silence, luttant pour s'empêcher de vomir, et prit la tête du convoi.

CHAPITRE 43
H + 6

Nathanaël retira le panneau métallique, dévoilant la trappe d'entretien. Mince et pas très grand, le jeune homme n'eut aucun mal à s'y glisser, malgré la souffrance occasionnée par sa plaie. Le générateur qui alimentait le grillage fixé aux Murs était bien là.

Il s'agissait d'une machine énorme, prenant presque tout l'espace du réduit dans lequel elle se trouvait. Un ronronnement de monstre endormi s'en échappait et ses rouages tournaient paresseusement, mobilisant, pour produire du courant, un aimant de la taille d'une porte. Nathanaël, impressionné par l'engin, repéra le réservoir à pétrole. Celui-ci était relié à un gros conduit d'évacuation des gaz sortant du réduit par le plafond. Il supposa que le tuyau traversait le deuxième étage du QG avant de déverser son contenu dans le ciel de la Cité.

Le Lazul inspira, nerveux. Sa blessure au flanc le lançait. Il s'approcha du tuyau, en étudia la structure. À hauteur de ses yeux se trouvait une jonction boulonnée. Sans perdre de temps, il désolidarisa les deux parties du tube, laissant une fumée âcre emplir le réduit. Il retint sa respiration et tira une des grenades de Zéphyr des plis de sa tunique.

Il la contempla quelques instants, le cœur battant à tout rompre. Il n'avait pas droit à l'erreur.

D'un geste sec, il dégoupilla la grenade et la fourra dans le conduit d'évacuation, puis il se précipita vers la trappe d'entretien. Il se jeta dans la salle de contrôle et colla la plaque métallique sur l'ouverture au moment où l'explosion anéantissait le générateur. L'onde de choc le secoua, la détonation l'assourdit, mais il était entier. Un petit sourire passa sur ses lèvres. Il ne lui restait plus qu'à rejoindre Maïa et Zéphyr.

Il se releva et se retournait vers son otage quand un éclair gris lui tomba dessus.

*

Une détonation retentit au moment où Maïa, Zéphyr et Dimitri sortaient de la salle des tortures. La jeune fille leva instinctivement les yeux au plafond et pressa le pas dans le couloir désert. De toute évidence, le Lazul avait coupé l'accès au rez-de-chaussée. Désormais, seuls les soldats présents entre la salle de contrôle et le hall pourraient les arrêter ; les autres resteraient prisonniers des portes de sécurité. Derrière elle, Dimitri et Zéphyr avançaient cahin-caha, à une allure de limace.

Ils arrivèrent dans le hall d'entrée, vide lui aussi, et se cachèrent derrière l'imposant guichet d'accueil en fer, juste à côté de l'aile ouest, où se trouvait le garage. Dimitri sembla s'apercevoir du changement, mais il était dans un état de choc tel qu'il ne réussit pas à ouvrir la bouche. Les minutes passaient. Maïa sentit un filet de sueur couler entre ses omoplates.

— Il devrait déjà être là... murmura-t-elle, affolée.

Zéphyr ne répondit pas, mais elle lisait la peur dans ses yeux vairons.

— Ce n'est pas normal...

*

Nathanaël ignorait comment le soldat avait réussi à se libérer. Une grosse clé Allen s'abattit sur lui au moment où il se posait la question et il s'écroula. Sonné, il tenta de se relever, mais ses jambes ne le portaient plus. Le soldat, un type grand et musclé, se pencha au-dessus de sa tête, prêt à en découdre. Nathanaël porta la main à sa ceinture pour y effleurer son Springs, mais l'arme était tombée pendant sa chute et se trouvait à deux mètres de là, sous le panneau de contrôle principal. Le soldat balança de nouveau la grosse clé vers sa tête. Nathanaël esquiva de justesse et reçut le coup dans l'épaule gauche. Il entendit un craquement sinistre, puis roula sur le sol pour se dégager. Désarmé, il était aussi vulnérable qu'un nouveau-né. Aussi, quand le soldat recula prudemment pour s'emparer du revolver tombé sous le tableau de contrôle, son sang ne fit qu'un tour.

C'était le moment d'agir – ou de se laisser tuer.

*

— Il faut y aller, décida Zéphyr.

Nathanaël ne s'était toujours pas montré. Ils avaient eu le temps de recharger leurs armes et de s'assurer que Dimitri allait aussi bien que possible : aucun signe de la présence du jeune homme. Pourtant, l'explosion qu'ils avaient entendue à leur sortie de la salle des tortures signifiait que le Lazul avait mené sa mission à bien. Il aurait dû redescendre dans les secondes qui avaient suivi.

— Pas question, rétorqua Maïa. Il va arriver.

— On n'a plus le temps. À l'heure qu'il est, les renforts ont été appelés. Les troupes qui se trouvaient en ville vont envahir le QG d'une minute à l'autre. On a déjà eu beaucoup de chance.

— Zéphyr, on ne va pas abandonner Nate…

Maïa ne put empêcher sa voix de trembler. Le tueur se tourna vers elle, à la fois malheureux et agacé.

— Ne fais pas l'enfant. Tu sais aussi bien que moi ce que son absence signifie.

— Il… il va arriver, récita-t-elle comme une prière.

— Il lui est arrivé quelque chose.

Ses mots, imprégnés de colère et de souffrance, effrayèrent Maïa.

— Non !

Zéphyr ne répondit pas, mais elle comprit qu'il était aussi dévasté qu'elle. La jeune fille savait qu'au fond il avait raison. Ils avaient déjà pris trop de risques, et les chances que Nathanaël soit encore en vie étaient quasi nulles. Pour autant, Maïa ne renoncerait pas. Pas question d'abandonner leur compagnon.

Pas question de partir sans avoir tenté le tout pour le tout.

— Je vais le chercher, annonça-t-elle.

Zéphyr pinça les lèvres. Sa raison, portée par un sang-froid salutaire, luttait contre son amour inconditionnel pour Nathanaël. Le Lazul l'emporta finalement.

— D'accord, céda-t-il. Voilà ce qu'on va faire. Tu vas…

Un bruit de porte ouverte à la volée l'interrompit.

— Ils sont là !

Les premières balles tirées par les renforts s'encastrèrent dans le mur au-dessus d'eux. Un groupe de soldats pénétrait dans le hall. Maïa se jeta sur Dimitri et s'aplatit sous le guichet pour offrir le moins de surface possible aux Springs voraces braqués sur eux. Zéphyr réagit au quart de tour : il prit à peine le temps de regarder par-dessus le bureau – une quinzaine d'uniformes clairs avaient envahi le hall et d'autres arrivaient – et choisit la riposte la plus expéditive. D'un coup de dents, il dégoupilla une de ses grenades artisanales et la lança au milieu du troupeau, à dix mètres. Une deuxième suivit alors que les Springs se taisaient, stoppés net par la terreur de leurs propriétaires. Le tueur se coucha à côté de Maïa et de Dimitri. Un hurlement perçant s'éleva au-dessus de la nuée de soldats, suffoqua dans le vacarme de l'explosion.

Maïa sentit l'onde de choc se propager jusque dans ses os, la chaleur de la déflagration lui lécher le visage. La porte vitrée de l'entrée vola en éclats. Pour faire bonne mesure, Zéphyr balança une troisième grenade par-dessus le guichet, qui les protégeait tant bien que mal. Une troisième apocalypse – il n'y avait plus que des cadavres calcinés au fond du hall.

Sonnée, les tympans en feu, Maïa se releva en titubant. Déjà, les voix d'autres soldats se rapprochaient. Zéphyr aida Dimitri à se mettre debout et amorça un demi-tour vers l'aile ouest.

Il se dirigeait vers le garage.

— Zéphyr ! appela Maïa d'une voix tremblante. Nathanaël est...

Une salve de balles siffla au-dessus de leurs têtes. Ils ne pouvaient plus reculer. Maïa se sentit vaciller alors que

Zéphyr l'attrapait par le bras pour l'entraîner. Le temps était distendu, comme figé dans une éternité malheureuse.

Le nom du Lazul lui échappa dans une prière déchirante.

— Nathanaël…

Les doigts de Zéphyr raffermirent leur prise. Elle se mit en marche malgré elle, enveloppée d'un voile de souffrance qui ne laissait passer ni les bruits des armes, ni les injonctions de Zéphyr. Il sembla à Maïa que le tueur avait les yeux embués. Ses propres larmes brouillaient sa vue. La main de Zéphyr la lâcha pour dégoupiller une nouvelle grenade et ses pas la portèrent malgré elle loin de celui qu'elle aimait.

CHAPITRE 44
H+6

Assis à son bureau, au premier étage, Solomon White fulminait. Les intrus n'avaient toujours pas été neutralisés. Il avait entendu cinq explosions, beaucoup de coups de feu. Combien de pertes humaines dans son camp ?

Planté comme un légume à côté de la porte verrouillée, son garde du corps personnel ne pipait mot. Ainsi que l'exigeait le protocole dans ce genre de situation, la priorité revenait à la protection du général des armées. Il fallait à tout prix éviter que celui-ci meure dans une fusillade, puisque son rôle consistait précisément à gérer l'après-crise. White était donc cloîtré en compagnie du général de brigade Perkins, dont les preuves au corps à corps n'étaient plus à faire.

Cette situation ne convenait pas du tout à White. Avant d'être nommé général des armées, il avait été un homme d'action, membre des Forces d'Intervention et étoile montante de sa génération. À quoi bon nommer général un spécialiste du combat pour le cantonner dans un cocon surprotégé à chaque débordement ?

Agacé, il inclina la tête vers son fusil d'assaut personnel, suspendu au mur à côté du bureau. Un vieil ami qui ne l'avait jamais trahi du temps des Forces d'Intervention et qui ne lui avait plus servi depuis.

— Général de brigade Perkins…

— Mon général ?

— Nous devrions aller prêter main-forte aux soldats. Nous sommes probablement les deux hommes les plus performants au combat de toute la Cité, n'est-ce pas absurde de rester enfermés ici ?

Perkins cilla et regarda le mur en face de lui.

— Vous connaissez le protocole, mon général.

White leva les yeux au ciel.

— Je jure de le modifier dès la fin de cette regrettable aventure.

Il crut voir un sourire passer dans les yeux de son garde du corps et plus proche confident.

Soudain, le talkie-walkie posé sur le bureau grésilla. Il était relié à ceux de plusieurs soldats partis débusquer les intrus.

— Mon… général… ici… le… lieutenant… Moses.

White se pencha sur l'appareil crachotant.

— Lieutenant Moses, ici le général White. Je vous reçois.

— Ils… ture… vide.

— Lieutenant Moses, répétez.

— Ils… sont… allés… dans… la… salle… des… tortures… Ils… ont… enlevé… le… prisonnier… Bielinski.

De nouveau, une friture inaudible résonna dans le bureau. White détestait ces appareils.

— Où est le colonel Johnson ? demanda-t-il.

— Il… il… est… mort.

— Merci, lieutenant Moses. Terminé.

Et il coupa la communication. Lorsqu'il leva les yeux vers Perkins, une fureur froide émanait de lui. Il se leva, empoigna son vieux fusil d'assaut (qu'il prenait soin de nettoyer régulièrement et qu'il chargeait après chaque séance d'entretien) et se planta devant le général de brigade.

— Vous avez entendu comme moi ce qui vient de se passer. Nous intervenons.

— M... mon général...

— Poussez-vous de là.

— Je ne peux pas, mon général. Mon rôle est de vous protéger.

White arma son fusil et mit son subordonné en joue.

— Eh bien, suivez-moi en bas, si vous voulez me protéger. Sinon, faites vos adieux au monde terrestre.

*

Une longue vis traînait sous le tableau de contrôle. Nathanaël l'aperçut alors que le soldat appuyait sur la détente du Springs. Le Lazul se jeta en avant et la planta dans la cuisse du soldat. Celui-ci s'écroula. La balle s'encastra dans le mur au-dessus de la table de commande. D'un bond, Nathanaël arracha son revolver au soldat et le braqua sur lui.

— Fumier! éructa l'homme, le visage crispé par la douleur et les mains serrées autour de sa blessure.

Essoufflé, effrayé, Nathanaël ne bougea pas. Son épaule le torturait et sa blessure au flanc s'était mise à goutter sur le sol. À ce rythme, il serait bientôt trop faible pour se défendre ; il lui fallait agir vite et bien. De sa main libre, il déchira un large pan de sa tunique et le jeta au soldat, dont le sang giclait de l'orifice percé par la vis.

— Fais-toi un garrot, ordonna le Lazul.

Le soldat hésita, obéit finalement. Pendant qu'il nouait le tissu autour de sa cuisse, Nathanaël resserra le bandage qui ceignait son torse pour tenter d'endiguer sa propre hémorragie. Puis il saisit un des colliers de serrage neufs que lui avait confiés Zéphyr et réunit de nouveau les mains du soldat devant lui, en veillant cette fois à ajuster correctement le lien.

Soudain, deux détonations secouèrent les murs de la salle de contrôle. Nathanaël tituba sous le choc alors que deux autres grenades explosaient au rez-de-chaussée. Son cœur s'emballa.

— Merde…

Les grenades appartenaient à Zéphyr, il le savait. Ce qui voulait dire que Maïa et lui étaient en mauvaise posture. Que les renforts envahissaient le QG. Il serra les dents, comme pour empêcher la peur de supplanter l'adrénaline. Le hall d'entrée grouillerait probablement de soldats quand il y descendrait…

Il était fait comme un rat.

— Merde !

Le soldat, toujours couvé par l'œil noir du Springs, reprenait du poil de la bête.

— On va passer par un autre chemin, décida le Lazul. Lève-toi.

Le blessé sourcilla. Le canon du revolver s'enfonça dans sa joue droite et le soldat se mit péniblement debout. Il clopina jusqu'au tableau de contrôle alors que Nathanaël s'approchait d'un plan des lieux punaisé au-dessus. Il suivit les couloirs secondaires du regard jusqu'au garage, planifia un trajet dans la zone de Tucumcari Center qu'il avait fermée un peu plus tôt. Puis il se tourna vers le soldat :

— Ferme tous les accès au hall.

— Va te faire foutre !

Nathanaël colla de nouveau le Springs sur sa tempe.

— Tue-moi si tu veux !

Le Lazul se mordit la lèvre inférieure. Ce crétin de soldat se ferait un devoir de mourir en héros avant ou après l'avoir aiguillé dans la mauvaise direction. Pourtant, il devait lui confier sa vie. Comment s'assurer de sa docilité ?

La chaleur du sang qui imbibait sa tunique l'étouffait. Une pellicule de sueur couvrait sa peau blafarde, et ce qu'il s'apprêtait à faire lui retournait les tripes. Il déglutit difficilement, ouvrit la porte du placard à balais où il avait enfermé les quatre autres soldats. Les troufions entassés, à bout de nerfs, gémirent à la vue de leur bourreau.

La main de Nathanaël trembla un peu sur la crosse du Springs quand il logea une balle dans le genou de l'un des otages. Le hurlement se perdit dans le bâillon et Nathanaël se retourna vers le soldat collé au tableau de contrôle.

— Si tu refuses de coopérer, c'est son autre jambe qui y passe.

Le soldat ouvrit la bouche pour déverser sa haine, mais le regard de Nathanaël l'en dissuada et il se retourna vers l'alignement d'interrupteurs. Il en actionna deux ; le Lazul força alors l'un des otages valides prisonniers du placard à balais à se relever.

— C'est lui qui va venir avec moi jusqu'au garage, indiqua-t-il. Si tu essaies de m'envoyer dans les bras de tes potes, en bas, je le descends. Es-tu prêt à sacrifier un camarade de sang-froid ?

Le soldat blêmit et abaissa deux interrupteurs supplémentaires. De toute évidence, il n'y était pas prêt.

*

Le garage était un immense hangar en tôle dans lequel il faisait aussi chaud qu'en plein soleil. Il restait cinq V-15, alignés près des portes coulissantes de la sortie ; les autres avaient été réquisitionnés pour ratisser la ville. Maïa, Zéphyr et Dimitri traversèrent le bâtiment, leurs pas résonnant contre la structure métallique comme s'ils avaient été cinquante. Ils avaient fermé les portes coupe-feu à la sortie du hall, retardant momentanément la cohorte de soldats qui les poursuivait.

Soudain, une balle siffla à leurs oreilles, puis une seconde.

— Plus un geste ! s'écria un homme en uniforme dont la silhouette se dessina dans l'embrasure d'une porte de service, sur un mur adjacent à celle par laquelle ils venaient d'entrer.

Zéphyr aida Dimitri à s'asseoir à couvert derrière un véhicule qui, espérait-il, le protégerait des balles. Maïa se décala de plusieurs mètres pour faire diversion et tira en direction des soldats. Elle ne se faisait pas d'illusions : avec la précision minable des Springs, elle ne réussirait à toucher personne, mais ses ennemis ne la toucheraient pas non plus. Elle pourrait les tenir à distance.

— Zéphyr ! Charge des bidons d'essence !

Le tueur se précipita vers les jerricanes les plus proches et revint avec vingt litres de carburant, qu'il jeta sans ménagement sur la banquette arrière du V-15 derrière lequel se trouvait Dimitri. Il en profita pour se délester de sa besace de provisions.

Maïa recula prudemment jusqu'au véhicule alors que le soldat avançait vers elle. Il ne lui restait qu'une balle, mais elle savait que le fusil d'assaut de Zéphyr était plein. Celui-ci avait eu le temps de faire un deuxième aller-retour et de charger vingt litres de plus à l'arrière du V-15.

Le soldat avait traversé la moitié du hangar ; Maïa savait qu'elle n'aurait pas le temps de faire monter Dimitri dans le V-15 et de partir avant qu'ils soient assez près pour les tuer à coup sûr. Elle empoigna un des bidons amenés par Zéphyr, qui relevait déjà Dimitri, et le déboucha. Puis elle fonça vers les soldats, qui n'étaient plus qu'à une vingtaine de mètres, en déversant l'essence autour d'elle.

— Zéphyr ! appela-t-elle en amorçant un demi-tour.

Celui-ci n'eut besoin de rien de plus pour comprendre ce qu'elle avait en tête. Il dégoupilla une grenade et la lança vers la flaque d'essence. Maïa fut projetée à terre par la déflagration. Lorsqu'elle se releva, un haut mur de flammes la séparait de ses assaillants. Ils ne tarderaient pas à le contourner, mais elle avait gagné quelques secondes cruciales.

Elle tituba jusqu'à la voiture et rassembla toutes ses forces pour se rappeler ses cours de conduite. Zéphyr s'installa à sa droite quand elle mit le moteur en marche. Sur la banquette arrière, Dimitri s'agrippa à l'appuie-tête du siège passager.

Maïa ferma les yeux un instant. Enfoncer la pédale de gauche. Passer la vitesse. Il y eut deux coups de feu qu'elle entendit à peine. Relâcher doucement la pédale...

— Attendez-moi !

Elle rouvrit les yeux, électrisée. D'un même geste, Zéphyr, Dimitri et elle se retournèrent. La silhouette de Nathanaël se découpa dans la lumière aveuglante des flammes. Maïa n'en croyait pas ses yeux. À ses pieds gisait le soldat hurlant, une balle logée dans la cheville gauche ; un autre troufion, qui avait dû servir d'otage au Lazul, était affalé dans l'embrasure de la petite porte de service, vraisemblablement évanoui.

Le cœur de Maïa explosa dans sa poitrine.

— Nate !

Mais celui-ci ne bougea pas. Sur son visage, le sourire épuisé se changea brusquement en mimique de terreur.

Puis la carcasse imposante de Solomon White apparut derrière lui, prolongée par un fusil d'assaut braqué sur son occiput.

— Rendez-vous, annonça le général des armées d'une voix gutturale. Rendez-vous sinon il meurt.

CHAPITRE 45
H + 7

Nathanaël restait immobile, les ombres des flammes dessinant des figures tremblantes sur son visage. Un peu en retrait, Maïa reconnut le général de brigade Perkins, garde du corps et bras droit de White, armé lui aussi d'un fusil d'assaut.

Elle sentit son corps se couvrir d'une sueur froide. La terreur embrumait son cerveau, incapable de trouver une solution tant que Nathanaël se trouverait dans le viseur de White. Celui-ci avait le visage fermé, concentré, et son regard était dirigé non pas vers elle mais vers Zéphyr.

— Sortez de ce véhicule, ordonna White. Pas de geste brusque. Posez vos armes en évidence sur le sol et mettez les mains sur la tête.

Maïa ne réfléchit pas et obéit ; c'était le seul moyen de garantir la survie de Nathanaël. Avec des gestes mesurés, elle ouvrit la portière du V-15 et se laissa glisser au sol. Elle se baissa pour y poser son Springs et mit les mains sur le haut de son crâne. Zéphyr l'imita de mauvaise grâce. Elle supposait qu'il aurait préféré combattre, mais c'était trop risqué. Au moment d'avancer vers White, Maïa jeta un regard en biais vers Dimitri, effondré sur la banquette arrière et qui n'avait pas réagi. Il tourna néanmoins son œil vers elle et ce qu'elle y vit lui arracha un frisson.

White et Perkins posèrent eux aussi les yeux sur Dimitri, qui leur tournait le dos, mais s'en désintéressèrent. Il ne représentait pas un danger. Ils reviendraient le chercher plus tard. Perkins mit Maïa et Zéphyr en joue alors qu'ils approchaient, puis le général de brigade fit signe au soldat blessé à la cheville par Nathanaël de s'occuper de Maïa. Le garde du corps n'était pas stupide : il avait pris pour cible l'ennemi le plus dangereux.

Le soldat, un lieutenant, se releva péniblement et la mit en joue alors que Perkins s'occupait de Zéphyr et White de Nathanaël.

— Bien, apprécia le général des armées. Sortons d'ici.

Et il poussa Nathanaël vers la sortie. Il leur restait une cinquantaine de mètres à parcourir avant de rentrer dans le QG. La situation ne leur était pas favorable. Maïa cherchait désespérément une solution. Il y avait bien quelque chose, mais…

… mais, si ça ratait, elle finirait avec une balle entre les yeux dans la seconde.

Elle serra les dents, inspira un grand coup et poussa un hurlement perçant, de toute la force de ses poumons. Ainsi qu'elle l'avait espéré, le lieutenant ne réagit pas immédiatement. Perkins, lui, détourna un instant son attention de Zéphyr, qui en profita pour se jeter sur lui et le plaquer au sol. Perkins tira dans le vide avant de heurter le béton avec violence. Au corps à corps, son fusil d'assaut ne lui servait à rien. Il n'hésita pas à s'en débarrasser pour se battre avec Zéphyr.

Le général de brigade, leste et entraîné, para sans difficulté les directs du tueur, qui restait plus à l'aise avec une arme entre les mains. Zéphyr avait déjà encaissé un douloureux crochet à l'estomac quand Perkins lui en asséna un autre en pleine face. Sonné, il s'écroula. Lorsqu'il reprit ses esprits, quelques instants plus tard, il découvrit une scène surréaliste et figée.

Nathanaël tremblait sur le fusil d'assaut abandonné par Perkins et dont le canon visait White. Le général, lui, braquait en retour son arme sur le Lazul. Aucun des deux ne bougeait. À quelques mètres de là, Maïa était allongée sur le lieutenant et lui collait son poignard sur la pomme d'Adam. Du sang gouttait des lèvres fendues de la jeune fille.

Entre Nathanaël et lui, Zéphyr vit Perkins. Le général de brigade courait vers le Lazul, qui lui tournait le dos. Goliath contre David. Zéphyr hurla le nom du jeune homme, mais celui-ci ne l'entendit pas.

Le tueur ferma les yeux pour ne pas assister au carnage.

C'est alors que le miracle se produisit. Juste avant de toucher Nathanaël, le général de brigade fut projeté en l'air, percuté par un V-15 sorti du néant. White tira une balle et manqua de peu le Lazul, qui fut projeté au sol. Au volant du V-15, Dimitri semblait ressuscité, mais à deux doigts de retomber dans l'état de choc duquel il venait de sortir. Pâle, les lèvres pincées et du sang coagulé plein le visage, il fit signe à Nathanaël de monter.

Perkins se releva comme un spectre. Son bras gauche pendait, inanimé ; il avait été brisé par le choc. Il se servit du droit pour récupérer son fusil d'assaut, abandonné par Nathanaël dans sa fuite. Celui-ci aida Zéphyr à se hisser sur la banquette arrière au moment où Perkins les visait.

— Stop ! cria une voix dans le dos du général de brigade.

Celui-ci fit lentement volte-face. Maïa se trouvait derrière White, son poignard plaqué sur la gorge du général.

— Lâchez vos armes, intima-t-elle à Perkins et au lieutenant.

— Ne l'écoutez pas, siffla White, aussi impuissant que furieux.

— Si vous ne m'obéissez pas, je lui tranche la gorge !

Perkins et le lieutenant, qui s'était relevé et tenait à grand-peine sur sa cheville brisée, hésitèrent. Le lieutenant céda le premier.

— Perkins ! s'exclama White. Si vous lâchez votre arme, je vous fais exécuter sans sommation !

Perkins fronça les sourcils, tiraillé, et laissa finalement tomber son fusil au sol. Maïa en aurait pleuré de soulagement.

— Désolé, mon général, annonça Perkins. Mais vous connaissez ma vision des choses vous concernant.

Sans un mot, Maïa poussa White jusqu'au V-15 et le fit monter sur la banquette arrière sans relâcher la pression du poignard sur sa gorge.

— Laissez-nous partir, annonça Maïa à Perkins et au lieutenant. Laissez-nous partir et il ne lui arrivera rien. Nous le relâcherons à la sortie du garage.

Perkins hocha silencieusement la tête, puis Dimitri écrasa l'accélérateur et le V-15 sortit du garage. Cent mètres plus loin, Maïa déposa White comme un colis sur le bas-côté.

— J'aurai votre peau, siffla White alors qu'elle se rasseyait sur la banquette arrière à côté de Zéphyr.

— On vous attend, rétorqua la jeune fille.

Et Dimitri démarra.

Se fiant à la boussole intégrée au tableau de bord, ils prirent plein nord jusqu'aux carrières de cuivre et de fer en longeant les berges du lac. Ils roulèrent vite. Très vite. À tel point qu'ils semèrent toutes les voitures de patrouille qu'ils croisèrent, essuyant quelques salves de balles tirées faute de mieux. La pédale d'accélérateur enfoncée, ils traversèrent l'étendue caillouteuse des carrières, passant au large des camions pleins de minerai, pareils à des monstres assoupis. Ils dépassèrent les silhouettes noires des usines de métallurgie et, au détour d'une montagne de gravats, l'étendue pelée du désert s'offrit à eux dans toute sa beauté.

L'ombre lunaire des cactus traçait des griffes sur la terre noire et stérile. Les yuccas, les buissons d'épineux, les chaos de roches déchiquetées régnaient en monarques absolus ; le désert n'appartenait pas aux hommes, même dans la Cité. Le V-15 aurait aussi bien pu se trouver sur la lune.

Calée sur la banquette arrière, Maïa jeta un bref regard derrière elle, comme un adieu méprisant à un monde qu'elle ne regretterait pas. Elle chuchota un ultime mot d'amour à sa mère et à son frère, pria pour leur protection. Mais sa dernière pensée, alors qu'elle contemplait les restes de son monde, fut pour Tobias Freeman.

À son père, qui avait créé son rêve de liberté, elle voulait dédier sa victoire.

L'armée les pourchassait peut-être, mais elle ne s'en faisait pas vraiment : leurs traces de pneus étaient indétectables dans l'obscurité et la caillasse du désert, et les rares gradés à connaître l'emplacement des portes étaient coincés au QG ou dispersés dans la ville. Ils avaient une longueur d'avance. Elle inspira à fond, et ce fut comme si ses poumons s'ouvraient pour la première fois de sa vie.

Agrippé au volant, Dimitri fixait obstinément la ligne d'horizon. La douleur se lisait sur ses traits blafards, mais il tenait bon. À sa droite, Nathanaël contemplait avec euphorie la liberté qui lui tendait les bras. Peu importait le mince filet de sang qui coulait de sa blessure au flanc. Elle aurait tôt fait de cicatriser. Ses plaies intimes, elles, allaient déjà beaucoup mieux. Et, derrière lui, Zéphyr. Le regard lointain, plein d'une fatigue sereine. Il s'avachit contre le dossier et leva les yeux vers le ciel. Des nuages s'amoncelaient autour de la lune, bercés par une brise légère.

Au bout d'un moment, les Murs s'élevèrent devant eux, symboles d'une captivité trop longtemps maintenue. Leur grillage, privé du grésillement désagréable du courant électrique, semblait bien inoffensif.

— Les portes ! s'exclama Nathanaël en pointant un petit rectangle métallique perdu dans l'immensité bétonnée des Murs.

Dimitri gara le V-15 devant les deux grands panneaux de métal dévorés par la corrosion et recouverts par l'épais grillage. Ils étaient fermés par une série de loquets rouillés. Nathanaël et Zéphyr sautèrent du véhicule et se précipitèrent sur les verrous. Maïa vint se poster à côté de Dimitri.

— Ça va ? demanda-t-elle, hésitant entre l'inquiétude et l'allégresse.

Son mentor lui adressa un sourire fatigué mais radieux.

— Ça va. Maïa…

Il expira avec lenteur, esquissa une grimace de douleur. Sa voix, brisée par trop de hurlements, était réduite à un murmure rauque :

— Merci.

— Arrête, je vais rougir.

Dimitri sourit de nouveau. Maïa aurait voulu se blottir dans ses bras ; elle se contenta de lui serrer la main dans les siennes. Mieux valait ne pas toucher son torse dévasté.

— Regardez ! appela doucement Nathanaël pour les ramener à la réalité.

D'un même mouvement, Maïa et Dimitri relevèrent la tête. Dans l'embrasure des portes se dessinait l'Extérieur. Qui avait hanté leurs rêves, qui était devenu leur raison de vivre et de braver la mort.

— Allez, souffla Zéphyr. Ne perdons pas de temps.

— Je vais prendre le volant, suggéra Maïa.

Dimitri acquiesça.

— Je vais me reposer un peu...

— Profites-en. Ici, tu es en sécurité, répondit la jeune fille en s'installant sur le siège conducteur.

Elle démarra au moment où les premières gouttes de pluie s'écrasaient sur le sol aride, soulevant des nuages de poussière. La mousson attendue depuis des mois arrivait enfin, comme pour leur souhaiter bonne chance. Euphorique, Maïa enclencha la première vitesse.

— C'est parti ! lança-t-elle.

Elle relâcha la pédale d'embrayage et la voiture cala piteusement dans un bruit de moteur mécontent. Nathanaël, Zéphyr et Dimitri esquissèrent le même sourire amusé.

— Relâche la pédale progressivement, fit Dimitri depuis la banquette arrière.

Elle redémarra, le visage crispé par la concentration.

— Voilà... Maintenant, accélère plus doucement. Oui, comme ça.

Le V-15 s'ébranla, prit de la vitesse et s'élança dans le désert.

— Félicitations ! s'amusa Dimitri.

— Je ne voudrais pas te vexer, intervint Nathanaël, mais tu conduis comme un pied.

— J'aimerais bien t'y voir !

— Nate est un peu sarcastique, souligna Zéphyr. Tu vas t'habituer…

La pluie tombait dru, trempant leurs épaules et rafraîchissant une nuit qui avait été beaucoup trop lourde. Le vacarme des gouttes martelant l'étendue aride les accompagnait comme un joyeux orchestre.

Le vide absolu s'étendait à l'infini, mais ils ne craignaient rien. La liberté leur appartenait enfin, et avec elle des promesses de bonheur. Ils rouleraient vers l'horizon sans fin. Ils finiraient par trouver ce qu'ils cherchaient. Des survivants, des terres fertiles. Et, à chaque instant, leurs épaules porteraient un peu plus que leur propre poids.

Ils emmenaient avec eux le rêve d'un enfant dont les blessures ressemblaient aux ailes d'un papillon.

— On n'a pas fini, alors…

— Non, ça, c'est clair. On vient même à peine de commencer.

ÉPILOGUE

TROIS MOIS PLUS TARD, ANCIEN ÉTAT DE CALIFORNIE

— Non, mon vieux, tu ne t'en sortiras pas comme ça.

— Ah ouais ?

— N... Hé ! Rends-moi ce bout de viande !

Nathanaël mordit dans la cuisse de lapin. Scandalisée, Maïa se retourna vers Zéphyr, qui les regardait faire en souriant.

— Zéphyr ! Dis-lui quelque chose, c'était ma part !

— C'était le rab, rectifia Nathanaël la bouche pleine. Le rab appartient à tout le monde.

Maïa lança un regard noir au jeune homme. Les restes de leur dernier campement avaient déjà été remballés ; des bagages légers amassés au fil des jours, récupérés parmi les décombres qui avaient jalonné leur route vers le nord-ouest. Ils avaient croisé plusieurs villes en ruine, abandonnées depuis la Grande Épidémie pour les plus proches de la Cité. Plus ils s'en éloignaient et plus l'abandon semblait récent. À chaque escale, ils avaient pris avec eux ce qu'ils pouvaient : essence pour le V-15, vêtements utilisables et, lors des derniers arrêts, boîtes de conserve encore comestibles, ce qui indiquait une désertion vieille de moins de dix ans.

— Tu devrais lui demander pardon, suggéra Zéphyr à Nathanaël. Sinon, le voyage va être un enfer.

Le jeune homme esquissa un sourire espiègle. Zéphyr lui avait révélé la vérité sur le virus, l'existence de la maladie auto-immune en lui, le mensonge du gouvernement concernant les Lazuli ; Nathanaël en avait pris acte d'un hochement de tête et le sujet n'avait plus été abordé. Parce que cela n'aurait rien changé.

Il se leva d'un bond, s'approcha de Maïa et ébouriffa ses cheveux frisés.

— Hé, arrête !

— Tu seras plus rapide la prochaine fois.

Maïa lui adressa une moue boudeuse alors que son cœur battait de façon désagréable, comme chaque fois que le Lazul la touchait. Pas une fois, en trois mois, ils n'avaient reparlé de la déclaration qu'elle lui avait faite et qu'il avait rejetée. Si les sentiments de la jeune fille n'avaient pas changé, elle avait décidé de les enfermer au plus profond d'elle-même et de ne plus y penser. Cette stratégie fonctionnait plutôt bien, sauf dans ces moments-là, où elle avait envie de fuir en courant pour ne plus ressentir la douleur.

Nathanaël semblait avoir oublié jusqu'au moindre des mots d'amour qu'elle lui avait adressés, mais ses regards et la façon qu'il avait de faire durer le contact plus que nécessaire quand il la touchait entretenaient chez Maïa un espoir dévastateur. Elle n'arrivait pas à renoncer.

— Vous n'avez pas fini, les jeunes ? Allez, on embarque.

D'un même geste, Maïa et Nathanaël se retournèrent vers le V-15, garé un peu plus loin à l'ombre d'un bosquet d'arbustes feuillus. Dimitri leva la tête du capot du véhicule, qu'il referma avant d'essuyer ses mains noires de cambouis.

— La révision est terminée, annonça-t-il. On repart.

Maïa trottina jusqu'à lui.

— Nate a mangé *mon* morceau de viande.

L'homme sourit. Ses cheveux avaient repoussé et la blessure sur son visage avait cicatrisé. Il n'en restait qu'une balafre rosâtre barrant la partie gauche de son visage. Son œil, en revanche, avait été irrémédiablement mutilé par sa séance de torture.

— Je propose qu'on le laisse conduire jusqu'à la prochaine ville, pour le punir.

— Ça marche !

— C'est vache, grogna Nathanaël en arrivant à leur hauteur. Je comptais faire la sieste…

Zéphyr sauta sur le siège passager.

— Je le surveille, annonça-t-il alors que Maïa et Dimitri s'installaient à l'arrière.

Nathanaël démarra et le groupe quitta la clairière. Le soleil était haut dans le ciel mais étonnamment doux, le paysage vert et généreux depuis plusieurs semaines. Aucune trace de vie humaine, cependant ; dans leurs moments de silence, Maïa, Nathanaël, Zéphyr et Dimitri ressassaient leurs angoisses.

Au bout de deux heures de route rythmées par les cha-
mailleries de Maïa et de Nathanaël, les forêts laissèrent
peu à peu place à un décor de plaines au cœur desquelles
se dessina un hameau. La nuit tombait quand Nathanaël
bifurqua pour s'en approcher. Maïa poussa une exclamation.

— Regardez, là !

Elle pointait du doigt une petite maison en rondins, un
peu à l'écart.

De la lumière s'échappait de l'une des fenêtres.

Une silhouette s'y découpa en ombre chinoise, si furtivement qu'elle ressembla à s'y méprendre à un mirage.

Remerciements

Chaque roman est un petit miracle, le fruit d'une curieuse alchimie : celle issue du travail de plusieurs personnes. *L'Enfant Papillon* ne fait pas exception, et je tiens à remercier celles et ceux qui ont permis à ce morceau de rêve d'exister.

Commençons par le début. Je souhaite tout d'abord remercier les lecteurs qui ont donné de leur temps pour m'aider à améliorer ce texte alors qu'il n'était qu'une esquisse.

Merci à Huguette Conilh, Mélody et Xenja, trois auteures de talent, pour vos conseils avisés et votre indéfectible soutien tout au long de cette aventure. Je me souviendrai encore longtemps des premiers pas de Maïa à vos côtés !

Merci aussi, et avec une affection toute particulière, à Éléonore, mon raton chéri, et à François, mon vieux renard. Pour votre aide lors de l'écriture de *L'Enfant Papillon* et bien plus que ça ; pour le regard attentif que vous portez sur chacun de mes textes, pour tout ce qui n'a rien à voir avec eux, pour votre amitié.

Merci à Philippe Laurent pour ses photos, son accessibilité et son tour de force : me dérider face à l'objectif, c'était pas gagné !

Un grand merci à la collection Black Moon pour avoir donné sa chance au texte à l'occasion de son « Tremplin », et à toute la communauté de Lecture Academy pour son dynamisme et son entrain lors des votes.

Merci aux membres des éditions Hachette Romans, qui m'ont accueillie avec tant de gentillesse. Je souhaite adresser un remerciement tout particulier à Isabel, mon éditrice, qui m'a guidée et soutenue avec une bienveillance exemplaire. Débuter dans l'édition à tes côtés fut un réel plaisir !

Je voudrais remercier ma famille, qui suit mes lubies de loin mais dont le soutien constant me fait déplacer des montagnes ; merci infiniment, donc, à Gilles et Myriam, à Monique, Denise, Robert et René.

Merci à Hadrien, ceinture noire de patience et spécialiste ès gestion de crise, sans qui rien de tout ça n'aurait eu lieu.

Enfin, merci à toi, lecteur qui a accompagné Maïa, Nathanaël et les autres jusqu'au bout, et qui a même eu le courage d'arriver en bas des remerciements. Chapeau !

✳

CE ROMAN
VOUS A PLU ?

Donnez votre avis et
discutez-en avec
d'autres lecteurs sur

LECTURE
academy.com

PAPIER À BASE DE
FIBRES CERTIFIÉES

hachette s'engage pour
l'environnement en réduisant
l'empreinte carbone de ses livres.
Celle de cet exemplaire est de :
1,3 kg éq. CO_2
Rendez-vous sur
www.hachette-durable.fr

« Pour l'éditeur, le principe est d'utiliser des papiers composés de fibres naturelles, renouvelables, recyclables et fabriquées à partir de bois issus de forêts qui adoptent un système d'aménagement durable. En outre, l'éditeur attend de ses fournisseurs de papier qu'ils s'inscrivent dans une démarche de certification environnementale reconnue. »

Dépôt légal 1re publication : février 2015

Imprimé en Espagne par Rodesa
31.0004.7 – ISBN 978-2-01-397341-0
Édition 01 – février 2015

Loi n° 49-956 du 16 juillet 1949
sur les publications destinées à la jeunesse.